처음부터 다시 시작하는
영문법 완전정복

기초 영문법 핵심 정리

2021년 9월 8일 1판 3쇄 발행

지은이 (주)잇플ITPLE 교재편집부

발행자   정지숙

발행처   (주)잇플ITPLE

주   소   서울 동대문구 답십리로 264 성신빌딩 2층

전   화   0502.600.4925

팩   스   0502.600.4924

홈페이지 www.itpleinfo.com

이 메 일 itpleinfo@naver.com

카   페   http://cafe.naver.com/arduinofun

ISBN 978-89-91068-86-5 13740

이 도서의 국립중앙도서관 출판예정도서목록(CIP)은
서지정보유통지원시스템 홈페이지(http://seoji.nl.go.kr)와
국가자료공동목록시스템(http://www.nl.go.kr/kolisnet)에서 이용하실 수 있습니다.
(CIP제어번호: CIP2018003782)

처음부터 다시 시작하는
영문법 완전정복

기초 영문법
핵심정리

ITPLE 잇플
Info Tech Pioneers Leaders in Education

좋은 집을 지으려면 먼저 기초를 확실히 다지고 그 기초 위에 튼튼한 골조를 세워가는 것이 가장 확실하고 효과적인 방법이라고 할 수 있습니다. 영어 공부에서 그런 기초와 골격이 되는 것이 바로 영문법입니다.

영문법의 정확한 이해 없이는 영문을 바르게 이해할 수 없고, 영작문이나 회화 학습도 발전을 기대할 수 없습니다. 주의할 것은 문법을 위한 문법이 아니라 활용할 수 있는 문법을 익혀야 한다는 점입니다.

이 교재는 영문법을 기초부터 다시 정리하고자 하는 분들을 위해 구성한 것입니다.

특히 영어에 자신이 없는 분들은 영문법의 기본적이고 필수적인 핵심 내용을 기초부터 알기 쉽게 배울 수 있습니다. 토익, 토플, 공무원 시험 등 각종 시험에 대비하는 분들에게는 신속하게 영어의 구조를 파악하고 재정리해서 시험에서 고득점을 올릴 수 있도록 구성되어 있습니다. 이를 위해 꼭 알아야 할 영문법의 전체적인 내용을 체계적인 항목으로 구성하고 간결한 해설과 실용적인 예문으로 설명했습니다.

영어는 현재 세계 공통어의 지위를 누리고 있습니다. 그러므로 싫든 좋든 영어는 어떤 형태로든 앞으로 자신의 생활에 밀접히 관계하게 될 것입니다. 이러한 시대의 흐름에 대응하기 위해서 이 교재로 영어의 골격이라 할 수 있는 문법·어법을 익히고 배워서 회화나 작문, 각종 시험에 활용할 수 있기를 기대합니다.

Structure
이 책의 구성

이 책의 구성은 다음과 같습니다.

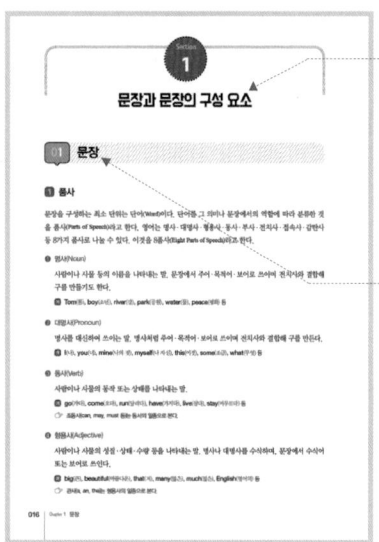

1. **체계적으로 영문법 항목 수록**
   고등학교 때까지 배운 영문법 항목들을 체계적으로 빠짐없이 수록해서 기본적인 문법과 어법 내용을 전체적으로 재정리하고 이해할 수 있도록 구성했습니다.

2. **해당 문법 항목의 구조를 한눈에 볼 수 있는 소제목**
   해당 문법 항목의 구조를 빠르게 파악할 수 있도록 각 문법 항목의 주요 내용을 소제목으로 분류, 소제목만 봐도 한눈에 해당 항목의 핵심 내용을 이해할 수 있습니다.

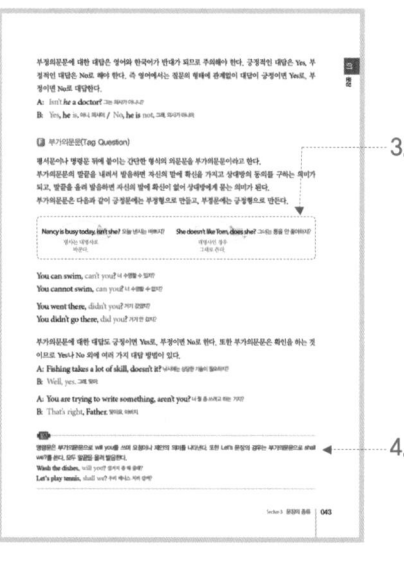

3. **문법 개념을 이해하기 쉬운 예문과 해설**
   문법 개념을 쉽게 이해할 수 있는 수준의 예문을 선정했습니다. 예문에 쓰인 영문은 지나치게 어렵거나 쉬운 것을 피하고 회화나 고등학교 수준이면 이해할 수 있는 것들입니다.
   또한, 해설만으로는 영문의 구조 파악이 어려운 예문은 표와 도표를 이용해 이해를 도왔습니다.

4. **참고**
   해당 항목과 연결하여 더 알아야 할 문법 내용은 별도로 참고란을 마련하여 수록해 두었습니다.

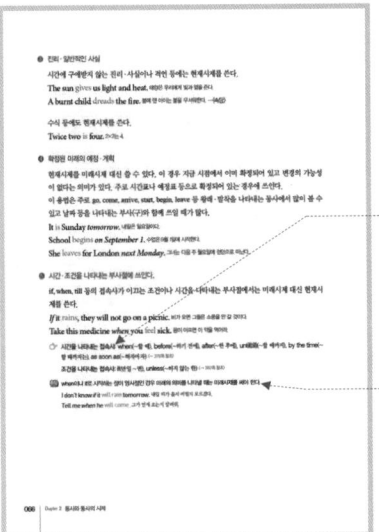

5. 부가적인 설명

문법 내용에 부가적으로 설명이 필요한 것이나 관련지어 알아두어야 할 사항을 간략한 설명과 예문으로 이해할 수 있게 했습니다.

6. 주의

문법 내용의 적용에 특별한 주의를 요하는 것은 예문 밑에 주의란을 마련하여 추가적으로 해설했습니다.

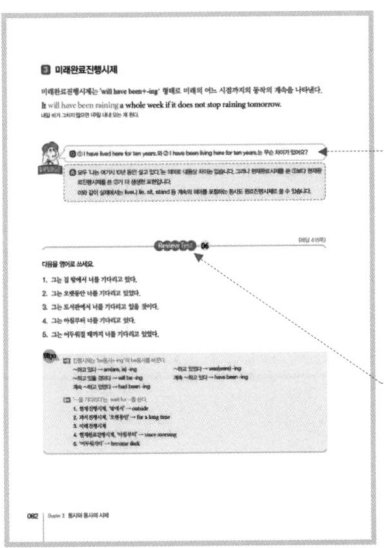

7. 질문 있어요!

문법 내용 중에 특히 많이 질문되는 것들을 질문과 대답 형식으로 다시 알기 쉽게 설명했습니다.

8. Review Test

소제목이 끝나는 곳에는 학습한 내용에 관한 Review Test를 구성해 놓았습니다. Review Test에 있는 연습문제를 풀면서 해당 항목의 내용을 잘 이해하고 있는지 복습해보고 실력을 다시 점검해 보세요.

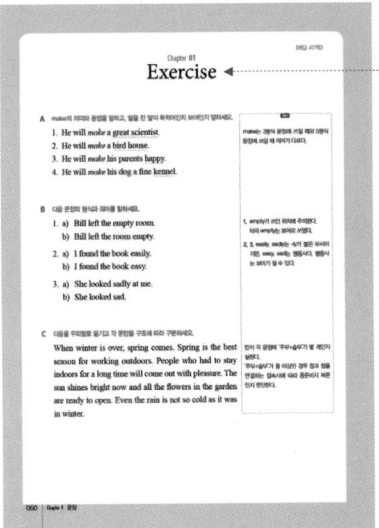

9. Exercise

각 Chapter가 끝나는 곳마다 그 Chapter의 주요 내용을 잘 이해했는지 확인할 수 있는 Exercise 문제가 있습니다. 각 Chapter에서 배운 전체적인 문법 내용을 확인하면서 자신의 실력을 다시 점검하고 이해 정도를 확인해 보세요.

Contents
차례

Chapter

01

문장

문장과 문장의 구성 요소

01 문장

1 품사

문장을 구성하는 최소 단위는 단어(Word)이다. 단어를 그 의미나 문장에서의 역할에 따라 분류한 것을 품사(Parts of Speech)라고 한다. 영어는 명사·대명사·형용사·동사·부사·전치사·접속사·감탄사 등 8가지 품사로 나눌 수 있다. 이것을 8품사(Eight Parts of Speech)라고 한다.

❶ **명사(Noun)**

사람이나 사물 등의 이름을 나타내는 말. 문장에서 주어·목적어·보어로 쓰이며 전치사와 결합해 구를 만들기도 한다.

예 Tom(톰), boy(소년), river(강), park(공원), water(물), peace(평화) 등

❷ **대명사(Pronoun)**

명사를 대신하여 쓰이는 말. 명사처럼 주어·목적어·보어로 쓰이며 전치사와 결합해 구를 만든다.

예 I(나), you(너), mine(나의 것), myself(나 자신), this(이것), some(조금), what(무엇) 등

❸ **동사(Verb)**

사람이나 사물의 동작 또는 상태를 나타내는 말.

예 go(가다), come(오다), run(달리다), have(가지다), live(살다), stay(머무르다) 등

☞ 조동사(can, may, must 등)는 동사의 일종으로 본다.

❹ **형용사(Adjective)**

사람이나 사물의 성질·상태·수량 등을 나타내는 말. 명사나 대명사를 수식하며, 문장에서 수식어 또는 보어로 쓰인다.

예 big(큰), beautiful(아름다운), that(저), many(많은), much(많은), English(영어의) 등

☞ 관사(a, an, the)는 형용사의 일종으로 본다.

❺ 부사(Adverb)

장소·시간·정도 등을 나타내는 말. 동사, 형용사, 다른 부사를 수식한다.

> 예 very(매우), much(매우), fast(빠르게), early(일찍), yes(네), not(~아니다) 등

❻ 전치사(Preposition)

명사나 대명사 앞에 쓰여 그 명사나 대명사와 다른 말과의 관계를 나타내는 말. '전치사+(대)명사' 형태로 쓰여 형용사 또는 부사 역할을 한다.

> 예 at(~에), in(~안에), on(~위에), to(~로), into(~안으로), for(~을 위하여), with(~와 함께), before(~전에) 등

❼ 접속사(Conjunction)

단어와 단어, 구과 구, 절과 절을 연결해 주는 말.

> 예 and(그리고), but(그러나), or(또는), that(~라는 것을), when(~할 때), before(~하기 전에) 등

❽ 감탄사(Interjection)

기쁨·슬픔·놀람 등의 감정을 나타내는 말.

> 예 oh(아), ah(아), my(이런), why(아니), dear(이런), Jesus(어머나), God(어머나) 등

8품사 중 명사(또는 대명사)와 동사가 문장에서 가장 중요한 역할을 맡는다. 또한 품사는 어형 변화를 하는 것과 어형 변화를 하지 않는 것으로 나눌 수 있다.

어형 변화를 하는 것	어형 변화를 하지 않는 것
명사·대명사: 인칭·격·수·성에 따라 변한다. 형용사·부사: 비교급·최상급이 있다. 동사: 원형·현재형·과거형·과거분사형이 있다.	전치사 접속사 감탄사

질문 있어요!!

Q 한 단어는 한 가지 품사로만 쓰이나요?

A 몇 가지 품사로 쓰일 때도 많습니다. 예를 들면 river는 명사로만 쓰이지만, well은 다음과 같이 쓰입니다.

He found a well there. 그는 거기서 우물을 발견했다. ··· 〈명사〉
He can swim well. 그는 수영을 잘 한다. ··· 〈부사〉
I am quite well. 나는 아주 건강하다. ··· 〈형용사〉
Well, here we are at last. 자, 드디어 도착했다. ··· 〈감탄사〉

이와 같이 단어의 품사는 하나로 정해진 것이 아니라 문장에서 어떤 역할을 하느냐에 따라 정해집니다.

❷ 문장이란?

단어를 일정한 법칙과 순서에 따라 써서 사상, 감정 또는 사실을 표현하는 것을 문장(Sentence)이라고 한다. 문장은 보통 두 단어 이상으로 이루어지는 경우가 많지만, Fire!(불이야!)처럼 한 단어이지만, 하나의 완전한 의미를 나타내는 것도 문장이라고 할 수 있다.

❸ 주부와 술부

문장은 대부분 'A는(가) B이다.' 또는 'A는(가) B한다.'라는 형태이다. 'A는(가)'라고 문장의 주체가 되는 부분을 주부(Subject)라고 하고, 'B이다(한다)'라고 주부의 상태나 동작을 설명하는 부분을 술부 (Predicate)라고 한다.

문장은 '주부+술부' 순서로 쓸 때가 많지만, '술부+주부' '술부+주부+술부' 순서로 쓰기도 한다.

술부	주부	술부
	The sparrows(참새들이)	sing.(지저귄다.)
	Mia and Lily(미아와 릴리는)	are my sisters.(내 여동생이다.)
Who is(누구죠?)	that lady?(저 여성은)	
There is(있다.)	a church(교회가)	in front of the school.(학교 앞에)
Did	she(그녀는)	play the flute?(플루트를 연주했나요?)
How fast(참 빨리)	his car(그의 차는)	is running!(달린다!)

《해답 416쪽》

Review Test 01

각 문장에 쓰인 단어의 품사를 말해 보세요.

1. Our school stands on the beautiful hill.

2. The teacher spoke very slowly.

3. You and I must wait till he comes back.

4. Ah, my mother is dead!

5. They arrived there in the early morning.

개념 대부분의 단어는 하나의 품사로만 쓰이지 않고 다른 품사로도 쓰인다.

early morning   get up early
형용사   부사

풀이 단어의 앞뒤 관계나 의미로 문장에서의 역할을 생각한다.

1. the, beautiful은 hill을 수식한다.
3. till은 1.의 on과는 달리 뒤에 절이 쓰였다.
5. early는 여기서는 morning을 수식한다.

02 문장의 구성 요소

주부의 중심이 되는 말은 주어, 술부의 중심이 되는 말은 술어동사(동사라고 불러도 된다)이다. 술부에 동사 외에 목적어나 보어 등을 써야 하는 경우도 있다.

1 주어

'~은(는), ~이(가)'에 해당하는 주부의 중심이 되는 말을 주어(Subject Word)라고 한다. 주부가 한 단어일 때는 '주부=주어'이다.

❶ 주어가 될 수 있는 것은 주로 명사·대명사이다.

The trains come every five minutes. 열차는 5분마다 온다.
　　　명사

She likes Korean food. 그녀는 한국음식을 좋아한다.
대명사

❷ 명사 역할을 하는 말(부정사·동명사·명사절)도 주어가 될 수 있다.

To live without air is impossible. 공기 없이 사는 것은 불가능하다.
　　　　부정사

Walking is good exercise. 걷기는 좋은 운동이다.
　동명사

What he said is true. 그가 한 말은 사실이다.
　명사절

2 동사

'~이다(하다)'에 해당하는 상태나 동작을 나타내는 말이 동사이다. 동사는 조동사가 붙거나 수동태에서 두 단어 이상이 되는 경우도 있다.

The moon rose. 달이 떴다.

Spring has come. 봄이 왔다.

We were invited to the party. 우리는 파티에 초대받았다.

He will be punished by the teacher. 그는 선생님에게 벌을 받을 것이다.

각 문장에서 주어와 동사를 말하세요.

1. Penguins have good eyes.

2. There is a post office at the end of the street.

3. One of the girls came from England.

4. When do we use dictionaries?

> **기본** <There is(are) ~.> 구문에서 주어는 동사 뒤에 온다.
> There is a key on the desk.
>   동사 주어
>
> **풀이**
> 3. 주부 One of the girls에서 중심이 되는 말은 One이다.
> 4. 조동사 do는 동사 use와 함께 동사로 본다.

3 목적어

동사가 나타내는 행동의 대상이 되는 말로 '~을(를)' '~에게'에 해당하는 것이 목적어(Object)이다. '~을'에 해당하는 말을 직접목적어(DO), '~에게'에 해당하는 말을 간접목적어(IO)라고 한다.

❶ 목적어 될 수 있는 것은 주로 명사·대명사이다.

인칭대명사를 목적어로 쓸 때는 목적격을 써야 한다.

My brother *bought* a new car. 우리 형이 새 차를 샀다.
            목적어

She *teaches* us mathematics. 그녀는 우리에게 수학을 가르친다.
       간접목적어   직접목적어

❷ 명사 역할을 하는 말(부정사·동명사·명사절)도 목적어가 될 수 있다.

I *like* to read books. 나는 책 읽는 것을 좋아한다.
       부정사

My father *gave up* smoking. 아버지는 담배를 끊으셨다.
          동명사

I *asked* her where to wait. 나는 그녀에게 어디서 기다리면 되는지 물었다.
        명사구(의문사+부정사)

I *think* that he will come. 나는 그가 올 것이라고 생각한다.
       명사절

참고

'전치사+명사(대명사)' 형태에서 전치사 뒤의 명사(대명사)를 '전치사의 목적어'라고 한다. 이때도 목적어가 인칭대명사면 목적격을 써야 한다.

I went shopping *with* Mother.
나는 어머니와 쇼핑하러 갔다.

He bought a pretty doll *for* me.
그가 나에게 예쁜 인형을 사주었다.

4 보어

동사만으로 문장이 불완전할 때 동사를 보충해서 주어나 목적어를 설명해 주는 말을 보어(Comple-ment)라고 한다. 보어가 될 수 있는 것은 주로 명사 역할을 하는 말과 형용사 역할을 하는 말(형용사·분사)이다. 보어에는 주격보어와 목적격보어가 있다.

❶ 주격보어

'주어+동사'만으로는 의미가 불완전한 경우에 주어에 대한 정보를 보충해주는 말을 주격보어라고 한다.

I *am* rich. 나는 부자다.

He *became* a scientist. 그는 과학자가 되었다.

☞ 위 예문에서 I am이나 He became만으로는 완전한 의미를 나타낼 수 없다. rich나 scientist와 같은 주어에 대한 정보를 보충해주는 말이 있어야 의미가 완전해진다.

❷ 목적격보어

'주어+동사+목적어'만으로는 의미가 불완전한 경우 목적어에 대한 정보를 보충해주는 말을 목적격보어라고 한다.

I think *him* honest. 나는 그가 정직하다고 생각한다.

We call *the boy* John. 우리는 그 소년을 존이라 부른다.

☞ 위 예문에서 I think him.이나 We call the boy.만으로는 의미가 불완전하므로 목적어 him이나 boy에 관한 정보를 보충해주는 honest, John이 있어야 의미가 완전해진다. 그래서 다음과 같은 관계가 성립한다.

him honest → *him* = honest   *the boy* John → *the boy* = John

즉, 목적어와 목적격보어의 관계는 주어와 주격보어의 관계와 같다.

《해답 416쪽》

Review Test 03

다음 각 문장에서 목적어와 보어를 말하세요.

1. How many books does she have?

2. That song has become popular in Korea.

3. He sent Mary a package from London.

4. We must keep our teeth clean.

Tips

가본 형용사는 보어로 쓸 수 있지만, 목적어로는 쓸 수 없다.

become popular   keep our teeth clean
　　　형용사=주격보어　　　　　　　　　　　　　형용사=목적격보어

풀이 동사를 보고 목적어를 쓰는 동사인지 보어를 쓰는 동사인지 판단한다.

　2. become은 보어를 쓰는 동사. poplar(인기 있는, 대중적인)

　3. send는 목적어를 두 개 쓸 수 있는 동사. package(소포)

　4. keep(~해두다)은 목적어와 보어를 쓸 수 있는 동사. teeth는 tooth(이)의 복수형.

03 수식어

문장의 요소(주어·동사·목적어·보어)를 수식하는 말을 수식어(Modifier)라고 한다. 수식어가 없어도 문장은 성립하지만, 문장의 요소만으로 이루어진 문장은 그다지 많지 않다. 문장은 수식어가 붙어 내용이 더욱 분명해지거나 생생한 표현이 된다.

수식어에는 명사나 대명사를 수식하는 형용사 역할을 하는 것과 동사나 형용사 등을 수식하는 부사 역할을 하는 것이 있다.

1 형용사 역할을 하는 말

명사나 대명사를 수식하는 말에는 형용사(관사 포함), 명사·대명사의 소유격 외에도 분사, 부정사, 구, 절 등이 있다. 형용사 역할을 하는 구나 절을 형용사구, 형용사절이라고 한다.

The squirrel had a long and beautiful tail. 그 다람쥐는 길고 예쁜 꼬리가 있었다. …〈형용사〉

The capital of the United Kingdom is London. 영국의 수도는 런던이다. …〈형용사구(전치사+명사)〉

He wanted some food to eat in the train. 그는 열차 안에서 먹을 약간의 음식을 원했다. …〈부정사〉

The wind coming from the sea was cool and pleasant. 바다에서 불어오는 바람은 시원하고 상쾌했다. …〈분사〉

I have a boy friend who lives in New York. 나는 뉴욕에 사는 남자 친구가 있다. …〈형용사절〉

2 부사 역할을 하는 말

동사나 형용사 또는 부사를 수식하는 말로 부사 외에 부정사, 구, 절, 분사구문 등이 있다. 부사 역할을 하는 구나 절을 부사구, 부사절이라고 한다.

She is very pretty. 그녀는 굉장히 예쁘다. …〈부사〉

He often watches television after supper. 그는 자주 저녁식사 후에 텔레비전을 본다. …〈부사구(전치사+명사)〉

I went there to buy a ticket. 나는 표를 사러 거기에 갔다.〈부정사〉

When he was young, he ran 100 meters in 10 seconds. 젊었을 때 그는 백 미터를 10초에 달렸다. …〈부사절〉

"How exciting!" David said, looking at the steep mountain of the Alps. …〈분사구문〉

'기가 막힌대'라고 데이비드는 알프스의 가파른 산을 바라보며 말했다.

같은 어구가 문장에서 다른 역할을 할 수도 있다.

The book on the desk is mine. 책상 위에 있는 책은 내 것이다.
　　　　　　형용사구

There is a book on the desk. 책상 위에 책이 있다.
　　　　　　　　부사구

참고

감탄사, 부르는 말, 삽입어구는 문장의 구성 요소나 수식어와 문법상의 관계없이 독립해서 쓰인다.

[감탄사]　　Oh, how happy I am! 아! 정말 행복해!

[부르는 말]　Bring me a glass of water, Bob. 밥, 물 한 잔 갖다 줘.

[삽입어구]　He was, indeed, a brave man. 그는 참으로 용감한 사람이었다.

《해답 416쪽》

Review Test 04

다음 각 문장의 수식어를 고르고 무엇을 수식하는지 말하세요.

1. Penguins use their wings to swim under water.

2. That building with a red roof is our school.

3. She sat on the beach and listened to the music from somebody's portable.

4. Watches made in Switzerland are famous all over the world.

Tips

기본 관사나 형용사는 명사 앞에 쓰고, 형용사구는 명사 뒤에 쓴다. 즉 명사를 뒤에서 수식한다.

that building with a red roof　　watches made in Switzerland

풀이 전치사·부정사·분사에 주의한다.

1. to swim under water(물속에서 헤엄치기 위해)

2. with a red roof(지붕이 빨간색인)

3. listen to를 하나의 동사로 본다.

4. made in Switzerland(스위스에서 만든), all over the world(전 세계에서)

Section 2

문장의 5형식

완전한 문장은 주부와 술부로 되어 있고, 술부는 동사의 종류에 따라 ① 보어도 목적어도 없는 문장, ② 보어가 있는 문장, ③ 목적어가 있는 문장, ④ 목적어가 둘 있는 문장, ⑤ 목적어와 보어가 있는 문장으로 구분할 수 있다. 이 5가지 문장의 형식을 문장의 5형식이라고 한다.

01 1형식(S+V) 문장

주어와 동사만으로 완전한 의미를 나타내는 문장이 1형식 문장이다. 1형식 문장에 쓰이는 동사는 자동사이고 보어가 필요 없으므로 완전자동사라고 한다. 완전자동사는 '주어+동사' 형태의 1형식 문장을 만들며, 이때 수식어인 형용사구나 부사구가 붙을 때가 많다.

Father smiled. 아버지는 미소를 지으셨다.
  S   V

The **child** *in the garden* **is crying.** 정원에 있는 아이는 울고 있다.
관사   S   형용사구   V

Time flies *like an arrow.* 시간은 화살처럼 빠르다.
  S   V   부사구

Most **people must work** *to live.* 대부분의 사람은 살기 위해 일해야 한다.
형용사   S   V   부사구

How hard **he works!** 그는 참 열심히 일한다!
  부사   S   V

> **참고**
>
> 동사나 조동사가 문장 앞에 오는 의문문에서도 형식은 변하지 않는다.
>
> May I come *in*? 들어가도 돼요?
>
> Is Tom *in the pool*? 톰은 수영장에 있니?

Review Test 05

《해답 416쪽》

다음을 영어로 쓰세요.

1. 우리 아버지는 5년 전에 돌아가셨다.
2. 검은 개가 정원에서 나왔다.
3. 큰 배가 바다를 항해하고 있다.
4. 그녀는 정말 아름답게 노래했어!
5. 내 여동생이 잭이라는 소년과 함께 돌아왔다.

> **Tips**
>
> **기본** 먼저 주어가 될 수 있는 말과 동사를 찾는다. 보통 '~은(가)'에 해당하는 말이 주어, '~이다(한다)'에 해당하는 것이 동사다.
>
> **풀이** 영어의 어순은 '주어+동사'가 기본이다.
>
> 1. 5년 전에 → five years ago
> 2. ~에서 나오다 → come out of
> 3. '바다 위를 항해하고 있다'라고 생각한다.
> 4. 감탄문의 어순에 주의한다. How(What) 다음에 '주어+동사'를 쓴다.
> 5. ~라는 이름의 → called ~

02 2형식(S+V+C) 문장

동사만으로는 주어에 대한 설명이 부족하여 주어의 상태나 동작을 설명해주는 보어를 써야 하는 자동사를 불완전자동사라고 한다. 불완전자동사는 '주어+동사+보어' 형태의 2형식 문장을 만든다. 이 경우의 보어를 주격보어라고 한다.

My father is *a farmer*. 우리 아버지는 농부다.
　　S　　V　　주격보어

1 2형식 문장에 쓰이는 동사

2형식 문장에 쓰이는 동사는 다음과 be동사 외에 다음과 같이 구분할 수 있다.

상태의 변화를 나타내는 동사	become, get, grow, come, fall, go, prove, turn		
상태의 계속을 나타내는 동사	**continue**(계속 ~이다) **remain**(여전히 ~이다)	**keep**(계속해서 ~하다) **stay**(~인 채로 있다)	**lie**(~의 상태에 있다) **sit**(~인 채로 그대로 있다)
감각을 나타내는 동사	**look**(~하게 보이다) **sound**(~하게 들리다)	**taste**(~맛이 나다) **feel**(감촉이~다)	**smell**(~냄새가 나다) **seem/appear**(~인 것 같다)

☞ get, become은 '~이 되다'라는 의미이지만, 보통 get은 '일시적으로 어떤 상태가 되다'라는 의미이고, become은 '영구적으로 어떤 상태가 되다'라는 의미로 쓰인다.

The tree grew taller. 그 나무는 크게 자랐다.

His face turned pale. 그의 얼굴은 창백해졌다.

The cold air gets warm and becomes lighter. 찬 공기는 따뜻해져서 더 가벼워진다.

He keeps silent. 그는 침묵을 지키고 있다.

She lay awake. 그녀는 잠에서 깨어 누워 있었다.

The pupils sat quiet. 학생들은 조용히 앉아 있었다.

My mother looks young. 우리 어머니는 젊어 보인다.

This problem seems difficult. 이 문제는 어려워 보인다.

The music sounds sweet. 그 음악은 듣기 좋다.

This pie tastes good. 이 파이는 맛이 좋다.

The tongue of a cat feels rough. 고양이 혀는 감촉이 꺼칠꺼칠하다.

참고

상태, 상태의 계속, 감각을 나타내는 동사는 be동사로, 상태의 변화를 나타내는 동사는 become으로 바꿔 써도 의미가 통한다.

The tree grew taller.
→ The tree became taller.
This problem seems difficult.
→ This problem is difficult.

2 주격보어의 형태

주격보어로 쓸 수 있는 것은 명사(대명사), 형용사 외에 부정사, 동명사, 분사, 구, 절이 있다.

The girl became a famous musician. 그 소녀는 유명한 음악가가 되었다. …〈명사〉

Is that all? 그게 전부예요? … 〈대명사〉

She seems happy today. 오늘 그녀는 행복한 것 같다. …〈형용사〉

The best thing is to send her some money. 최선의 방법은 그녀에게 약간의 돈을 보내주는 것이다. …〈부정사〉

His hobby is collecting stamps. 그의 취미는 우표를 모으는 것이다. …〈동명사〉

The dog came running. 개가 뛰어 왔다. …〈분사〉

The roses in the park are in full bloom now. 지금 공원에 장미가 활짝 피어 있다. …〈형용사구(전치사+명사)〉

The truth is that he is now in bed with a cold. 사실 그는 지금 감기에 걸려 누워있다. …〈명사절〉

> **주의** 주격보어가 될 수 있는 것은 명사와 형용사이지만, 실제로 명사가 주격보어로 쓰이는 것은 be, become, remain뿐이다. 그 이외의 경우 주격보어로는 형용사를 쓴다. 특히 look, sound 등의 감각을 나타내는 동사는 보어로 형용사를 쓰고 보어의 자리에 명사를 쓸 경우에는 전치사 like를 써야 하므로 주의해야 한다.
> It tasted good. 그건 맛있었다.
> It tasted like chocolate. 그건 초콜릿 맛이 났다.

Review Test 06

〈해답 416쪽〉

다음을 우리말로 옮기세요.

1. They looked sad to hear the news.

2. Most leaves turn yellow in fall.

3. How sweet this rose smells!

4. We kept standing in the bus.

> **가른** 2형식 동사의 보어는 주어의 상태나 동작을 설명한다.
>
> look ⎰ 보다
>   ⎱ ~처럼 보이다
>
> turn ⎰ 돌다
>   ⎱ ~이 되다
>
> keep ⎰ 유지하다
>   ⎱ 계속 ~하다
>
> **풀이** 1. to hear는 부정사의 부사적 용법으로 감정의 원인을 나타낸다.
> 2. leaves는 leaf(잎)의 복수형. fall = autumn
> 3. 감탄문이다.
> 4. standing(현재분사)이 보어로 쓰였다. keep -ing는 '줄곧 ~하다'

03 3형식(S+V+O) 문장

보어는 필요 없지만, 동사의 동작을 받는 대상인 목적어가 필요한 동사를 타동사라고 한다. 타동사 중에 목적어를 하나만 쓰는 동사를 완전타동사라고 하며 완전타동사는 '주어+동사+목적어' 형태의 3형식 문장을 만든다. 3형식은 가장 사용 빈도가 높은 문장 형식이다.

They like *violets*. 그들은 제비꽃을 좋아한다.
　S　　V　　O

What did **you** do? 넌 뭘 했니?
　O　　조동사　S　V

I bought some *sugar, salt, and coffee*. 나는 약간의 설탕, 소금 그리고 커피를 샀다.
S　　V　　　　　　　　O

1 목적어의 형태

목적어로 쓸 수 있는 것은 명사·대명사·부정사·동명사·명사구·명사절 등이 있다.

I play tennis in the afternoon. 나는 오후에 테니스를 친다. …〈명사〉

We left her alone for a while. 우리는 그녀를 잠깐 혼자 두었다. …〈대명사〉

I want to go there. 나는 거기에 가고 싶다. …〈부정사〉

I finished reading the book yesterday. 나는 어제 그 책을 다 읽었다. …〈동명사〉

I don't know how to drive a car. 나는 차를 운전하는 방법을 모른다. …〈명사구(의문사+부정사)〉

I know that Kate is smart. 나는 케이트가 영리하다는 것을 안다. …〈명사절〉

2 특별한 목적어를 쓰는 동사

다음과 같은 특별한 목적어를 쓰는 동사가 있다.

❶ 자동사+동족목적어

live, dream과 같은 자동사가 같은 어원이나 비슷한 의미의 명사를 목적어로 써서 '자동사+목적어' 형태로 타동사처럼 쓰인다. 이러한 목적어를 동족목적어라고 한다.

I dreamed **a terrible dream**. 나는 무서운 꿈을 꾸었다.

He lived **a happy life**.(= He lived happily.) 그는 행복한 생애를 살았다.

They fought **a fierce battle**.(= They fought fiercely.) 그들은 격전을 벌였다.

예 laugh a big laugh(크게 웃다)　　　　run a close race(접전을 벌이다)
　 sigh a deep sigh(깊은 한숨을 짓다)　　die a brave death(장렬한 최후를 맞이하다)

❷ 타동사+재귀목적어

주어와 목적어가 같은 사람(사물)이고 동사가 나타내는 동작이 자신에게 향할 때는 목적어로 반드시 재귀대명사를 쓴다. 형식은 3형식이지만, 의미는 자동사와 같다.

The man killed himself. 그 남자는 자기 자신을 죽였다. → 그 남자는 자살했다.

She seated herself at the table. 그녀는 자신을 식탁에 앉혔다. → 그녀는 식탁에 앉았다.

> **예** absent oneself from(결석하다)   adapt oneself to(적응하다)
> address oneself to(~에게 말을 걸다)   adjust oneself to(적응하다)
> apply oneself to(~에 전념하다)   devote oneself to(~에 헌신하다)
> enjoy oneself(즐기다)   lose oneself in(~에 열중하다)

3 타동사구

3형식 문장을 만드는 동사 중에 전치사나 부사와 결합하여 하나의 타동사로 쓰는 것이 있다. 이런 것들은 숙어처럼 외워두어야 한다.

❶ 자동사+전치사 = 타동사

She laughed at him.(=ridiculed) 그녀는 그를 비웃었다.

I'm looking for a gift for my daughter. 딸에게 줄 선물을 찾고 있다.

> **예** laugh at(~을 비웃다)   look for(~을 찾다)   listen to(~을 듣다)
> call on(~을 방문하다)   wait for(~을 기다리다)

❷ 타동사+명사+전치사 = 타동사

I'd like to make an appointment with him. 그와 약속을 하고 싶어요.

I made good use of this dictionary. 나는 이 사전을 잘 이용했다.

> **예** make an appointment with(~와 약속하다)   make use of(~을 이용하다)
> take care of(~을 돌보다)

❸ 동사+부사+전치사 = 타동사

We looked up to him as a scholar.(=respected) 우리는 그를 학자로 존경했다.

Don't speak ill of others behind their backs. 뒤에서 남의 욕을 해선 안 된다.

> **예** look up to(~을 존경하다)   speak ill of(~을 나쁘게 말하다)
> look down on(~을 경멸하다)

4 자동사로 착각하기 쉬운 타동사

marry, discuss 등은 타동사이므로 전치사 없이 바로 목적어를 쓴다. 즉 전치사를 쓰면 안 된다.

Harry married **his old girlfriend.** 해리는 옛 여자 친구와 결혼했다.

They discussed **the problem for hours.** 그들은 몇 시간 동안이나 그 문제를 토의했다.

예 **approach**(~에 다가가다)   **resemble**(~을 닮다)   **enter**(~에 들어가다)
reach(~에 도착하다)   **attend**(~에 참석하다)

Review Test 07

《해답 416쪽》

다음을 영어로 쓰세요.

1. 한국 학생들은 야구를 좋아한다.
2. 우리 집에는 방이 5개 있다.
3. Jack은 무엇을 가장 갖고 싶어 하니?
4. 우리는 그 가게에서 텐트를 사려고 했다.

Tips

가분 목적어가 될 수 있는 것은 명사뿐만 아니라 의문사 what이나 명사 역할을 하는 말도 목적어가 될 수 있다.
What do you want? 뭘 원하니? …〈what=목적어〉
I want to buy a pound of sugar. 설탕 1파운드 사고 싶은데요. …〈부정사=목적어〉

풀이 2. 집에 방이 5개 있다.
→ 집은 5개의 방을 가지고 있다.
3. what으로 시작한다.
5. '~을 해보다'는 try+to부정사. 부정사의 명사적 용법이다.

04 4형식(S+V+O+O) 문장

타동사 중에 두 개의 목적어를 쓰는 동사를 수여동사라고 한다. 수여동사는 '주어+수여동사+간접목적어+직접목적어' 형식의 4형식 문장을 만들며, '…에게 ~을 주다'라는 의미를 나타낸다. '~에게'에 해당하는 것을 간접목적어(Indirect Object), '~을'에 해당하는 것을 직접목적어(Direct Object)라고 한다.

I gave him some money. 나는 그에게 약간의 돈을 주었다.
S   V   IO   DO

1 주어+수여동사+간접목적어+직접목적어

4형식 문장은 '주어+수여동사+간접목적어+직접목적어' 어순으로 쓴다.

Father bought me a new watch. 아버지가 나에게 새 시계를 사주셨다.
You may ask her any question. 너는 그녀에게 어떤 질문을 해도 된다.
Will you tell me what to see first in Seoul? 서울에서 먼저 무얼 봐야 하는지 알려줄래요?
He told us that he wanted to sleep. 그는 우리에게 자고 싶다고 했다.

2 주어+수여동사+직접목적어+전치사+간접목적어

4형식이 쓰이는 것은 주로 간접목적어가 짧은 경우다. 간접목적어가 긴 경우 간접목적어와 직접목적어의 순서를 바꿔 '주어+수여동사+직접목적어+전치사+간접목적어' 어순(3형식)으로 쓸 수 있다. 이때 간접목적어 앞에 쓰는 전치사에 따라 수여동사를 give형 동사와 buy형 동사로 구분할 수 있다.

① give형 동사

give(주다), offer(제공하다), bring(가져오다), hand(건네주다), lend(빌려주다), pay(지불하다), send(보내다), show(보여주다), teach(가르치다), tell(알려주다), write(쓰다) 등의 동사는 '직접목적어+전치사+간접목적어' 어순으로 쓸 수 있다. 이때 간접목적어에 앞에 to(~에게)를 쓴다.

He lent me the book. 그는 나에게 그 책을 빌려 주었다.
→ He lent the book to me.

She wrote Jim a letter. 그녀는 짐에게 편지를 썼다.
→ She wrote a letter to Jim.

❷ buy형 동사

buy(사주다), get(구해주다), leave(남겨주다), make(만들어주다), find(찾아주다), cook(요리해주다), choose(골라주다) 등의 동사는 '직접목적어+전치사+간접목적어' 어순으로 쓸 때 간접목적어에 앞에 for(~을 위해)를 쓴다.

I must buy Bill a fine birthday present. 나는 빌에게 멋진 생일 선물을 사주어야 한다.

→ I must buy a fine birthday present for Bill.

Mother made me a dress. 어머니가 나에게 옷을 만들어 주셨다.

→ Mother made a dress for me.

☞ ask는 간접목적어 앞에 of를 쓴다.
He asked me a difficult question. 그는 나에게 어려운 질문을 했다.
→ He asked a difficult question of me.

Review Test 08

《해답 416쪽》

다음을 영어로 쓰세요.

1. 남동생이 나에게 커피 한 잔을 가져다주었다.
2. Mary에게 무얼 보내 주었니?
3. 역으로 가는 길을 알려 줄래요?
4. 그의 삼촌은 그에게 모형 비행기를 만들어 주었다.

> **기본** 4형식 문장은 '주어+수여동사+간접목적어(사람)+직접목적어(사물)'의 어순으로 쓴다.
>
> Tom gave me this book.
>   ~에게(사람) ~을(사물)
>
> **풀이** 1. '가져다주다' → bring
> 2. what으로 문장을 시작하고 동사 뒤에 목적어를 하나만 쓴다.
> 3. '~해주겠어요?' → Will you ~?, '알려주다→나에게 알려주다'이므로 목적어를 두 개 써야 한다.
> 4. '모형 비행기 → model plane

목적어 외에 그 목적어를 설명해주는 보어(목적격보어)가 필요한 동사를 불완전타동사라고 하며 불완전타동사는 5형식 문장을 만든다. 5형식 문장에서 목적어와 목적격보어는 '목적어=목적격보어'의 관계이며,

We elected **her mayor**. 우리는 그녀를 시장으로 선출했다. <her=mayor>
　S　 V 　O　 C

목적격보어로는 명사, 형용사, 부정사, 분사 등을 쓸 수 있다.

I think **him a reliable man**. 나는 그를 믿을만한 사람이라고 생각한다. ···〈명사〉
Mary keeps **her room clean**. 매리는 방을 깨끗이 유지한다. ···〈형용사〉
I saw **Nancy *cooking* in the kitchen**. 주방에서 낸시가 요리하는 것을 보았다. ···〈현재분사〉
She told **her children *to eat* more vegetables**. 그녀는 아이들에게 채소를 많이 먹으라고 했다. ···〈부정사〉

1 불완전타동사의 종류

불완전타동사는 의미에 따라 다음의 네 가지로 구분할 수 있다.

❶ '…을 ~ (상태로) 하다'라는 의미를 나타내는 동사

keep(~해 두다), leave(~인 채로 두다), make(~하게 만들다), elect(~로 선출하다), choose(~로 고르다), call(~라고 부르다), name(~라고 이름 짓다) 등의 동사이다. 보어로는 명사나 형용사를 쓴다.

They left **all the window open**. 그들은 창문을 모두 열어 두었다.
They elected **him president**. 그들은 그를 대통령으로 선출했다.
Jack named **his dog Blackie**. 잭은 그의 개를 블랙키라고 이름 붙였다.

paint(칠하다), wash(씻다), push(밀다), boil(끓이다), open(열다), shout(외치다) 등도 불완전타동사로 쓰일 수 있다.

He painted **the wall white**. 그는 벽을 흰색으로 페인트칠했다.
Open **your mouth wide**. 입을 크게 벌려요.

❷ '…에게 ~시키다'라는 의미를 나타내는 사역동사

make, have, let 등의 사역동사는 원형부정사나 분사를 목적격보어로 쓴다.
Mother made **me *clean* the room**. 어머니는 내게 방 청소를 시켰다.
Father let **me *drive* the car**. 아버지가 차를 운전하도록 허락해 주셨다.

❸ 감각·지각을 나타내는 지각동사

see, watch, hear, feel, smell 등 지각동사도 원형부정사나 분사를 목적격보어로 쓰는 경우가 많다.

I saw him *cross* the street. 나는 그가 길을 건너는 것을 보았다.

I heard her *singing*. 나는 그녀가 노래하는 것을 들었다.

❹ '…이 ~라고 생각하다'라는 의미를 나타내는 인식동사

think(생각하다), believe(믿다), consider(생각하다), feel(느끼다), know(알다), find(알아채다) 등이 대표적인 동사이다.

I think him honest. 나는 그가 정직하다고 생각한다.

I found the book easy. 나는 그 책이 쉬웠다.

We know the man a liar. 우리는 그 남자가 거짓말쟁이라는 것을 안다.

☞ 인식동사의 목적격보어 앞에 to be가 삽입될 수 있다. 또한 '목적어+목적격보어'는 접속사 that절로 바꿔 쓸 수 있다.
We know the man *to be* a liar. = We know (that) the man is a liar.

질문 있어요!!

Q 목적격보어로 구나 절이 쓰인 예를 들어 주세요.

A 다음과 같은 것이 있습니다. ①, ②는 구, ③은 절이 쓰인 예입니다.

① I found him in anger. 나는 그가 화가 났다는 걸 알았다.
② Everybody should set his mind at rest. 모든 사람은 마음을 평안히 해야 한다.
③ My uncle has made me what I am. 삼촌이 나를 지금과 같이 만들어주셨다.

《해답 416쪽》

Review Test 09

다음을 영어로 쓰세요.

1. 옷을 젖은 채로 두지 마라.
2. 그들은 Tom을 팀의 주장으로 선출할 것이다.
3. 나는 그것이 너의 의무라고 생각해.
4. 한 해의 첫 번째 계절을 뭐라고 하니?

Tips

기본 5형식 문장은 목적어와 보어를 필요로 하며, '주어+동사+목적어+보어' 어순으로 쓴다.

풀이 1. '~인 채로 그대로 두다' → leave. 부정명령문으로 쓴다.
2. 주장(captain)에는 관사를 쓰지 않아도 된다.
4. 동사는 call을 쓴다. what이 보어가 된다.

06 기타 알아두어야 할 문장 형식

1 There+be동사+주어 ~.

1형식 문장 중에 〈There+be동사+주어 ~.〉 구문이 있다. 여기서 there는 별다른 의미 없이 쓰인 유도부사로, 존재의 의미를 강조해서 '…에 ~가 있다'라는 의미를 나타낸다. 뒤에 오는 주어가 단수이면 be동사는 is를, 복수이면 are를 쓴다. 시제가 과거이면 was(were)를 쓴다.

There are some *chairs* in the room. 방 안에 의자가 몇 개 있다.

〈There+be동사+주어 ~.〉 구문의 의문문은 there와 be동사의 위치를 바꾸면 된다.

A: Was there much *water* in the river? 강에 물이 많았니?
B: Yes, there was. 응, 많았어.
B: No, there wasn't. 아니, 많지 않았어.

☞ 〈Here+be동사+주어 ~.〉 구문도 〈There+be동사+주어 ~.〉 구문과 같은 형식이다. 다만 here에는 '여기에'라는 의미가 있어서 '여기 ~가 있다'라는 의미가 된다. 주어가 대명사일 때는 'Here+주어+be동사' 어순으로 쓴다.
Here is *your watch*. 네 시계 여기 있어.
Here *it* is. 여기 있어.

2 주어+be동사+to부정사, 주어+seem(happen)+to부정사

2형식(주어+동사+보어) 문장 중에 보어로 to부정사를 쓰는 관용적인 표현이 있다.

❶ 주어+be동사+to부정사

be동사 뒤에 보어로 to부정사를 써서 예정(~하기로 되어 있다)이나 의무(~해야 한다)를 나타낸다.

They are to meet in front of the library at four. 그들은 4시에 도서관 앞에서 만나기로 했다.
You are always to knock before you come in. 들어오기 전에는 항상 노크를 해야 한다.

☞ 다음 두 문장을 비교해 보자.
The best thing is *to send* her some money. 가장 좋은 것은 그녀에게 돈을 좀 보내주는 것이다. (→ 26쪽 참조)
You are to send her some money. 너는 그녀에게 돈을 좀 보내줘야 한다.

❷ 주어+seem(happen)+to부정사

'주어+seem+to부정사'는 '~처럼 보이다', '주어+happen+to부정사'는 '우연히 ~하다'라는 의미가 된다. 또한 '주어+prove(turn out)+to부정사'는 '~로 밝혀지다'라는 의미를 나타낸다.

He seems to know **everything about it.** 그는 그 일에 대해 모든 것을 아는 것 같다.

I happened to be **out when he came.** 그가 왔을 때 나는 마침 그때 외출 중이었다.

3 주어+want(tell, ask)+목적어+to부정사

5형식 문장에서 목적격보어로 쓰인 to부정사의 의미상 주어는 목적어이므로 목적어와 to부정사는 주어와 동사의 관계에 있다. 'want+A(목적어)+to부정사'는 'A가 ~해 주기 바라다', tell(ask)+A(목적어)+to부정사는 'A에게 ~하도록 말하다(부탁하다)'라는 의미가 된다.

I want *you* to come **at once.** 네가 즉시 와 주면 좋겠어.

Mother asked(told) *us* to help **her in the kitchen.** 어머니가 우리에게 부엌일을 도와 달라고 하셨다.

4 주어+지각동사+목적어+원형부정사, 주어+지각동사+목적어+-ing

지각동사인 경우 목적어와 목적격보어가 능동·진행의 관계면 원형부정사와 현재분사를 쓸 수 있다. 원형부정사를 쓰면 어떤 행위의 시작부터 끝까지 전 과정을 보거나 들은 것을 나타내고, -ing(현재분사)를 쓰면 어떤 행위의 일부를 보거나 들은 것을 나타낸다.

We heard *someone* call **for help.** 누가 도와달라고 외치는 소리를 들었다. …〈원형부정사〉

We heard *someone* calling **for help.** 누가 도와달라고 외치는 소리를 들었다. …〈현재분사〉

 Review Test 10　　　　　　　　　　　　〈해답 416쪽〉

밑줄 친 부분에 주의해서 우리말로 옮기세요.

1. There <u>are</u> some boats there.

2. His father <u>is to</u> return on Sunday.

3. If you <u>happen to</u> see Jane, <u>tell</u> her to come <u>to</u> the party.

4. We <u>asked</u> him <u>to</u> have dinner with us.

5. Mr. Brown <u>watched</u> him <u>playing</u> in the yard.

6. I've never <u>seen</u> you <u>look</u> so happy.

> **개념** 5형식 문장에서 목적어와 목적격보어로 쓰인 to부정사·원형부정사·현재분사는 의미상 '주어+동사'의 관계다. 따라서 목적어를 주어처럼 생각해서 '…가 ~한다(하고 있다)'라고 해석한다.
>
> **풀이** 2. 'is to부정사'는 예정을 나타낸다.　　　　3. to come은 명령문처럼 '~오라고'라고 해석할 수 있다.
> 　　　4. ask+목적어+to부정사　　　　　　　　5. watch+목적어+-ing
> 　　　6. see+목적어+원형부정사

문장의 종류

문장은 내용에 따라 평서문, 의문문, 명령문, 감탄문으로, 구조에 따라 단문, 중문, 복문으로 구분할 수 있다.

01 내용에 따른 분류

문장은 내용에 따라 평서문, 의문문, 명령문, 감탄문으로 나눌 수 있고, 각각 긍정문, 부정문이 있다.

평서문	He runs fast. 그는 빨리 달린다.	의문문	*Does* he run fast? 그는 빨리 달리니?
명령문	Run fast. 빨리 달려라.	감탄문	**How** fast he runs! 그는 참 빨리 달린다!

1 평서문

평서문은 사실을 있는 그대로 말하는 문장이다. 문장 끝에 마침표(period)를 붙이며, 말끝을 내려 발음한다. 평서문은 보통 '주어+동사' 어순으로 쓴다.

Summer comes after spring. 봄 다음에 여름이 온다.

He did his best. 그는 최선을 다했다.

부정문은 다음과 같이 만든다.

❶ be동사 · 조동사가 쓰인 문장

be동사 · 조동사가 쓰인 문장은 be동사나 조동사 뒤에 not을 써서 부정문을 만든다.

This is a desk. → This is *not* a desk.   We are students. → We are *not* students.

I can swim. → I can*not* swim.   She will come. → She will *not* come.

진행형 · 수동태에 쓰인 be동사나 완료형에 쓰인 have도 조동사로 취급하여 뒤에 not을 넣어 부정문을 만든다.

I am walking. → I am *not* walking.

It was placed on the desk. → It was *not* placed on the desk.

I have become rich. → I have *not* become rich.

❷ be동사 이외의 동사(일반동사)가 쓰인 문장

일반동사가 쓰인 문장의 부정문은 현재시제인 경우 'do not+동사원형', 과거시제인 경우 'did not+동사원형'으로 만든다. 다만 주어가 3인칭 단수이고 현재시제일 때는 'does not+동사원형'이 된다.

We work hard. → We do *not* work hard.

We worked hard. → We did *not* work hard.

He works hard. → He does *not* work hard.

주의 영국 영어에서는 have가 '가지다'의 의미일 때 부정문은 have not, has not, had not을 쓴다.

참고

부정문은 구어에서 다음과 같이 축약해서 쓸 때가 많다.

is not → isn't	are not → aren't	was not → wasn't	were not → weren't
have not → haven't	does not → doesn't	did not → didn't	
will not → won't	would not → wouldn't	shall not → shan't	should not → shouldn't
cannot → can't	could not → couldn't		
may not → mayn't	might not → mightn't	must not → mustn't	
ought not → oughtn't	need not → needn't	dare not → daren't	used not → usedn't

Q not 외에 부정의 뜻을 나타내는 말이 있나요?

A never(결코 ~않다), little(거의 ~않다), few(거의 ~않다), no(어떤 ~도 없는) 등은 not과는 달리 일반동사인 경우에도 조동사 do 없이도 부정문을 만들 수 있습니다.

He *never* breaks his promise. 그는 절대로 약속을 어기지 않는다.

We have *little* snow here. 이곳은 거의 눈이 안 온다.

No accident has occurred today. 오늘은 아무 사고도 일어나지 않았다.

《해답 416쪽》

Review Test 11

다음을 부정문으로 쓰세요.

1. Tom and Jane were in the garden.

2. That gentleman may be Mr. White.

3. We will get there within an hour.

4. Father likes apples.

5. The teacher took us to the park.

기본 일반동사 부정문은 주어의 인칭, 단수·복수, 시제에 따라 do not, does not, did not을 구별해서 쓴다.

주어가 1·2인칭 단수이고 현재시제 → do not　　　주어가 3인칭 단수이고 현재시제 → does not

과거시제 → did not

좋아 not을 쓰는 자리에 주의한다.

■ be동사(조동사)가 있으면 그 뒤에 not을 쓴다.

■ 일반동사를 쓴 문장은 'do(does/did)+not' 형태로 부정문을 만든다.

2 의문문

의문문은 상대방에게 질문하는 형식의 문장을 말한다. 문장 끝에는 의문부호(question mark[?])를 붙이며, 어순은 보통 '동사+주어' 또는 '조동사+주어+동사'로 쓴다.

A 의문사가 없는 의문문(Yes/No Questions)

yes나 no로 대답할 수 있는 의문문을 말하며, 보통 말끝을 올려서 발음한다.

❶ be동사·조동사가 쓰인 문장

'Be동사(조동사)+주어 ~?' 어순으로 의문문을 만든다.

A: Is he a doctor? ↗ 그는 의사이니?

B: Yes, he is (a doctor). ↘ / No, he isn't (a doctor). ↘

A: Can you speak English? ↗ 영어를 할 수 있니?

B: Yes, I can (speak English). ↘ / No, I can't (speak English). ↘

A: Have *you* visited London? ↗ 런던에 가본 적 있어?

B: Yes, I have (visited London). ↘ / No, I haven't (visited London). ↘

☞ 대답의 ( ) 안의 말은 생략할 수 있고, is, isn't, can, can't를 강하게 발음한다.

❷ 일반동사가 쓰인 문장

'Do(Does, Did)+주어+동사원형 ~?' 어순으로 의문문을 만든다.

You work hard. ↘ → Do you *work* hard? ↗ 열심히 일하니?

She washes the dishes. ↘ → Does she *wash* the dishes? ↗ 그녀가 설거지를 하니?

They went to the park. ↘ → Did they *go* to the park? ↗ 그들은 공원에 갔었니?

주의 영국 영어에서는 have가 '가지다'의 의미로 쓰일 때는 의문문은 'Have(Has, Had)+주어 ~?' 형태로 쓴다.

You have a bicycle. → Have *you* a bicycle?

일반동사 의문문의 대답은 다음과 같은 형식으로 하면 된다.

> Yes, 주어+do(does, did). 또는 Yes, 주어+동사 ~.
> No, 주어+do(does, did) not (+동사원형 ~).

A: Do you work hard? ↗

B: Yes, I do. ↘ / Yes, I work hard. ↘ / No, I don't (work hard). ↘

A: Does she wash the dishes? ↗

B: Yes, she does.↘ / Yes, she washes the dishes.↘ / No, she doesn't (wash the dishes).↘

A: Did they go to the park? ↗

B: Yes, they did.↘ / Yes, they went to the park.↘ / No, they didn't (go to the park).↘

☞ Yes로 대답할 때의 do, does, did는 동사의 반복을 피하기 위해 쓰는 것으로 대동사라고 한다. 대동사를 쓰지 않고 대답할 때는 hard, the dishes, to the park 등의 수식어나 목적어를 생략할 수 없다.(··→ 89쪽 참조)

Ⓑ 선택의문문

선택의문문은 or를 이용해서 둘 (이상) 중에서 선택을 요구하는 의문문으로 Yes나 No로 대답할 수 없다. or 앞의 말은 올리고 말끝을 내려서 발음한다.

A: Is this a desk ↗ or a table ↘? 이것은 책상이니, 식탁이니?

B: It is a desk. 책상이야.

A: Did he come back on Sunday ↗ or on Monday ↘? 그는 일요일에 돌아왔니, 월요일에 돌아왔니?

B: He came back on Monday. 월요일에 돌아왔어.

Ⓒ 의문사가 있는 의문문(wh-questions)

who, what, which, where, why, when, how 등의 의문사로 시작하는 의문문으로 Yes나 No로 대답할 수 없고 말끝을 내려 발음한다.

의문사에는 의문대명사(who, what, which)와 의문부사(where, why, when, how)가 있다.

❶ 의문사의 종류

의문대명사 (··→ 266쪽 참조)	\multicolumn{2}{l}{문장의 주어, 목적어, 보어를 묻는다.}
	who	A: Who is that girl? 저 소녀는 누구니? B: She is Mia. 미아야.
	what	A: What is your name? 이름이 뭐니? B: My name is Tom. 톰이야.
	which	A: Which is your car? 네 차는 어느 것이니? B: This one is. 이 차야.
의문부사 (··→ 289쪽 참조)	\multicolumn{2}{l}{시간, 장소, 이유, 정도 등을 묻는다.}
	when	A: When did you see him? 언제 그를 만났니? B: I saw him yesterday. 어제 만났어.
	where	A: Where were you born? 어디서 태어났니? B: I was born in Busan. 부산에서 태어났어.
	why	A: Why didn't you lock the door? 왜 문을 안 잠갔어? B: Sorry, I completely forgot. 미안해, 깜빡했어.
	how	A: How did he go there? 그는 거기 어떻게 갔니? B: He went there by plane. 비행기로 갔어.

의문대명사 중에 what과 which는 명사 앞에 쓰여 그 명사를 수식하는 형용사로 쓰이기도 한다. 이 것을 의문형용사라고 한다.(··· 278쪽 참조)

A: What *sport* do you like? 어떤 스포츠를 좋아하니?

B: I like baseball. 야구를 좋아해.

A: Which *boy* won the prize? 어느 소년이 상을 받았니?

B: That boy did. 저 소년이 받았어.

❷ 의문사의 어순

의문사가 있는 의문문은 일반적으로 의문사가 주어일 때 외에는 '의문사+동사+주어 ~?' 어순으로 쓴다.

의문사가 문장의 주어가 아닌 경우	의문사가 문장의 주어가 아닐 때는 '의문사+be동사(조동사)+주어 ~?' 형태이다. 즉, '의문사+보통의 의문문?' 어순으로 쓴다. A: What *is* **this**? 이건 뭐니? B: It is a chameleon. 그건 카멜레온이야. A: Which *do* **you** like better, tea or coffee? 차와 커피 중 어느 것을 더 좋아하니? B: I like coffee better. 커피를 더 좋아해.
의문사가 문장의 주어인 경우	의문사가 문장의 주어인 경우에는 '의문사(주어)+동사 ~?' 어순으로 쓴다. A: Who *broke* the window? 누가 창문을 깼니? B: Bill did. 빌이 깼어.

전치사 뒤의 명사(전치사의 목적어)에 관해 물을 경우 전치사의 목적어를 의문대명사로 바꿔 문장 앞에 쓰는 것이 일반적이다.

He came to the party *with* A.

→ Who did he come to the party *with*? 그는 누구하고 파티에 왔니?

☞ 1. 구어에서는 목적격 Whom 대신 주격 Who를 쓸 때가 많다.
　　 2. '전치사+의문사'를 문장 앞에 쓸 수도 있지만, 구어에서는 잘 쓰지 않는다.
　　　 With whom **did he come to the party?**

Ⓓ 간접의문문

의문사(의문대명사와 의문부사)로 시작하는 의문문이 다른 문장의 일부로 쓰인 것을 간접의문문이라고 하며 명사절 역할을 한다.

❶ 간접의문문의 어순

간접의문문은 '의문사+주어+동사' 순서의 평서문 어순으로 쓴다.

What does she like? 그녀는 뭘 좋아하니?

Do you know what she likes? 그녀가 뭘 좋아하는지 아니? …〈간접의문문〉

When will he come? 그는 언제 오니?

I don't know when he will come. 나는 그가 언제 오는지 모른다. …〈간접의문문〉

의문사가 주어인 경우에는 의문문 그대로 쓴다.

What is it? 그게 뭐니? …〈what은 보어〉

Tell me what it is. 그게 뭔지 알려줘.

Who stole the money? 누가 돈을 훔쳤니? …〈what은 주어〉

They found out who stole the money. 그들은 누가 돈을 훔쳤는지 알아냈다.

❷ **간접의문문의 용법**

간접의문문은 문장에서 주어, 보어, 목적어로 쓰인다.

Where the writer lives is not made public. 그 작가가 어디 사는지는 공개되지 않고 있다. …〈주어〉

One of the biggest mysteries is why dinosaurs disappeared from the earth. …〈보어〉
최대의 수수께끼 중 하나는 왜 공룡이 지구상에서 사라졌는가이다.

Do you want to know what I bought? 내가 뭘 샀는지 알고 싶니? …〈목적어〉

❸ **주의해야 할 간접의문문**

1. 의문사가 없는 의문문의 간접의문문은 if 또는 whether를 이용해서 만들며, 'if(whether)+주어+동사' 어순으로 쓴다. 여기서 if나 whether는 '~인지 아닌지'라는 의미의 접속사이다.

   의문사가 없는 의문문의 간접의문문을 만드는 경우 Do, Does, Did는 없애고, 'Does ~동사원형?'인 경우는 원형에 -(e)s(3인칭 단수 현재시제의 어미), 'Did ~동사원형?'인 경우는 원형을 과거형으로 고친다. 의문부호는 붙이지 않는다.

   Does she like coffee? 그녀는 커피를 좋아하니?

   I don't know if she likes coffee. 나는 그녀가 커피를 좋아하는지 아닌지 모른다.

   Can Tom swim? 톰은 수영을 할 수 있니?

   Please tell me if(whether) Tom can swim. 톰이 수영할 수 있는지 어떤지 알려줘.

2. 간접의문문에서 do you think(believe, imagine, suppose, say) 등의 표현은 반드시 의문사 바로 뒤에 쓴다.

   A: **Do you know** *what* a wolf is like? 늑대가 뭐와 닮았는지 아니?

   B: **Yes, I do.** 응, 알아.

A: *What* do you think a wolf is like? 늑대가 뭐와 닮았다고 생각하니?

B: I think it is like a dog. 개를 닮은 것 같아.

《해답 417쪽》

Review Test ⎯ 12

영어로 대답하세요.

1. Who discovered America in 1492?

2. What is the capital of Korea?

3. Which is larger, the sun or the earth?

4. Do you stop your car at a red light?

5. Does Christmas come in November or in December?

 Tips

가념 선택의문문은 의문사가 없어도 Yes/No로 대답하지 않는다.

Yes, No로 대답하지 않는 의문문에는 의문사가 있는 의문문, 선택의문문이 있다.

풀이 문제 1, 2, 3은 의문사로 시작하므로 Yes/No로 대답할 수 없다.

문제 5도 or가 있으므로 Yes/No로 대답할 수 없다.

E 부정의문문

부정의문문은 '~아닙니까?', '~않습니까?'라고 부정 형식으로 묻는 의문문을 말한다.

Is it **raining?** 비가 오니? …〈단순히 비가 오는지를 묻는 것이다.〉

Isn't it **raining?** 비가 안 오니? …〈비가 오고 있다고 생각했는데 '이런, 비가 안 와?'라는 놀람이나 실망을 포함하고 있다.〉

부정의문문은 다음과 같은 두 가지 형태가 가능하다.

> (조)동사 + 주어 + not ~?
> (조)동사와 not의 축약형 + 주어 ~?

Is *he* not a doctor? 그는 의사가 아니니?

Isn't *he* a doctor?

Can *you* not speak English? 넌 영어를 못하니?

Can't *you* speak English?

Did *they* not go to the park? 그들은 공원에 안 갔니?

Didn't *they* go to the park?

부정의문문에 대한 대답은 영어와 한국어가 반대가 되므로 주의해야 한다. 긍정적인 대답은 Yes, 부정적인 대답은 No로 해야 한다. 즉 영어에서는 질문의 형태에 관계없이 대답이 긍정이면 Yes로, 부정이면 No로 대답한다.

A: Isn't *he* a doctor? 그는 의사가 아니니?

B: Yes, he is. 아니, 의사야. / No, he is not. 그래, 의사가 아니야.

F 부가의문문(Tag Question)

평서문이나 명령문 뒤에 붙이는 간단한 형식의 의문문을 부가의문문이라고 한다.
부가의문문의 말끝을 내려서 발음하면 자신의 말에 확신을 가지고 상대방의 동의를 구하는 의미가 되고, 말끝을 올려 발음하면 자신의 말에 확신이 없어 상대방에게 묻는 의미가 된다.
부가의문문은 다음과 같이 긍정문에는 부정형으로 만들고, 부정문에는 긍정형으로 만든다.

Nancy is busy today, isn't she? 오늘 낸시는 바쁘지?
명사는 대명사로 바꾼다.

She doesn't like Tom, does she? 그녀는 톰을 안 좋아하지?
대명사인 경우 그대로 쓴다.

You can swim, can't you? 너 수영할 수 있지?

You cannot swim, can you? 너 수영할 수 없지?

You went there, didn't you? 거기 갔었지?

You didn't go there, did you? 거기 안 갔지?

부가의문문에 대한 대답도 긍정이면 Yes로, 부정이면 No로 한다. 또한 부가의문문은 확인을 하는 것이므로 Yes나 No 외에 여러 가지 대답 방법이 있다.

A: Fishing takes a lot of skill, doesn't it? 낚시에는 상당한 기술이 필요하지?

B: Well, yes. 그래, 맞아.

A: You are trying to write something, aren't you? 너 뭘 좀 쓰려고 하는 거지?

B: That's right, Father. 맞아요, 아버지.

참고

명령문은 부가의문문으로 will you를 쓰며 요청이나 제안의 의미를 나타낸다. 또한 Let's 문장의 경우는 부가의문문으로 shall we?를 쓴다. 모두 말끝을 올려 발음한다.

Wash the dishes, will you? 설거지 좀 해 줄래?

Let's play tennis, shall we? 우리 테니스 치러 갈까?

G 수사의문문

의문문 형식이지만 상대방에게 대답을 요구하는 것은 아니고, 반어적으로 자기감정을 강하게 표현하는 것을 수사의문문이라고 한다. 따라서 일반적으로 긍정의 수사의문문은 부정 평서문으로, 부정의 수사의문문은 긍정 평서문으로 바꿔 쓸 수 있다.

Can *such things be* possible? 도대체 그런 일이 가능한 거야?
= Such things cannot be possible.

Did I not *tell* you so? 내가 그렇다고 하지 않았어?
= I told you so.

《해답 417쪽》

 **Review Test** **13**

다음을 ① 일반의문문, ② 부정의문문, ③ 부가의문문으로 만드세요.

1. The boys are Americans.

2. Tom was glad to see his mother.

3. You watch television after supper.

4. They built their house on the hill.

5. Mary could answer the question.

> **Tips**
>
> 기본 부가의문문은 반드시 축약형을 쓰고, 명사는 인칭대명사로 바꾼다.
>
> They are good boys, are not they?(×)
> They are good boys, aren't they?(○)
>
> 풀이 부정의문문은 not을 쓰는 자리에 주의한다. 축약형을 쓰지 않을 때는 주어 바로 다음에 쓴다.
>
> 부가의문문으로 만들 때 1. boy, 2. Tom, 5. Mary는 인칭대명사로 바꾼다.

3 명령문

명령문은 명령, 제안, 요구, 금지 등을 나타내는 문장이다. 보통 문장 끝에 마침표를 붙이지만, 어조를 강하게 나타낼 때는 감탄 부호(Exclamation Mark !)를 붙이기도 한다.

❶ 긍정명령문

명령문은 보통 주어 You를 생략하고 동사원형으로 문장을 시작한다.

Go out at once! 당장 나가!

Be kind to her. 그녀에게 친절해라.

  cf. You *are* kind to her. 너는 그녀에게 친절하다.

Play while you play and work while you work. 놀 때는 놀고, 일할 때는 일해라.

❷ 부정명령문

'~하지 마라.'라고 금지하는 명령문을 부정명령문이라고 한다. 부정명령문은 보통 'Don't+동사원형 ~.'으로 나타낸다.

Don't *run* when you cross the street. 길을 건널 때는 뛰지 마라.

Don't *be* noisy! 떠들지 마라!

  cf. You *are not* noisy. 너는 시끄럽지 않다.

☞ Don't 대신에 Never를 쓰기도 한다. Never는 Don't보다 강한 표현이다.
  Never *tell* a lie. 절대로 거짓말을 하지 마라.

❸ Let을 쓰는 명령문

'Let+A(목적어)+동사원형 ~.'으로 'A가 ~하게 해주다.'라는 뜻을 나타낸다.

Let *me* go. 가게 해 줘요.

Let *us* go to the party. 우리가 그 파티에 가게 해주세요.

주의 Let us ~.(우리가 ~하게 해주세요.)인 경우 문맥에 따라서는 Let's ~.(~하자.)라는 제안의 의미를 나타낼 수도 있으므로 주의해야 한다.

'Let's+동사원형 ~.'은 '~하자.'라고 제안하는 의미로만 쓰인다. 부정문은 'Let's not+동사원형 ~.'으로 나타낸다.

Let's *go* to market. 시장에 가자.

Let's not *go* to market. 시장에 가지 말자.

Let's ~.의 부가의문문은 문장 끝에 shall we?를 쓰며, '~하자'라는 의미를 더 분명히 나타낼 수가 있다.

Let's have a drink, shall we? 한 잔 하지 않을래요?

요청하거나 권유할 때는 명령문에 please, will you?나 won't you? 등을 붙일 수 있다.

Please *open* the door. = *Open* the door, please. 문을 열어 주세요.

Shut the door, will you? 문을 닫아 줄래요?

Come to our party, won't you? 우리 파티에 안 올래요?

명령문은 주어를 쓰지 않지만, 상대방을 지적해서 명령하거나 주의를 끌 경우에는 주어를 생략하지 않는다. 이때는 주어를 강하게 발음한다.

I must stay at home. You *go* to the movies. 나는 집에 있어야 해. 넌 영화 보러 가.

You *stand* by me, and George *hold* the candle. 넌 내 옆에 서고, 조지는 초를 들고 있어.

Review Test 14 《해답 417쪽》

다음을 영어로 쓰세요.

1. 벽에 걸린 그림을 봐.

2. 게으름 피우지 마.

3. 우리에게 네 노래를 들려줘.

4. 정원에 있는 꽃에 물을 주자.

> **개념** Let's의 형태는 Let us의 줄임말이지만, Let us로 분리해서 쓸 경우에는 '우리에게 ~하게 해주세요'라는 뜻이 된다.
>
> **풀이** 1. '벽에 있는 → 벽에 걸린'으로 생각한다.
> 2. 부정명령문은 Don't로 시작한다.
> 3. Let us ~.를 이용한다.
> 4. '~하자'는 Let's를 이용한다.

4 감탄문

감탄문은 기쁨, 슬픔, 놀람 등의 감정을 나타내는 문장으로 문장 끝에 감탄 부호(!)를 붙인다. 감탄문은 보통 how나 what으로 시작하며, 말끝을 내려서 발음한다.

❶ how로 시작하는 감탄문

'How+형용사(부사)+주어+동사!' 어순으로 형용사나 부사를 강조한다.

How *beautiful* Mt. Halla is! 한라산은 참 아름답구나!

How *well* she cooks! 그녀는 요리를 참 잘하는구나!

❷ what으로 시작하는 감탄문

'What (a/an)+형용사+명사+주어+동사!' 어순으로 명사를 강조한다.

What *a beautiful mountain* Mt. Halla is! 한라산은 참 아름답구나!

What *a good cook* she is! 그녀는 요리를 참 잘하는구나!

감탄문과 의문문은 어순이 다르다. 감탄문은 '주어+동사'의 어순이고, 의문문은 '동사+주어'의 어순이다.

How high Mt. Halla *is*! 한라산은 참 높다! …〈감탄문〉

How high *is* Mt. Halla? 한라산은 높이가 얼마나 되니? …〈의문문〉

감탄문의 '주어+동사' 부분을 생략하거나 감탄사를 쓰는 경우도 있다.

What a fool (he is)! 그는 참 바보구나!

Oh, wonderful! 아, 멋지다!

Review Test 15

《해답 417쪽》

다음을 감탄문으로 만드세요.

1. This book is very interesting.

2. The wind blew very hard.

3. It is a very expensive car.

4. I had a very good time in New York.

5. These are very beautiful birds.

기본 감탄문은 ① How+형용사(부사) ~! ② What (a, an)+형용사+명사 ~!로 표현할 수 있다.
very 다음의 말에 따라 How를 쓸지 What을 쓸지 결정한다.
very+형용사(부사) → How+형용사(부사) ~!
very (a, an)+형용사+명사 → What (a, an)+형용사+명사!

풀이 3. expensive는 모음으로 시작하는 말.   4. have a good time → 즐거운 시간을 보내다
5. 명사 birds는 복수이므로 a를 쓸 수 없다.

02 구조에 따른 분류

문장은 구조에 따라 단문, 중문, 복문으로 구분할 수 있다. 중문, 복문이란 문장에 둘 이상의 '주어+ 술어동사'가 있는 문장이다.

1 단문

단문이란 '주어+술어동사'가 하나뿐인 문장을 말한다.

Tom *understood*. 톰은 이해했다.

They *decided* to meet once a week to discuss problems of choosing good books.
그들은 좋은 책을 고르는 문제를 토론하기 위해 한 주에 한 번 모이기로 했다.

주어에 둘 이상의 명사나 대명사가 있는 경우나, 술어동사에 둘 이상의 동사가 있을 때도 '주어+술어 동사'가 하나뿐이면 단문이다.

Columbus and one hundred and twenty men *left* a port in Spain.
콜럼버스와 120명의 선원들은 스페인의 항구를 출항했다.

We *sang* and *danced* and *played* many kinds of games.
우리는 노래하고 춤추고 여러 종류의 게임을 했다.

2 중문

중문이란 둘 이상의 단문이 문법상 대등한 관계로 연결되어 있는 문장을 말한다. 이 경우 각각의 단문을 등위절이라고 한다. 중문은 보통 and, but, or, for, so 등의 등위접속사로 연결되어 있다. 〈…372쪽 참조〉

The sun set and the moon rose. 해가 지고 달이 떴다.

He is poor, but he never complains. 그는 가난하지만, 절대로 불평하지 않는다.

I cannot believe him, for he has told many lies.
나는 그를 믿을 수 없다. 왜냐하면 여러 번 거짓말을 한 적이 있기 때문이다.

> 주의   접속사 대신 세미콜론(;)이나 콤마(,)로 연결되는 경우도 있다.
> Some winds are warm; some are cold. 따뜻한 바람도 있고 찬바람도 있다.
> I came, I saw, I conquered. 나는 왔고 보았고 정복했다.

3 복문

복문이란 하나의 주절과 둘 이상의 종속절이 있는 문장을 말한다. 주절과 종속절은 보통 종속접속사 나 관계사에 의해 연결된다. 종속절에는 명사절, 형용사절, 부사절이 있다.

❶ 명사절 ⟨→ 130쪽 참조⟩

명사절은 접속사(that, if, whether 등), 의문사, 관계대명사 what, 선행사 없는 관계부사가 이끈다.

I think (that) he will come. 나는 그가 올 것 같다. ···⟨목적어⟩

I wonder if she is younger than I. 그녀가 나보다 어린지 모르겠다. ···⟨목적어⟩

The question is whether he will come or not. 문제는 그가 올 것인지 아닌지다. ···⟨보어⟩

Do you know what bird this is? 이게 무슨 새인지 아니? ···⟨목적어⟩

What he said was true. 그가 말한 말은 사실이었다. ···⟨주어⟩

This is where I met her for the first time. 여기가 내가 그녀를 처음 만난 곳이다. ···⟨보어⟩

❷ 형용사절 ⟨→ 131쪽 참조⟩

형용사절은 what 이외의 관계대명사나 관계부사가 이끈다.

He wants *the apple* that Susie has. 그는 수지가 가진 사과를 원한다.

The place where the treasure is buried is not very far. 보물이 묻힌 곳은 그다지 멀지 않다.

❸ 부사절 ⟨→ 132쪽 참조⟩

시간, 이유, 조건, 양보, 결과 등을 나타내는 접속사가 이끈다.

I used to go swimming in the river when I was child. 어릴 적에 그 강으로 수영하러 갔었다. ···⟨시간⟩

As it was cold in the morning, I nearly caught cold. 오늘 아침은 추워서 감기에 걸릴 뻔했다. ···⟨이유⟩

You can use my car if there is a problem with yours. 네 차에 이상이 있으면 내 차를 써도 된다. ···⟨조건⟩

Though it was snowing hard, they started for the town. ···⟨양보⟩
눈이 세차게 내리는 데도 불구하고 그들은 그 마을을 향해 출발했다.

It is so hot that we cannot work out of doors. 너무 더워서 밖에서 일할 수 없다. ···⟨결과⟩

Review Test - 16 《해답 417쪽》

지시에 따라 각 문장을 다시 쓰세요.

He worked hard and succeeded in his work.

1. He _____, so _____. 〈중문으로〉

2. As he _____. 〈복문으로〉

3. _____ that he succeeded in his work. 〈복문으로〉

4. He succeeded in his work by _____. 〈단문으로〉

> **Tips**
> **기본** 같은 내용을 단문, 중문, 복문으로 나타낼 수 있다.
>
> **풀이** 3. so ~ that ... 구문으로 한다.
> 4. '열심히 일을 함으로써'라는 의미로 by 뒤에는 동명사를 써야 한다.

Chapter **01**
Exercise

A make의 의미와 용법을 말하고, 밑줄 친 말이 목적어인지 보어인지 말하세요.

1. He will *make* a great scientist.
2. He will *make* a bird house.
3. He will *make* his parents happy.
4. He will *make* his dog a fine kennel.

Tips

make는 3형식 문장에 쓰일 때와 5형식 문장에 쓰일 때 의미가 다르다.

B 다음 문장의 형식과 의미를 말하세요.

1. a) Bill left the empty room.
   b) Bill left the room empty.

2. a) I found the book easily.
   b) I found the book easy.

3. a) She looked sadly at me.
   b) She looked sad.

1. empty가 쓰인 위치에 주의한다. b)의 empty는 보어로 쓰였다.

2, 3. easily, sadly는 -ly가 붙은 부사이지만, easy, sad는 형용사다. 형용사는 보어가 될 수 있다.

C 다음을 우리말로 옮기고 각 문장을 구조에 따라 구분하세요.

When winter is over, spring comes. Spring is the best season for working outdoors. People who had to stay indoors for a long time will come out with pleasure. The sun shines bright now and all the flowers in the garden are ready to open. Even the rain is not so cold as it was in winter.

먼저 각 문장에 '주부+술부'가 몇 개인지 살핀다.
'주부+술부'가 둘 이상인 경우 절과 절을 연결하는 접속사에 따라 중문인지 복문인지 판단한다.

D 다음을 지시에 따라 고쳐 쓰세요.

1. He asserted <u>his innocence</u>. 《밑줄 친 부분을 명사절로》
2. The data seemed to me to be insufficient. 《복문으로》
3. If you assist me, my success will be certain. 《단문으로》
4. Try to be kind to others, and they will become kind to you, too. 《복문으로》

<table>
<tr><td colspan="2" align="center">Tips</td></tr>
</table>

1. his innocence(그의 결백) → '그가 결백하다고'로 고쳐 that으로 시작하는 절로 쓴다.
2. 〈It seemed that ~.〉 구문으로 쓴다. insufficient(부족한)
3. if절을 with로 시작하는 구로 고쳐 단문으로 쓴다.
4. 〈명령문, + and ~.〉 구문. 명령문 부분을 if로 시작하는 절로 쓴다.

E A와 B의 대화에서 ( ) 안에 알맞은 말을 하나씩 넣으세요.

A: What are you (1) now?

B: My homework.

A: Don't you want to go to the movies?

B: (2), I want to. But I (3).

A: You can do your homework later, can't you?

B: (4), I can't. You don't want me to fail, (5) you?

A: (6) course (7). You (8) go tomorrow, then, can't you?

B: (9), I can. (10) we go in the afternoon?

A: Well, but can't you go in the evening?

B: Yes, I can.

4~7과 9, 10은 부가의문문과 대답 문제.
Yes, No의 대답에 주의한다.
go to the movies(영화보러 가다)
I want to (go to the movies)라고 보충해서 생각한다.

02

동사와
동사의 시제

동사

사람이나 사물의 동작이나 상태를 나타내는 말을 동사(Verb)라고 한다. 동사는 주어의 인칭, 수, 시제, 법, 태에 따라 어형이 변하며 8품사 중에서도 가장 중요한 역할을 한다.

01 동사의 활용

동사는 문장의 술어로 여러 가지 형태 변화가 있다. 예를 들면 speak(말하다)는 speak, speaks, spoke, spoken, speaking처럼 원형, 현재형, 과거형, 과거분사형, 현재분사형의 어형 변화가 있다. 이 중 speaks(3인칭 단수 현재)와 speaking(현재분사)은 원형인 speak에 -s 또는 -ing를 붙여 규칙적으로 만들 수 있으므로 원형, 과거형, 과거분사형이 어형 변화의 기본이 된다. 이러한 동사의 어형 변화를 '활용'이라고 한다.

동사의 활용에는 원형에 -ed를 붙여 과거형과 과거분사형을 만드는 규칙동사와 불규칙하게 변화하는 불규칙동사가 있다.

1 원형

동사가 변화하기 전 기본형을 '원형'이라고 한다. 원형은 조동사 뒤 또는 명령문에 쓰이는 외에 부정사에 쓰인다.

Swallows *can* fly fast. 제비는 빠르게 날 수 있다. ···〈조동사 뒤〉

Be careful with fire. 불을 조심해라. ···〈명령문〉

To see is *to* believe. 보는 것이 믿는 것이다. ···〈부정사〉

I saw him run. 나는 그가 뛰는 것을 보았다. ···〈원형부정사〉

2 현재형

현재의 동작·상태나 습관을 나타내는 동사의 형태를 '현재형(Present Form)'이라고 한다. 현재형으로는 주어가 3인칭 단수가 아닌 경우에 원형을 쓴다(be동사는 제외).

We speak Korean. 우리는 한국어를 말한다.

You have a car. 너는 자동차를 소유하고 있다.

They live in that house. 그들은 저 집에 산다.

주어가 3인칭 단수인 경우 have동사는 has를, 일반동사는 원형에 -s 또는 -es를 붙인다.

The cat has a long tail. 그 고양이는 긴 꼬리가 있다.

She wash*es* her shirts. 그녀는 자신의 셔츠를 세탁한다.

-s, -es를 붙이는 방법은 명사의 복수형을 만드는 방법과 같다. <small>⋯ 223쪽 참조</small>

❶ 대부분의 동사는 -s를 붙이고, [s] 또는 [z]로 발음한다.

   1. [s]로 발음하는 것: 무성자음 뒤에서는 [s]로 발음한다.

     예 walks, keeps, writes 등

   2. [z]로 발음하는 것: 유성자음 뒤에서는 [z]로 발음한다.

     예 reads, runs, calls, seems, gives, knows 등

❷ [s], [z], [ʃ], [ʧ], [dʒ]로 끝나는 동사는 -es를 붙이고, [iz]로 발음한다.

   예 passes, buzzes, pushes, watches 등

❸ '자음+y'로 끝나는 동사는 y를 i로 고치고 -es를 붙이며, [z]로 발음한다.

   예 cries, carries, flies, studies, tries 등

❹ -o로 끝나는 동사는 -es를 붙이며, [z]로 발음한다.

   예 does, goes 등

3 과거형

과거의 동작·상태를 나타내는 동사의 형태를 과거형(Past Form)이라고 한다. 동사원형에 -d 또는 -ed를 붙여 과거형·과거분사형을 만드는 것을 규칙동사라고 하며, 불규칙하게 변화하는 동사를 불규칙동사라고 한다. <small>⋯ 58쪽 참조</small>

They started for America. 그들은 미국으로 출발했다. ⋯〈규칙동사〉

He came home at six. 그는 6시에 집에 왔다. ⋯〈불규칙동사〉

4 과거분사

과거분사(Past Participle)는 규칙동사인 경우는 과거형과 형태가 같고, 불규칙동사인 경우에는 원형·과거형 모두 다른 형태이거나 원형·과거형 중 하나와 같은 형태이다.

과거분사는 다음과 같이 쓰인다.

❶ have와 결합해 완료시제를 만든다. ‹→ 75쪽 참조›

   Spring *has* come. 봄이 왔다. …〈현재완료〉
   I didn't know that the band *had* broken up. 그 밴드가 해산한 걸 나는 몰랐다. …〈과거완료〉

❷ be동사와 결합해 수동태를 만든다. ‹→ 110쪽 참조›

   He *is* loved by everybody. 그는 모두에게서 사랑받고 있다.
   Many presents *were* sent to him. 그에게 많은 선물이 보내졌다.

❸ 단독으로 형용사 역할을 한다. ‹→ 174쪽 참조›

   명사·대명사의 앞이나 뒤에 쓰여 그 명사·대명사를 수식한다.
   I have a broken *watch*. 나는 망가진 시계를 갖고 있다.
   The airship had a large *bag* filled with hydrogen. 그 비행선은 수소가 든 커다란 자루가 있었다.

❹ 분사구문을 만든다. ‹→ 179쪽 참조›

   Written *in easy English*, the book will be read by many people.
   쉬운 영어로 쓰였기 때문에, 그 책은 많은 사람에게 읽힐 것이다.

❺ 보어가 된다. ‹→ 175쪽 참조›

   주격보어나 목적격보어가 된다.
   The broken glass *lay* scattered all over the floor. 깨진 유리가 바닥에 흩어져 있었다. …〈주격보어〉
   I *saw* her taken to the hospital. 그녀가 병원으로 실려 가는 것을 보았다. …〈목적격보어〉

5 현재분사

동사원형에 -ing를 붙인 형태를 현재분사(Present Participle)라고 한다.
현재분사는 다음과 같이 쓰인다.

❶ be동사와 결합해 진행형을 만든다. ‹→ 71쪽 참조›

   I *am* reading a book. 나는 책을 읽고 있다. … 〈현재진행〉
   It *was* snowing that morning. 그날 아침에 눈이 내리고 있었다. … 〈과거진행〉

❷ 단독으로 형용사 역할을 한다. ‹→ 174쪽 참조›

   명사·대명사의 앞이나 뒤에 쓰여 그 명사·대명사를 수식한다.

Look at that sleeping *dog*. 저 자고 있는 개를 봐라.

The *girls* playing tennis are my sisters. 테니스를 치는 소녀들은 내 여동생이다.

❸ 분사구문을 만든다. ⟨··· 179쪽 참조⟩

Walking *along the street*, I met Mr. Smith. 길을 걷다가 스미스 씨를 만났다.

❹ 보어가 된다. ⟨··· 175쪽 참조⟩

주격보어나 목적격보어가 된다.

He *came* running. 그는 뛰어 왔다. ···⟨주격보어⟩

I *found* a dog barking in the box. 상자 안에서 개가 짖고 있었다. ···⟨목적격보어⟩

현재분사를 만드는 방법은 다음과 같다.

❶ 대부분의 동사는 어미에 -ing를 붙인다.

　　 예 walking, going, thinking, playing 등

❷ 발음되지 않는 -e로 끝나는 동사는 e를 없애고 -ing를 붙인다.

　　 예 coming, taking, leaving, shining 등

❸ '단모음+단자음'으로 끝나는 동사는 자음 글자를 한 번 더 쓰고 -ing를 붙인다.

　　 예 beginning, running, sitting, stopping 등

❹ -ie로 끝나는 동사는 ie를 y로 고치고 -ing를 붙인다.

　　 예 lying(<lie), dying(<die) 등

⟨해답 418쪽⟩

Review Test 01

1~4는 3인칭 단수 현재형, 5~8은 현재분사형을 쓰세요.

1. return	2. cry	3. catch	4. judge	5. laugh
6. rise	7. beg	8. tie		

 Tips

　　 가로 어미의 철자와 발음에 주의한다.

　　 풀이 2. '자음+y'로 끝나는 말.　　　　　　3. [tʃ]로 끝나는 말.
　　　　　 4. 발음되지 않는 e로 끝나는 말.　　 6. 발음되지 않는 e로 끝나는 말.
　　　　　 7. '단모음+단자음'으로 끝나는 말.　 8. ie로 끝나는 말.

02 규칙동사와 불규칙동사

동사는 규칙적으로 활용해서 과거형·과거분사형을 만드는 규칙동사와 불규칙하게 활용해서 과거형·과거분사형을 만드는 불규칙동사로 구분할 수 있다.

1 규칙동사

규칙동사는 동사원형에 -ed를 붙여 과거형·과거분사형을 만드는데 -ed를 붙일 때 주의해야 할 것이 있다. 규칙동사는 과거와 과거분사의 형태가 같다.

만드는 방법	원형	과거형	과거분사형
대부분의 동사는 원형에 -ed를 붙인다.	ask 묻다 walk 걷다	asked walked	asked walked
-e로 끝나는 동사는 -d만 붙인다.	move 움직이다 use 사용하다	moved used	moved used
'자음+y'로 끝나는 동사는 y를 i로 고치고 -ed를 붙인다.	carry 나르다 try 시도하다	carried tried	carried tried
'단모음+단자음'으로 끝나는 동사는 마지막 자음을 한 번 더 쓰고 -ed를 붙인다.	drop 떨어지다 stop 멈추다	dropped stopped	dropped stopped
2음절 이상의 동사로 '단모음+단자음'으로 끝나고 마지막 음절에 강세가 있으면 마지막 자음을 한 번 더 쓰고 -ed를 붙인다.	permit 허용하다 occur 일어나다	permitted occurred	permitted occurred
	주의 마지막 음절에 강세가 없는 동사는 그대로 -ed를 붙인다. visit 방문하다 enter 들어가다	visited entered	visited entered

어미 -(e)d의 발음

[t], [d] 뒤에서는 [id]로 발음한다.	wanted[wɔ́:ntid], ended[éndid]
[t] 이외의 무성음 뒤에서는 [t]로 발음한다.	laughed[læft], worked[wə:rkt], washed[waʃt], reached[ri:ʧt], missed[mist], stopped[stapt]
[d] 이외의 유성음 뒤에서는 [d]로 발음한다.	played[pleid], lived[livd], planned[plænd], called[kɔ:ld], longed[lɔ:ŋd]

2 불규칙동사

불규칙하게 과거·과거분사를 만드는 동사를 불규칙동사라고 한다. 불규칙동사의 수는 200개 정도이지만, 일상에서 사용 빈도가 높은 동사이므로 반드시 암기해야 한다.

	원형	과거형	과거분사형
A-B-B형 과거형과 과거분사형이 같다.	lend 빌려주다 send 보내다 spend 쓰다	lent sent spent	lent sent spent
A-B-A형 원형과 과거분사형이 같다.	become ~이 되다 come 오다 run 달리다	became came ran	become come run
A-A-B형 원형과 과거형이 같다.	beat 치다	beat	beaten
A-B-C형 원형, 과거형, 과거분사형이 모두 다르다.	begin 시작하다 drink 마시다 sing 노래하다	began drank sang	begun drunk sung
A-A-A형 원형, 과거형, 과거분사형이 모두 같다.	cut 자르다 hit 치다 set 맞추다	cut hit set	cut hit set

활용에 주의해야 하는 불규칙동사도 있다.

❶ lie(눕다 〈자동사〉) – lay – lain
  lay(눕히다 〈타동사〉) – laid – laid

  He lay on the floor. 그는 바닥에 누웠다.

  He laid himself down on the grass. 그는 풀밭 위에 드러누웠다.

❷ rise(오르다〈자동사〉) – rose – risen
  raise(올리다〈타동사〉) – raised – raised

  The sun rose and the snow soon melted away. 해가 떠오르자 눈은 곧 녹아 없어졌다.

  The store raised the price of fruit. 그 가게는 과일값을 올렸다.

❸ find(발견하다) – found – found
  found(설립하다) – founded – founded

  She found the place without difficulty. 그녀는 그 장소를 금방 찾았다.

He founded this company ten years ago. 그는 10년 전에 이 회사를 설립했다.

❹ wind(감다) – wound – wound
wound(다치게 하다) – wounded – wounded

He wound the wool into a ball. 그는 털실을 공 모양으로 감았다.

Your sharp words wound me to the bone. 네 신랄한 말은 나를 뼛속 깊이 상처 입힌다.

Review Test - 02

《해답 418쪽》

다음 동사의 과거형과 과거분사형을 쓰세요.

1. cross   2. believe   3. deny   4. pin   5. begin

6. bring   7. become   8. cost

기본 규칙동사에 -(e)d를 붙일 때는 어미의 변화에 주의한다.

풀이 1~4는 규칙동사이다.   2. 어미 -e.
3. 어미 ny = 자음글자+y.   4. 어미 in = '단모음+단자음'으로 끝나는 말.
5~8은 불규칙동사이다.

03 동사의 종류

Chapter 1의 문장의 5형식에서 배운 것처럼 하나의 동사가 여러 문장 형식에 쓰여 다른 의미를 나타낼 수 있는데, 동사의 의미를 결정하는 가장 중요한 것이 자동사와 타동사의 구별이다.

1 자동사와 타동사

목적어가 필요 없는 동사를 자동사라고 하고, 목적어가 필요한 동사를 타동사라고 한다.

Time flies. 세월이 빠르다. …〈자동사〉
　S　V

I go to the movies once a month. 나는 한 달에 한 번 영화 보러 간다. …〈자동사〉
S　V

He speaks *French*. 그는 프랑스어를 한다. …〈타동사〉
　S　　V　　O

I eat *dinner* at 7 o'clock. 나는 7시에 저녁을 먹는다. …〈타동사〉
S　V　　O

대부분의 동사는 자동사로도 타동사로도 쓰인다.

He studies for three hours every day. 그는 매일 세 시간 공부한다. 〈자동사〉
　S　　V

He studied *English* very hard yesterday. 그는 어제 영어를 매우 열심히 공부했다. …〈타동사〉
　S　　V　　O

They gathered around the campfire. 그들은 모닥불 주위에 모였다. …〈자동사〉
　S　　V

He gathered *a lot of stamps*. 그는 많은 우표를 모았다. …〈타동사〉
　S　V　　O

2 완전동사와 불완전동사

자동사와 타동사는 보어의 유무에 따라 완전동사와 불완전동사로 구분한다. 보어가 없으면 의미가 통하지 않는 자동사를 불완전자동사, 보어가 없어도 의미가 통하는 동사를 완전자동사라고 한다.
완전타동사에는 목적어를 하나 쓰는 것과 목적어를 둘 쓰는 것이 있다.
목적어가 있어야 의미가 통하는 동사를 완전타동사, 목적어 외에 보어가 있어야 의미가 통하는 동사를 불완전타동사라고 한다.

자동사	완전자동사
	⋯ 보어가 필요 없다.
		He arrived yesterday. 그는 어제 도착했다.
		  S V
		The storm passed over. 폭풍은 지나갔다.
		    S V

	불완전자동사 ⋯ 보어가 필요하다.	He is a student. 그는 학생이다. S V C It grew dark. 날이 어두워졌다. S V C
타동사	완전타동사 ⋯ 목적어가 하나 필요하다.	He found a cave. 그는 동굴을 발견했다. S V O I made a rule. 나는 규칙을 만들었다. S V O
	완전타동사(수여동사) ⋯ 목적어가 두 개 필요하다.	I gave him a watch. 나는 그에게 시계를 주었다. S V IO DO She asked me a question. 그녀는 나에게 질문을 했다. S V IO DO
	불완전타동사 ⋯ 목적어와 보어가 필요하다.	He found a cave very interesting. 그는 그 동굴이 매우 흥미로웠다. S V O C I made him one of my best friends. 나는 그를 친구로 삼았다. S V O C

3 상태동사와 동작동사

동사는 상태를 나타내는 동사와 동작을 나타내는 동사로 구분할 수 있다. 상태동사와 동작동사의 가장 중요한 차이는 상태동사는 원칙적으로 진행형을 만들 수 없다는 것이다.

I like music. 나는 음악을 좋아한다. ⋯〈상태동사〉

In 2016, he went to the United States. 2016년에 그는 미국으로 갔다. ⋯〈동작동사〉

상태동사는 다음과 같이 세 가지로 구분할 수 있다.

일반적인 상태를 나타내는 동사	be(~이다), remain(여전히 ~이다), have(갖고 있다), own(소유하고 있다), belong to(~에 속해 있다), contain(~이 들어 있다), exist(존재하다), resemble(~을 닮다) 등
심리 상태를 나타내는 동사	like(좋아하다), love(사랑하다), hate(싫어하다), hope(바라다), want(원하다), think(생각하다), believe(믿다), know(알다), understand(이해하다), remember(기억하다), forget(잊다) 등
지각 · 감각을 나타내는 동사	see(보다), hear(듣다), feel(느끼다), smell(냄새가 나다), taste(맛이 나다) 등

4 주의해야 할 동사

❶ 자동사로 오해하기 쉬운 타동사

다음의 타동사는 자동사로 오해하여 뒤에 전치사를 쓰기 쉽다.

They discussed the matter for hours. 그들은 그 문제를 몇 시간 동안 토의했다.

Nancy married her husband Tom in 2015. 낸시는 2015년에 남편 톰과 결혼했다.

☞ 회의에 참석하다 → attend the meeting (○)   *attend at* the meeting (×)
　 방에 들어가다 → enter the room (○)   *enter into* the room (×)
　 내게 대답하다 → answer me (○)   *answer to* me (×)
　 공항에 도착하다 → reach the airport (○)   *reach to* the airport (×)
　 그 일에 관해 토의하다 → discuss the matter (○)   *discuss about* the matter (×)
　 그 여성과 결혼하다 → marry the woman (○)   *marry with* the woman (×)

❷ 타동사로 오해하기 쉬운 자동사

다음의 자동사는 뒤에 전치사를 써야 한다.

I agree *with* you on the subject. 나는 그 문제에 찬성한다.

My mom complains *about* high prices. 어머니는 물가가 비싸다고 불평하신다.

☞ ~에 찬성하다 → agree *with*+사람   agree *to*+의견
　 ~에 불평하다 → complain *to*+사람   complain *about*+사건
　 ~에 사과하다 → apologize *to*+사람   apologize *for*+사건

❸ 자동사로 쓰일 때와 타동사로 쓰일 때 의미가 달라지는 동사

목적어의 유무에 따라 의미가 달라지는 동사가 있다.

A house stands on the hill. 언덕 위에 집이 있다. …〈자동사: 서 있다〉

I can't stand the heat. 나는 더위를 참을 수 없다. …〈타동사: 참다〉

☞ run 〈자동사〉 달리다, 〈타동사〉 ~을 경영하다
　 become 〈자동사〉 ~이 되다, 〈타동사〉 ~에 어울리다

❹ 두 개의 목적어를 쓸 수 없는 동사

say(~을 말하다), explain(~을 설명하다), introduce(~을 소개하다), suggest(~을 제안하다) 등은 두 개의 목적 어를 쓰는 4형식 문장으로 쓸 수 없다.

이들 동사는 완전타동사이므로 '주어+say(explain, introduce, suggest)+목적어+to+사람' 형태의 3형식 문장으로 쓴다.

He explained the rules of the game *to* me? 그는 게임의 규칙을 나에게 설명해 주었다.

I suggested another plan *to* him. 나는 그에게 다른 계획을 제안했다.

동사의 시제

동사는 동작이나 상태가 일어나는 시간을 나타내기 위해 형태가 변한다. 이러한 동사의 어형변화를 시제(Tense)라고 한다. 시제에는 다음과 같은 12종류가 있다. 시제는 문법상 용어이므로 현실의 시간(Time)과 반드시 일치하는 것은 아니다. 시제의 중심이 되는 것은 현재시제, 과거시제, 미래시제이다. 이 세 가지를 기본시제라고 하며, 세 가지 기본시제에 각각 완료시제가 있고, 기본시제와 완료시제에 각각 진행시제가 있다.

기본시제	현재	I play.	진행시제	I am playing.
	과거	I played.		I was playing.
	미래	I will play.		I will be playing.
완료시제	현재	I have played.	진행시제	I have been playing.
	과거	I had played.		I had been playing.
	미래	I will have played.		I will have been playing.

01 현재시제(Present Tense)

1 현재시제의 형태

❶ be동사

be동사의 경우 주어의 인칭과 수에 따라 다음과 같이 변한다.

인칭/수	단수	복수
1인칭	I am	We are
2인칭	You are	You are
3인칭	He(She, It) is	They are

I am Korean. 나는 한국인이다.

You are so great! 너 참 멋지다!

He is a good swimmer. 그는 수영을 잘 한다.

They are movie actors. 그들은 영화배우다.

❷ have동사

have동사는 주어가 3인칭 단수인 경우에만 has를 쓴다.

I usually have lunch at noon. 나는 항상 정오에 점심을 먹는다.

She usually has sandwiches for lunch. 그녀는 항상 점심으로 샌드위치를 먹는다.

❸ 일반동사

주어가 1인칭·2인칭이거나 복수인 경우에는 동사의 원형이 현재시제를 나타내며, 주어가 3인칭 단수인 경우에는 동사원형의 어미에 -s나 -es를 붙여 현재시제를 나타낸다.

I go to church every Sunday. 나는 매주 일요일 교회에 간다.

She goes to church every Sunday. 그녀는 매주 일요일 교회에 간다.

-s나 -es를 붙이는 방법은 다음과 같다.

-s, -x, -sh, -ch[ʧ]로 끝나는 동사	-es를 붙인다.	miss(놓치다) → misses wash(씻다) → washes	mix(섞다) → mixes teach(가르치다) → teaches
'자음+y'로 끝나는 동사	y를 i로 고치고 -es를 붙인다.	try(시도하다) → tries study(공부하다) → studies	cry(울다) → cries
기타 모든 동사	-s를 붙인다.	live(살다) → lives laugh(웃다) → laughs	tell(말하다) → tells

2 현재시제의 용법

❶ 현재의 상태

현재의 상태는 현재시제로 나타낸다. 이 경우에는 상태동사가 쓰인다.

These eggs are fresh. 이 달걀들은 신선하다.

I want a new cellphone. 새 핸드폰을 갖고 싶다.

❷ 현재의 습관적인 행위

동작동사의 현재시제는 현재를 중심으로 한 과거부터 미래에 걸친 습관적인 반복적 행동을 나타낸다. 보통 always, usually, often, seldom, sometimes, every day, once a week과 같은 부사(구)와 함께 쓰인다.

I take a shower every day. 나는 매일 샤워를 한다.

He passes my house every morning. 그는 매일 아침 우리 집 앞을 지난다.

> 주의 현재시제는 시간적인 현재와는 다르다. 현재는 과거와 미래 사이에 있지만, 현재시제는 과거나 미래를 포함할 수 있다. 예를 들면 He works at the office.(그는 그 회사에서 일한다.)는 지금도 근무하고 있고 당분간 계속 근무할 것이라는 의미를 포함한다.

❸ 진리·일반적인 사실

시간에 구애받지 않는 진리·사실이나 격언 등에는 현재시제를 쓴다.

The sun gives **us light and heat.** 태양은 우리에게 빛과 열을 준다.

A burnt child dreads **the fire.** 불에 덴 아이는 불을 무서워한다. …〈속담〉

수식 등에도 현재시제를 쓴다.

Twice two is **four.** 2×2는 4.

❹ 확정된 미래의 예정·계획

현재시제를 미래시제 대신 쓸 수 있다. 이 경우 지금 시점에서 이미 확정되어 있고 변경의 가능성
이 없다는 의미가 있다. 주로 시간표나 예정표 등으로 확정되어 있는 경우에 쓰인다.

이 용법은 주로 go, come, arrive, start, begin, leave 등 왕래·발착을 나타내는 동사에서 많이 볼 수
있고 날짜 등을 나타내는 부사(구)와 함께 쓰일 때가 많다.

It is **Sunday** *tomorrow.* 내일은 일요일이다.

School begins *on September 1.* 수업은 9월 1일에 시작한다.

She leaves **for London** *next Monday.* 그녀는 다음 주 월요일에 런던으로 떠난다.

❺ 시간·조건을 나타내는 부사절에 쓰인다.

if, when, till 등의 접속사가 이끄는 조건이나 시간을 나타내는 부사절에서는 미래시제 대신 현재시
제를 쓴다.

If **it** rains, **they will not go on a picnic.** 비가 오면 그들은 소풍을 안 갈 것이다.

Take this medicine *when* **you** feel **sick.** 몸이 아프면 이 약을 먹어라.

☞ 시간을 나타내는 접속사: when(~할 때), before(~하기 전에), after(~한 후에), until(till)(~할 때까지), by the time(~
할 때까지는), as soon as(~하자마자) 〈⋯→ 378쪽 참조〉

조건을 나타내는 접속사: if(만일 ~면), unless(~하지 않는 한) 〈⋯→ 382쪽 참조〉

주의 when이나 if로 시작하는 절이 명사절인 경우 미래의 의미를 나타낼 때는 미래시제를 써야 한다.

I don't know *if* it will rain tomorrow. 내일 비가 올지 어떨지 모르겠다.

Tell me *when* he will come. 그가 언제 오는지 알려줘.

02 과거시제(Past Tense)

과거의 동작이나 상태는 과거시제로 나타낸다.

과거시제는 be동사를 제외하고 인칭이나 수에 따른 변화는 없다. 일반동사의 과거시제는 기본적으로 동사의 원형에 -ed를 붙여 만들지만, have – had처럼 불규칙하게 변하는 동사도 많다.

be동사의 과거시제는 I was, you were, he(she, it) was, we(you, they) were로 된다.

과거시제는 다음과 같이 쓰인다.

❶ 과거의 사실·상태·동작

과거의 상태나 동작은 과거시제로 나타내며, 과거를 나타내는 부사(구)와 함께 쓰일 때가 많다.

Napoleon died *on May 5, 1821.* 1821년 5월 5일에 나폴레옹은 세상을 떠났다. …〈사실〉

He was a great singer *in his day.* 한창때 그는 대단한 가수였다. …〈상태〉

We climbed Mt. Halla *last year.* 작년에 우리는 한라산을 등반했다. …〈동작〉

❷ 과거의 습관·반복적 행위

every ~, often, usually 등 기간이나 반복을 나타내는 부사(구)와 함께 쓰일 때가 많다.

He *often* came to see me. 그는 자주 나를 만나러 왔다.

The ship started *every Monday morning.* 그 배는 매주 월요일 아침에 출항했다.

☞ 과거의 습관적인 행위라는 것을 분명히 나타낼 때는 조동사 used to나 would를 이용한다. 〈→ 98, 103쪽 참조〉

❸ 현재완료 대용

보통 ever, never 등과 함께 써서 경험을 나타내는 현재완료 대신 쓰인다.

Did you *ever* see a fox? 여우를 본 적이 있니?

I *never* dreamed of such a thing. 그런 일은 꿈에도 생각지 못했다.

❹ 과거완료 대용

접속사 before, after, when 등으로 시작하는 부사절에서 과거완료시제 대신 과거시제를 쓴다. 접속사에 의해 시간의 전후 관계가 분명하기 때문에 특별히 과거완료시제를 쓸 필요가 없기 때문이다.

After he finished reading the book, he returned it to its owner.(= had finished)
그는 그 책을 다 읽은 후에 주인에게 돌려주었다.

03 미래시제(Future Tense)

동사에는 현재형과 과거형은 있지만, 미래형은 없다. 따라서 미래를 나타내는 여러 가지 표현을 이용해서 나타내야 한다. 미래시제는 'will+동사원형' 또는 'be going to+동사원형'으로 나타낼 수 있다.

1 will+동사원형

will을 이용하는 미래시제는 'will+동사원형' 형태로 나타낸다. 'will+동사원형'은 시간이 지나면 자연히 그렇게 되리라고 예상하는 단순미래와 말하는 사람의 의지를 나타내는 의지미래가 있다.

단순미래	It will rain tomorrow. 내일 비가 올 것이다. ···〈긍정문〉 It won't be fine tomorrow. 내일은 맑지 않을 것이다. ···〈부정문〉 Will it rain soon? 금방 비가 올까? ···〈의문문〉
의지미래	I will do my best next time. 다음에는 최선을 다할게요. ···〈긍정문〉 I won't go out with her. 나는 그녀와 외출하지 않을 작정이다. ···〈부정문〉 Will you go there? 거기 갈 거니? ···〈의문문〉

☞ Will you ~?는 '~해주겠어요?'라고 요청할 때도 쓸 수 있다.

구어에서는 I will → I'll[ail], you will → you'll[jul]로 축약해서 쓸 때가 많다. 또한 부정형 will not은 보통 won't[wount]로 축약해서 쓴다.

미래시제에 쓰는 조동사로는 will 외에도 shall이 있지만, shall은 Shall I ~?, Shall We ~? 형태로 다음과 같은 경우에만 제한적으로 쓰인다.

Shall I give you a cup of coffee? 커피 한 잔 줄까?

Shall we go and see a movie? 우리 영화 보러 갈까?

질문 있어요!!

Q '내일은 휴일이다.'는 Tomorrow is a holiday.인가요, Tomorrow will be a holiday.인가요? 또 '내일은 맑을 것이다.'는 Tomorrow is fine.인가요, Tomorrow will be fine.인가요?

A '내일은 휴일이다.'는 Tomorrow is a holiday.(It is a holiday tomorrow.)라고 해도 좋고, Tomorrow will be a holiday.(It will be a holiday tomorrow.)라도 해도 됩니다. '내일'은 미래이므로 후자가 일반적이지만, '내일'이라는 미래가 휴일이라는 것은 정해져 있는 것이므로 전자와 같이 현재시제를 써도 됩니다.

또한 '내일은 맑을 것이다.'는 미래의 추측이므로 미래시제를 써서 Tomorrow will be fine.(It will be fine tomorrow.)이라고 해야 합니다.

2 be going to+동사원형

❶ 주어의 의지 · 계획

'be going to+동사원형'은 '~할 작정이다'라는 의미로 주어의 즉흥적인 의지가 아닌 이미 결정한 의도 · 계획을 나타낸다.

I am going to *move* to Seoul next month. 나는 다음 달 서울로 이사할 작정이다.

I'm not going to *attend* the meeting. 나는 그 회의에 참석하지 않을 작정이다.

❷ 상대방의 의지 · 계획을 묻는다.

Are you going to *play* golf tomorrow? 내일 골프를 칠 작정이니?

Are you going to *major* in economics? 경제학을 전공할 작정이니?

❸ 가까운 미래의 추측

be going to가 추측의 의미로도 쓰일 수 있다. 이 경우 현재의 어떤 징후나 상황으로 가까운 미래에 그 일이 일어날 것이라는 화자의 확신을 나타낸다.

Dinner is going to *be* ready soon. 저녁식사가 곧 준비될 겁니다.

Flowers are going to *bloom*. 꽃이 피려고 한다.

3 will과 be going to의 차이

will이 그 자리에서 하는 즉흥적인 결정을 나타내는 반면에, be going to는 이미 결정된 미래의 일을 말할 때 쓴다.

A: The telephone is ring. 전화 왔어.

B: I'll *answer* it. 내가 받을게. …〈즉흥적인 결정〉

A: What are your plans for today? 오늘 뭐 할 거니?

B: I'm going to *meet* Harry for lunch. 해리를 만나서 점심을 먹을 거야. …〈이미 결정된 일〉

4 미래를 나타내는 다른 표현

❶ be about to+동사원형, be on the point of+-ing

둘 다 '막 ~하려고 한다'라는 의미로 아주 가까운 미래를 나타낸다.

A hot competition is about to *begin*. 뜨거운 경쟁이 이제 막 시작되려고 한다.

The tree was on the point of *falling*. 그 나무는 금방이라도 쓰러질 것 같았다.

❷ be+to부정사

'~하기로 되어 있다'라는 예정을 나타내며 다소 격식을 차린 표현으로 공식적인 일정 등에 쓰인다.

The President is to come **tomorrow**. 대통령은 내일 오기로 되어 있다.

We are **all** to gather **next week**. 우리는 모두 다음 주에 모이기로 했다.

《해답 418쪽》

 Review Test - 03

다음을 ① 과거시제, ② 미래시제로 다시 쓰세요.

1. Green grass grows.

2. The girls talk about their pet animals.

3. Mrs. Brown makes some sandwiches.

4. Do they play baseball on the ground?

5. There is a piece of cake for everybody.

 Tips

가본 시제는 동사의 형태로 결정된다. 현재시제, 과거시제, 미래시제로 쓸 때는 동사를 고쳐 쓰면 된다.
We play tennis. 〈현재시제〉
We played tennis. 〈과거시제〉
We will play tennis. 〈미래시제〉

풀이 1. grow는 불규칙동사.
3. make는 불규칙동사.
4. 의문문이므로 Do를 Did, Will로 고친다.
5. 〈There is ~.〉 구문도 is를 고쳐 쓰면 된다.

04 진행시제

현재·과거·미래의 어떤 시점에서 진행 중인 동작은 'be동사+-ing(현재분사)'로 나타낸다. 이 형태를 진행형(Progressive Form)이라고 한다. 진행형에는 현재진행형·과거진행형·미래진행형·현재완료진행형·과거완료진행형·미래완료진행형이 있다.

동사의 -ing형(현재분사) 만드는 방법

대부분의 동사	원형에 -ing를 붙인다.	play → playing go → going	read → reading
'자음+e'로 끝나는 동사	e를 없애고 -ing를 붙인다.	come → coming make → making	live → living
-ie로 끝나는 동사	ie를 y로 고치고 -ing를 붙인다.	die → dying lie → lying	tie → tying
'단모음+단자음'으로 끝나는 동사	마지막 자음을 한 번 더 쓰고 -ing를 붙인다.	cut → cutting begin → beginning	stop → stopping

주의 '단모음+단자음'으로 끝나는 동사라도 마지막 음절에 악센트가 없으면 그대로 -ing를 붙인다.

enter → entering, visit → visiting, offer → offering

현재진행시제

1 현재진행시제의 용법

현재진행형은 'am(are, is)+현재분사' 형태로 나타내고 다음과 같이 쓰인다.

❶ 현재 진행 중인 동작

They are skating on the frozen lake. 그들은 언 호수에서 스케이트를 타고 있다.

He is staying in Paris now. 그는 지금 파리에 머물고 있다.

❷ 반복적인 동작이나 행위자의 버릇·습관

always(항상), constantly(끊임없이), all the time(항상) 등의 부사(구)와 함께 쓰여 그 동작이 자주 반복된다는 것을 나타낸다. 이 경우 반복적인 동작에 대한 화자의 불만을 나타낼 때가 많다.

He is playing *all the year round*. 그는 일 년 내내 놀기만 한다.

She is *always* complaining of something. 그녀는 항상 불평만 한다.

❸ 가까운 미래

go, come, start, arrive 등 왕래 · 발착을 나타내는 동사의 현재진행형은 미래의 예정을 나타낸다. 이 경우 가까운 미래의 개인적인 일정을 나타낼 때가 많다.

Nancy is leaving for New York tomorrow. 내일 낸시는 뉴욕으로 떠난다.

We are going on a picnic next Sunday. 우리는 오는 일요일에 소풍을 간다.

2 현재시제와 현재진행시제의 차이

현재진행시제는 말하는 순간에 진행되고 있는 동작을 나타내며, 현재시제는 반복적인 동작이나 습관을 나타낸다.

A: Where is Cindy? 신디 어디 있니?

B: She is swimming in the swimming pool now. 지금 수영장에서 수영을 하고 있어. …〈현재 진행 중인 동작〉

I always get up at six. 나는 항상 6시에 일어난다. …〈습관적인 동작〉

3 진행형으로 쓸 수 없는 동사

계속적인 상태를 나타내는 동사나 지각 · 감정 · 인식을 나타내는 동사는 진행형으로 쓸 수 없다.

상태 동사	be동사, have동사, contain(포함하다), forget(잊다), live(살다), resemble(닮다), remember(기억하다), seem(~인 것 같다) 등
	He resembles his mother. (○) 그는 어머니를 닮았다.　　　He *is resembling* his mother. (×)
지각 동사	see(보다), hear(듣다), feel(느끼다), notice(알아채다) 등
	Don't you smell gas? (○) 가스 냄새 안 나?　　　*Aren't* you *smelling* gas? (×)
감정 동사	like(좋아하다), love(사랑하다), fear(두려워하다) 등
	Father likes apples. (○) 아버지는 사과를 좋아하신다.　　　Father *is liking* apples. (×)
인식 동사	know(알다), understand(이해하다), believe(믿다), think(생각하다), mean(의미하다), realize(깨닫다) 등
	I know her well. (○) 나는 그녀를 잘 안다.　　　I *am knowing* her well. (×)

위와 같은 동사라도 동작을 의미하는 동사로 쓰일 경우에는 진행형으로 쓸 수 있다.

He is having lunch now. 그는 지금 점심을 먹고 있다. …〈have는 '먹다'라는 의미로 쓰였다.〉

We are seeing this girl home. 우리는 이 소녀를 집까지 바래다주는 중이다. …〈see는 '배웅하다'라는 의미로 쓰였다.〉

일시적인 상태를 강조하는 경우에도 진행형으로 쓸 수 있다.

He lives in Seoul. 그는 서울에 산다. …〈계속적인 상태〉

He is living in Seoul. 그는 지금 서울에 산다. …〈일시적인 상태〉

look, listen, watch 등은 의지에 의한 행동을 나타내므로 진행형으로 쓸 수 있다.

He is looking at a picture. 그는 그림을 쳐다보고 있다.

과거진행시제

과거진행시제는 기준이 되는 시간을 현재에서 과거로 이동시킨 것으로 기본적으로 현재진행시제의 용법과 같다. 과거진행형은 'was(were)+-ing' 형태로 나타낸다. 현재진행시제는 기준이 되는 시간을 나타내는 단어(구)나 절이 문장에 없을 수 있지만, 과거진행시제에는 기준이 되는 시간을 나타내는 단어(구)나 절이 문장에 나타나 있는 것이 보통이다.

❶ 과거 어느 때 진행 중이던 동작

I was watching TV when the phone rang. 전화가 왔을 때 나는 텔레비전을 보고 있었다.

It was raining that morning. 그날 아침에 비가 오고 있었다.

❷ 과거의 반복적인 행동이나 습관

현재진행시제와 마찬가지로 always(항상), constantly(끊임없이), all the time(항상) 등의 부사(구)와 함께 쓰이며 반복적인 동작에 대한 화자의 불만을 나타낼 때가 많다.

They were *always* missing trains. 그들은 항상 열차를 놓쳤다.

He was *constantly* asking for trouble. 그는 항상 화를 부르는 일만 했다.

❸ 과거 어느 시점에서 본 가까운 미래의 예정

왕래·발착, 시작·종료를 나타내는 동사의 과거진행형은 과거 어느 시점에서 본 가까운 미래의 예정을 나타낸다.

I knew you were starting the job right away. 나는 네가 바로 그 일을 시작하는 줄 알았다.

She was going to the beauty parlor when I saw her. 내가 그녀를 만났을 때 그녀는 미용실에 가는 중이었다.

미래진행시제

미래진행시제의 기본적인 의미는 의지나 계획과는 관계없이 미래에 어떤 일이 일어난다는 것이다. 미래진행형은 'will be+-ing' 형태로 나타낸다.

❶ 미래 어느 시점에서 진행되고 있을 일을 나타낸다.

미래진행시제는 보통 기준이 되는 시간이 문장에 나타나 있다.

It will be snowing when you get to Ottawa.
네가 오타와에 도착했을 쯤에는 눈이 오고 있을 것이다.

We will be flying over the Atlantic Ocean about this time tomorrow.
우리는 내일 이맘때면 대서양 상공을 날고 있을 것이다.

❷ 미래의 계획된 행동

I will be seeing her again one of these days.
조만간에 그녀를 다시 만나기로 했다.

We will be having lunch in half an hour, so you must not go out to play.
30분 후에 점심을 먹을 거니까 너는 놀러 나가면 안 된다.

❸ 미래진행시제로 현재진행 중일 행동의 추측을 나타낸다.

He will be reading a book in his room now.
그는 지금 그의 방에서 책을 읽고 있을 것이다.

05 완료시제(Perfect Tense)

완료시제는 두 가지 시간을 한꺼번에 표현하려는 시제로 현재완료시제, 과거완료시제, 미래완료시제가 있다. 완료시제는 그 용법에 따라 완료·결과, 경험, 계속의 의미를 나타내며 형태는 'have동사+과거분사'이다.

현재완료시제(Present Perfect Tense)

1 현재완료시제의 용법

현재완료시제는 'have(has)+과거분사' 형태로, 과거에 일어난 행위가 현재까지 영향을 미치고 있다는 것을 나타낸다. 현재완료의 have는 조동사이므로 부정문과 의문문은 다음과 같이 만든다.

They have lived in London since last year. 그들은 작년부터 런던에 살고 있다.

They have *not* lived in London since last year. 그들은 작년부터 런던에 살고 있지 않다. …〈부정문〉

Have they lived in London since last year? 그들은 작년부터 런던에서 살고 있니? …〈의문문〉

☞ 구어에서는 I've / you've / he's / she's / we've / they've 등으로 축약해서 쓰는 경우가 많다.

❶ 완료·결과

과거에 시작한 동작이 현재 완료됐고 그 결과 현재 어떤 상태인지 나타낸다. 이 용법에서는 just(방금), already(이미), yet(부정문에서 '아직', 의문문에서 '벌써'), now(지금) 등의 부사와 함께 쓰일 때가 많다.

I have *just* finished breakfast. 방금 아침식사를 끝냈다. → 나는 지금 배가 부르다.

He has *already* spent all his money. 그는 이미 돈을 다 써버렸다. → 그는 지금 돈이 없다.

She has gone to New York. 그녀는 뉴욕에 갔다. → 지금 여기 없다.

☞ already는 긍정문에, yet은 부정문과 의문문에 쓰인다.

❷ 경험

'~한 적이 있다'라는 현재까지의 경험을 나타낸다. before(이전에), often(자주), ever(전에), never(결코 ~ 아닌), once(한 번), twice(두 번), many times(여러 번) 등의 부사(구)와 함께 쓰일 때가 많다.

A: Have you *ever* seen a whale? 고래 본 적이 있니?

B: No, I have *never* seen one. 아니, 전혀 본 적 없어.

☞ ever는 의문문에, never는 부정문에 쓰인다.

He has seen the movie *three times*. 그는 그 영화를 세 번 본 적이 있다.

❸ 상태의 계속

어떤 상태가 과거부터 현재까지 계속되고 있는 것을 나타낸다. 이 용법에서는 always(항상), for(~동안), since(~ 이래), How long ~?(얼마나 ~?) 등 기간을 나타내는 부사(구·절)와 함께 쓰일 때가 많다.

He has lived **here** *for* ten years. 그는 10년 동안 여기 살고 있다.

I have known **him** *since* I was a child. 나는 어릴 적부터 그를 알고 있다.

How long has she stayed in Seoul? 그녀는 서울에서 얼마 동안 머물고 있니?

☞ for는 기간을 나타내므로 ~ years, a long time 등과 함께 쓰고, since는 기점을 나타내므로 연도나 과거를 나타내는 말(yesterday, last Monday 등)과 함께 쓴다.

주의 동작의 계속은 'have(has) been+-ing' 형태의 현재완료진행형으로 나타낸다. 동사로는 동작동사가 쓰인다. 〈… 81쪽 참조〉
They have been playing soccer since one o'clock. 그들은 1시부터 축구를 하고 있다.

━━■참고┃━━

have(has) gone과 have(has) been

have(has) been은 '가본 적이 있다'는 경험을, have(has) gone은 '갔다'는 완료·결과를 나타낸다. 미국영어에서는 경험을 나타내는데 have(has) gone을 쓰기도 한다.
I have been **there** once. 나는 거기 한 번 가본 적이 있다.
He has gone to Paris. 그는 파리에 갔다.

have(has) been to와 have(has) been in

have(has) been to는 '~에 갔다 왔다'는 완료·결과, have(has) been in은 '~에 있었던(살았던) 적이 있다'는 경험을 나타낸다.
I have been to the station. 역에 갔다 왔다.
I have been in Seoul. 서울에서 산 적이 있다.

━━

② 현재완료시제와 과거시제의 차이

He went there. 그는 거기 갔다. …〈과거〉

He has gone there. 그는 거기 갔다. …〈현재완료〉

☞ 과거시제는 과거의 사실만을 나타내고 현재와의 관련은 명확하지 않다. He went there.는 과거의 사실만을 말하므로 그가 지금은 돌아왔는지는 알 수 없다. 이에 비해 He has gone there. → So now he is not here.의 의미가 있다.

③ 주의해야 할 현재완료시제의 용법

❶ 현재완료와 함께 쓸 수 없는 말

현재완료는 과거의 동작·상태를 현재와 연결하여 표현하는 것이다. 따라서 분명한 과거를 나타내는 yesterday(어제), last year(작년), then(그때), ~ ago(~전에), in 2016(2016년에)과 같은 말이나, 의문사사 When ~?(언제 ~?), What time ~?(몇 시에 ~?)과는 함께 쓸 수 없다. 이 경우 과거시제를 써야 한다.

He *has come* to Korea yesterday(five days ago, last year, in 2006). (×)

He came to Korea yesterday(five days ago, last year, in 2006). (○)
그는 어제(5일 전에, 작년에, 2006년에) 한국에 왔다.

When have you seen her? (×)

When *did* you *see* her? 언제 그녀를 만났니? (○)

❷ 현재완료와 함께 쓸 수 있는 부사(구·절)

today(오늘), now(지금), before(전에), ever(지금까지), lately(최근), just(방금), this week(year)(이번 주(올해)), once(전에), recently(최근), for the last(past) ~ days(지난 ~일 동안), for ~(~동안), since ~(이후) 등 현재를 포함하는 부사(구·절) 또는 막연한 과거를 나타내는 부사(구·절)는 현재완료와 함께 쓸 수 있다.

This city has changed a great deal *recently*. 이 도시는 최근에 많이 변했다.

We have had much rain *this year*. 올해는 비가 많이 왔다.

> **주의** just와 just now는 둘 다 '방금'의 의미로 just는 현재완료시제에, just now는 과거시제에 쓰인다.
> He has *just* come back. 그는 방금 돌아왔다.
> He came back *just now*. 그는 방금 돌아왔다.

❸ have got은 구어에서는 have의 의미이다.

구어에서 have got은 완료의 뜻을 잃고 have의 의미로 쓰인다. 따라서 have got to는 have to와 같은 의미이다.

He has got red hair.(= has) 그는 빨간 머리다.

I've got to dine out today. 오늘은 외식을 해야 한다.

❹ be동사+과거분사

go(가다), come(오다), arrive(도착하다), return(돌아오다), rise(뜨다), set(지다), fall(떨어지다), grow(자라다), finish(마치다) 등 주로 왕래·발착, 변화를 나타내는 자동사는 have 대신 be동사를 써서 완료형을 만들 수 있다. 이때에는 동작이 완료된 결과에 중점이 있으며 문어적인 표현이다.

Spring is come. 봄이 왔다.

The guests are all arrived. 손님들은 모두 이미 도착했다.

다음 문장을 우리말로 옮기고 현재완료의 어떤 용법인지 말하세요.

1. The sun has almost set in the west.

2. Oh, you have grown!

3. Have you ever been up in an airplane?

4. We've sat in the car for a long time.

5. Where have you been all day?

> **Tips**
>
> **개념** 현재완료의 용법은 부사(구)를 보고 판단할 수 있다.
> 3. ever(지금까지) ···〈경험〉
> 4. for a long time(오랫동안) ···〈계속〉
> 5. all day(하루 종일) ···〈계속〉
>
> **풀이** 1. set in the west(서쪽으로 지다)
> 2. grown〈grow(자라다)
> 3. in the airplane(비행기를 타고)

과거완료시제(Past Perfect Tense)

1 과거완료시제의 용법

과거완료시제는 과거의 어느 시점을 기준으로 그때까지의 완료·결과, 경험, 계속을 나타내며 형태는 'had+과거분사'이다.

❶ 완료·결과

과거 어느 때까지의 완료·결과를 나타낸다.

They had just arrived **at the hotel when it began to rain.** ···〈완료〉
비가 오기 시작했을 때 그들은 그 호텔에 막 도착했다.

His father had gone **to office when he got up.** ···〈결과〉
그가 일어났을 때 그의 아버지는 출근하고 안 계셨다.

❷ 경험

과거 어느 때까지의 경험을 나타낸다.

I recognized him at once, because I had seen **him before.**
전에 만난 적이 있어서 바로 그를 알아봤다.

He had **never** been sick **until then.** 그는 그때까지 아팠던 적이 한 번도 없었다.

❸ 계속

어떤 상태가 과거 어느 때까지 계속되고 있었다는 것을 나타낸다.

He had been **away from home since the day before.** 그는 그 전날부터 집에 없었다.

> **주의** 동작의 계속은 과거완료진행형(had been+-ing)으로 나타낸다. 〈→ 81쪽 참조〉
> She had been practicing for two hours when her coach came.
> 코치가 왔을 때 그녀는 두 시간 동안이나 연습을 하고 있었다.

2 대과거

과거완료는 과거의 어느 시점보다 더 먼저 일어난 동작이나 상태를 나타낼 때 쓰인다. 이것을 대과거라고 한다.

She *said* **she** had missed **the train.** 그녀는 열차를 타지 못했다고 했다.

I *read* **the book which I** had borrowed **from Jack.** 나는 잭에게서 빌린 책을 읽었다.

He *sang* **better than he** had done **at the last concert.** 그는 지난 콘서트에서 했던 것보다 더 노래를 잘 불렀다.

접속사 and나 but 등을 써서 일이 일어난 순서대로 쓰는 경우 과거완료시제를 쓰지 않고 과거시제를 쓰기도 한다. 또한 문맥에서 시간의 전후관계가 분명한 경우에도 과거시제를 쓴다.

I borrowed **the book from Jack, and I** read **it.**

She turned **pale as soon as she** heard **the news.** 그녀는 그 소식을 듣자마자 얼굴이 창백해졌다.

3 과거완료시제가 쓰인 특별 용법

hope/want(바라다), expect(기대하다), think/suppose(생각하다), intend/mean(~할 작정이다) 등의 동사가 과거완료시제로 쓰이면 희망·의도·목적 등이 실현되지 않았음을 나타낸다.

I had hoped **that the Korean team would win the game.** 나는 한국 팀이 그 경기에서 이기길 바랐다.

다음 문장을 우리말로 옮기고 과거완료의 용법을 말하세요.

1. She had fallen asleep before her baby slept.

2. I bought a watch, as I had broken the old one.

3. The family had never used a tablecloth before.

4. The weather had been fine till he came.

5. I found that she had moved somewhere.

 Tips

> 기본 과거완료는 과거보다 이전의 일을 나타낸다.

> 풀이 과거완료의 용법은 현재완료의 용법과 같다고 생각하면 된다.
>
> 5. 앞에 과거형 found가 있고, 시제의 일치에 따라 과거완료가 쓰였다.

미래완료시제(Future Perfect Tense)

미래완료시제는 미래의 어느 시점까지의 완료 · 결과, 경험, 계속을 나타내며 형태는 'will have+과거분사'이다. 미래완료시제는 by(~까지), untill(~까지), by the time(~까지는) 등의 부사(구)와 함께 쓰일 때가 많다.

❶ **완료 · 결과**

미래의 어느 시점까지 예상되는 완료 · 결과를 나타낸다.

He will have left home by the time we arrive there.
그는 우리가 거기 도착할 즈음에는 집을 떠났을 것이다.

❷ **경험**

미래의 어느 시점까지 예상되는 경험을 나타낸다.

I will have attended five wedding ceremonies this month if I attend the next one.
결혼식에 한 번 더 가면 이번 달은 다섯 번 가는 게 된다.

☞ 현대 영어에서는 미래완료시제 대신에 미래시제를 써서 표현할 때가 많다.
　 Next time it will be the five wedding ceremony I'll attend this month.

❸ **계속**

어떤 상태가 미래의 어느 시점까지 계속될 것이라는 예상을 나타낸다.

He will have been sick for two years by next month.
다음 달이면 그가 아픈지 2년이 된다.

> **주의** 동작의 계속은 미래완료진행형(will have been+-ing)으로 나타내지만, 별로 쓰이지 않는다.
>
> He will have been sleeping for fifteen hours when the clock strikes seven.
> 시계가 7시를 치면 그가 잠을 잔지 15시간이 된다.

참고

시간·조건을 나타내는 접속사가 이끄는 부사절에서 미래완료 대신에 현재완료를 쓴다. 〈··· 378, 382쪽 참조〉

Please come yourself *as soon as* you have got this e-mail. 〈will have got (×)〉
이 메일을 받는 즉시 직접 오세요.

Please wait *till* I have finished my work. 〈will have finished (×)〉
내가 일을 마칠 때까지 기다려 주세요.

완료진행시제

완료시제의 용법 중에서 계속의 의미를 분명하게 나타내기 위해 완료진행시제를 쓴다. 완료진행시제에는 현재완료진행시제, 과거완료진행시제, 미래완료진행시제가 있다.

1 현재완료진행시제

현재완료진행시제는 'have(has) been+-ing' 형태로 '계속 ~하고 있다', '지금까지 ~하고 있다'라고 과거 어느 시점에서 시작한 동작이 현재까지 진행되고 있다는 것을 나타낸다.

We have been learning English for three years. 우리는 3년 동안 영어를 배우고 있다.

He has been drawing a picture since morning. 그는 아침부터 그림을 그리고 있다.

2 과거완료진행시제

과거완료진행시제는 'had been+-ing' 형태로 과거 어느 시점까지의 동작의 계속을 나타낸다.

The baby had been crying till her mother came. 아기는 엄마가 올 때까지 계속 울고 있었다.

It had been snowing till then. 그때까지 계속 눈이 내리고 있었다.

3 미래완료진행시제

미래완료진행시제는 'will have been+-ing' 형태로 미래의 어느 시점까지의 동작의 계속을 나타낸다.

It will have been raining a whole week if it does not stop raining tomorrow.
내일 비가 그치지 않으면 1주일 내내 오는 게 된다.

Q ① I have lived here for ten years.와 ② I have been living here for ten years.는 무슨 차이가 있어요?

질문 있어요!!

A 모두 '나는 여기서 10년 동안 살고 있다.'는 의미로 내용상 차이는 없습니다. 그러나 현재완료시제를 쓴 ①보다 현재완료진행시제를 쓴 ②가 더 생생한 표현입니다.

이와 같이 실제에서는 live나 lie, sit, stand 등 계속의 의미를 포함하는 동사도 완료진행시제로 쓸 수 있습니다.

《해답 418쪽》

Review Test · 06

다음을 영어로 쓰세요.

1. 그는 집 밖에서 너를 기다리고 있다.

2. 그는 오랫동안 너를 기다리고 있었다.

3. 그는 도서관에서 너를 기다리고 있을 것이다.

4. 그는 아침부터 너를 기다리고 있다.

5. 그는 어두워질 때까지 너를 기다리고 있었다.

Tips

기본 진행시제는 'be동사+-ing'의 be동사를 바꾼다.
~하고 있다 → am(are, is) -ing
~하고 있었다 → was(were) -ing
~하고 있을 것이다 → will be -ing
계속 ~하고 있다 → have been -ing
계속 ~하고 있었다 → had been -ing

풀이 '~을 기다리다'는 wait for ~를 쓴다.
1. 현재진행시제. '밖에서' → outside
2. 과거진행시제. '오랫동안' → for a long time
3. 미래진행시제
4. 현재완료진행시제. '아침부터' → since morning
5. '어두워지다' → become dark

Chapter **02**
Exercise

A ( ) 안의 동사를 알맞은 형태로 바꾸세요. 1, 3, 6은 괄호 안의 우리말의 의미가 되도록 하세요.

1. Father (polish) his shoes now. (닦고 있다)
2. I (buy) a nice hat three days ago.
3. Rose (wash) her shirts this afternoon. (빨 것이다)
4. She (live) by the sea since she was a child.
5. It was Jack's first air trip. He (never make) a trip alone.
6. I (finish) that task by two o'clock. (끝마쳤을 것이다)

B 다음 동사의 활용표의 빈 곳을 채우세요.

1.	wake	woke	
2.		lay	
3.		lent	
4.		sat	
5.	beat		

C 다음을 영어로 옮기세요.

1. 톰이 아프다고 한다.
2. 달은 지구 주위를 돈다.
3. 웨스트(West) 부부는 내일 파티에 갈 것이다.
4. 이 책을 너에게 줄게.
5. 봄이 왔다. 새들이 지저귀고 있다.

> **Tips**
>
> 시제를 쓸 때는 부사(구·절)에 주의한다.
> 1.은 now, 2.는 three days ago가 있다.
> 4. since가 있으므로 현재완료.
> 5. 앞의 문장이 과거이므로 과거완료로 쓴다.
>
> 1, 2는 현재시제, 현재진행시제 중 어느 것인가?
> 3. '갈 것이다'는 미래시제로 쓴다.
> 5. '왔다'는 현재완료시제로 쓴다.

D 의미의 차이에 주의해서 우리말로 옮기세요..

1. a) Tell me when she comes home.
   b) Tell me when she will come home.

2. a) My sister is always reading novels.
   b) My sister is reading novels now.

3. a) Tom and I are going to the library.
   b) Tom and I are going to have lunch.

4. a) He has gone to the station to see his friend off.
   b) He has been to the station to see his friend off.

5. a) The doctor has just operated on the patient.
   b) The doctor has been operating on the patient.

Tips

1. 접속사 when이 이끄는 절이 a)는 부사절로 현재시제, b)는 명사절로 미래시제이다.
2. a) 진행시제에 always가 있을 때는 행위자의 습관을 나타낸다.
3. to 뒤에 명사가 있는지 동사가 있는지에 주의한다.
4. a)는 결과, b)는 완료로 '갔다 왔다'를 나타낸다.
5. a)는 현재완료시제, b)는 현재완료진행시제이다.

E 다음을 해석하고, 진행시제로 쓸 수 있는 문장은 진행시제로 쓰세요.

1. The garden smells of roses.
2. A dog smells the bones.
3. The girl runs with her dog.
4. The river runs south.
5. She takes her aunt out for a walk.
6. She takes after her aunt very well.
7. The house has a large garden.
8. The gentleman has a dance with his partner.
9. He likes traveling by train.
10. Father dyes his hair.

진행시제로 쓸 수 있는 동사는 원칙적으로 동작동사이므로 상태동사는 진행시제로 쓸 수 없다.
단, 상태동사라도 동작의 의미로 쓰이거나 일시적인 상태를 강조하는 경우에는 진행시제로 쓸 수 있다.

Chapter

03

조동사

01 조동사의 종류와 특징

조동사는 동사 앞에 와서 그 동사에 여러 가지 의미를 부가해 주는 말이다. 조동사 다음에 쓰는 동사를 본동사라고 하며, 본동사는 주어의 수나 인칭에 관계없이 반드시 동사원형을 쓴다.

1 조동사의 종류

주요 조동사에는 다음과 같은 것들이 있다.

원형	현재형	과거형	과거분사형	현재분사형
be	am / are / is	was / were	been	being
have	have / has	had	had	having
do	do / does	did	done	
	will	would		
	shall	should		
	can	could		
	may	might		
	must			
	ought (to)			
		used (to)		
	need (not)			
	dare (not)	dared (not)		

표에서 알 수 있듯이 대부분의 조동사는 활용형이 불완전하다. 또한 이 중에 be, have, do, need, dare 는 동사로도 쓰인다.

That is her house. 저건 그녀의 집이다.

He has long arms. 그는 팔이 길다.

They did much for their country. 그들은 조국에 큰 공을 세웠다.

We need *to wear* comfortable walking shoes. 우리는 편안한 운동화를 신을 필요가 있다.

He did not dare *to do* it. 그는 그럴 용기가 없었다.

주의 조동사로서의 need와 dare는 주로 부정문과 의문문에서만 쓰인다.

2 조동사의 특징

❶ 조동사는 동사를 돕는 말이다.

조동사는 동사를 도와 그 동사에 가능, 추측, 허가, 의지, 필요 등의 의미를 추가한다. 조동사 다음에는 동사원형을 쓴다.

You *play* the piano. 너는 피아노를 친다.

You can *play* the piano. 너는 피아노를 칠 수 있다. …〈가능〉

You may *play* the piano in this room. 너는 이 방에서 피아노를 쳐도 된다. …〈허가〉

❷ 조동사는 어형 변화가 없다.

조동사는 be, have, do를 제외하고 주어의 인칭이나 수에 따라 어형이 변하지 않는다. 따라서 주어가 3인칭 단수이고 현재시제인 경우에도 조동사 어미에 -s나 -es를 붙이지 않는다.

I can *solve* this puzzle. 나는 이 퍼즐을 풀 수 있다.

She can *solve* this puzzle. 그녀는 이 퍼즐을 풀 수 있다.

She *cans solve* this puzzle. (×)

❸ 조동사 부정문과 의문문

조동사 부정문은 조동사 다음에 not을 쓰고, 의문문은 조동사를 주어 앞에 쓴다.

He can *ride* a horse. 그는 말을 탈 수 있다. …〈**긍정문**: 조동사+동사원형〉

He can't *ride* a horse. 그는 말을 탈 수 없다. …〈**부정문**: 조동사+not+동사원형〉

Can he *ride* a horse? 그는 말을 탈 수 있니? …〈**의문문**: 조동사+주어+동사원형?〉

☞ 조동사와 not의 축약형은 37쪽 참조.

❹ 조동사 다음에 다른 조동사를 쓸 수 없다.

조동사는 둘 이상 연이어 쓸 수 없다. 써야 할 경우에는 be able to와 같은 말을 이용한다. be, have do는 연달아 쓸 수 있다. 〈→ 88쪽 참조〉

She will *be able to* ride a bike. 그녀는 자전거를 탈 수 있을 것이다.

She *will can* ride a bike. (×)

02 조동사로 쓰이는 be, have, do의 용법

1 be의 용법

조동사로서의 be는 다음과 같이 쓰인다.

❶ 'be+현재분사'로 진행형을 만든다. ⟨··→ 71쪽 참조⟩

He is *teaching* English to the students. 그는 학생들에게 영어를 가르치고 있다.

❷ 'be+과거분사'로 수동태를 만든다. ⟨··→ 110쪽 참조⟩

I was *moved* by the movie. 나는 그 영화에 감동을 받았다.

2 have의 용법

조동사로서의 have는 'have+과거분사' 형태로 완료시제를 만드는 경우뿐이다. ⟨··→ 75쪽 참조⟩

I have just *returned* from London. ···⟨현재완료⟩
나는 이제 막 런던에서 돌아왔다.

The game had already *started* when I arrived at the stadium. ···⟨과거완료⟩
내가 경기장에 도착했을 때는 이미 경기가 시작되었다.

3 do의 용법

do는 does(3인칭 단수 현재)와 did(과거)로 활용한다. 조동사로서 do는 다음과 같이 쓰인다.

❶ 부정문을 만든다.

'주어+do(does/did)+not+동사원형 ~.' 형태로 have동사와 일반동사의 부정문을 만든다. ⟨··→ 37쪽 참조⟩

I do **not** *like* her. 나는 그녀를 좋아하지 않는다.

We did **not** *go* anywhere. 우리는 아무데도 안 갔다.

❷ 의문문을 만든다.

'Do(Does/Did)+주어+동사원형 ~?' 형태로 have동사와 일반동사의 의문문을 만든다.

Did he *say* so? 그가 그렇게 말했어?

When do you *leave*? 언제 떠나니?

❸ **동사의 의미를 강조한다.** ⟨→ 394쪽 참조⟩

'정말, 꼭, 확실히' 등으로 해석한다. 강조를 나타낼 때는 do, does, did에 강세가 있다.

Do *go* and talk to him. 꼭 가서 그에게 말해라.

I do *make* haste, but could not catch the bus. 급히 서둘렀지만, 버스를 놓쳤다.

❹ **도치구문에 쓰인다.** ⟨→ 389쪽 참조⟩

주로 부사(never, rarely, little, well, no)를 강조하기 위해 문장 앞에 쓸 때 'do+주어+본동사'의 어순이 된다.

Well do I *remember* it. 잘 기억하고 있어요.

Rarely did he *laugh*. 좀처럼 그는 웃지 않았다.

❺ **대동사 do**

같은 동사의 반복을 피하기 위해 쓰인다.

She sings better than I do. 그녀는 나보다 노래를 잘 한다. …⟨do = sing⟩

A: Who wrote it? 누가 그것을 썼니?
B: Jim did. 짐이 썼어. …⟨did = wrote it⟩

본동사로서의 do(does, did)는 '하다, 끝내다, 주다, 충분하다' 등의 의미를 나타낸다.

Do as you were told. 들은 대로 해라.

His work was done. 그의 일은 끝났다.

Will you do me a favor? 부탁 하나 들어 줄래?

That will do. 그거면 충분하다.

03 can, could

1 can의 용법

❶ 능력·가능

'~할 수 있다'라는 의미의 능력·가능을 나타낸다.

Tom can *swim*, but I cannot. 톰은 수영을 할 수 있지만, 나는 할 수 없다.

이 경우 과거형은 could(~할 수 있었다), 다른 조동사 뒤에 쓸 때는 be able to ~(~할 수 있다)를 쓴다.

I could *see* her at last.(=was able to) 마침내 나는 그녀를 만날 수 있었다.

You *will* be able to *speak* English before long. 머지않아 너는, 영어를 말할 수 있을 것이다.

No one *has* ever been able to *solve* this problem. 지금까지 아무도 이 문제를 풀 수 없었다.

☞ be able to의 부정은 be not able to이지만, be unable to도 쓰인다.

❷ 허가

'~해도 좋다'라는 의미로 구어에서 may 대신에 많이 쓰인다. 부정형은 금지를 나타낸다.

You can *go* home now. 이제 집에 가도 좋다.

A: Can I *call* you up at your office? 회사로 전화해도 될까?

B: No, you cannot.(=must not) 아니, 안 돼.

☞ Can you ~?는 '~해 주겠어요?'라는 의미로 요청할 때 쓸 수 있다.
　 Can you *fill* this out, please? 이것을 작성해주겠어요?

❸ 추측

의문문, 부정문에 쓰여 강한 의심이나 추측의 의미를 나타내기도 한다. 의문문에 쓰면 '정말 ~일까?'라는 강한 의심을 나타내고, 부정문에 쓰면 '~일리가 없다'라는 추측의 의미가 된다.

Can the news *be* true? 그 뉴스가 사실일까? → 사실일 리가 없다.

It cannot *be* possible. 그런 일이 가능할 리 없다.

Who can *say* such a thing to you? 누가 너에게 그런 걸 말하겠니? → 아무도 말하지 않는다.

☞ 과거의 추측은 'can(not) have+과거분사'로 나타낸다.
　 Can he *have said* so? 그가 그런 말을 했겠어?
　 You cannot *have lent* your car to him. 네가 그에게 네 차를 빌려줬을 리 없다.

2 could의 특별용법

❶ 가능성

could는 can보다 가능성이 낮음을 나타내고 '~일(할)지도 모른다'라는 의미로 쓰인다.

His story could *be* true. 그의 말은 어쩌면 사실일지도 모른다.

❷ 능력

could는 과거 장기간에 걸친 능력을 말하는 경우에 쓰이며, '한 번 ~할 수 있었다.'는 was(were) able to를 쓴다.

He could *swim* well when he was young. 그는 젊었을 때 수영을 잘 했다.

He was able to *swim* across the Straits of Korea in 1980.
그는 1980년에 대한해협을 수영해서 횡단할 수 있었다.

주의 couldn't나 wasn't(weren't) able to는 거의 같은 의미이므로 구별해서 쓸 필요는 없다.

❸ 가정법의 주절에 쓰인다.

If I knew her phone number, I could *call* her. 그녀의 전화번호를 알고 있으면 전화할 수 있을 텐데.

I'm so hungry that I could *eat* a horse. 너무 배가 고파서 말이라도 잡아먹을 지경이다.

☞ 가정법에서는 주절만 남고 if절이 생략될 수 있다. 두 번째 예문은 '(먹으려고 하면) 말도 먹을 수 있을 것이다'라는 if절이 생략된 것이다.

❹ 공손한 요청에 쓰인다.

Could you ~?는 Can you ~? 보다 공손한 표현이다. 이처럼 조동사의 과거형을 쓰면 공손한 표현이 된다. 이 could는 원래 가정법이다. ⟨… 198쪽 참조⟩

Could you *tell* me the way to the police station? 경찰서 가는 길을 알려 주시겠어요?

3 can, could가 쓰인 관용표현

❶ cannot help -ing ⎫
cannot but ~ ⎬ : ~하지 않을 수 없다 ⟨… 167쪽 참조⟩

cannot but ~은 문어적인 표현이다.

I cannot help laughing.(=cannot but laugh) 나는 웃지 않을 수 없다.

❷ cannot ~ too ...: 아무리 ~해도 지나치지 않다 ⟨… 411쪽 참조⟩

I cannot thank you too much. 너에게 아무리 감사해도 지나치지 않다.

❸ cannot ~ without -ing: …하면 언제나 ~ 〈… 409쪽 참조〉

I cannot hear the song without thinking of my mother. 그 노래를 들으면 어머니 생각이 난다.

Q 직설법의 could인지 가정법의 could인지 어떻게 알 수 있나요?

A can의 과거형 could(~할 수 있었다)는 문맥상 오해가 없는 경우, 즉 앞에 과거형 동사가 있든가 시제의 일치를 위한 경우 외에는 보통 쓰이지 않습니다.

(a) *Was* there a stream where you could bathe? 너희가 씻을 수 있는 개울이 있었니?
(b) Is there a stream where we could bathe? 씻을 수 있을 만한 개울이 있니?

(a)의 could는 was와 시제를 일치시킨 직설법 과거, (b)의 could는 가정법 과거라고 볼 수 있습니다. 어쨌든 전후관계, 의미, 문장 형식으로 판단할 수밖에 없습니다.

04 may, might

1 may의 용법

❶ 허가

'~해도 좋다'라는 허가의 의미로 쓰이며, 부정형은 may not(=cannot)이다.

A: May I *use* your cell phone? 네 핸드폰 좀 써도 될까?

B: Yes, you may. 그래, 좋아.

B: No, you may not. 아니, 안 돼. …〈가벼운 거절〉

B: No, you must not. 아니, 안 돼. …〈강한 거절〉

주의 must not은 강한 금지를 나타내므로 May I ~?에는 보통 No, you may not.으로 대답한다.

❷ 추측

'~일(할) 지도 모른다'라는 의미로 쓰인다. 부정형은 may not, 강한 부정에는 cannot을 쓴다. 'may have+과거분사' 형태로 쓰면 과거 일에 대한 추측을 나타낼 수 있다.

He may *come*, or he may not. 그가 올 지도 모르겠고 안 올지도 모르겠다.

It may have rained **before dawn.** 날이 밝기 전에 비가 왔을지도 모른다.

❸ 가능

'~할 수 있다'라는 의미로 can 대신에 쓸 수 있지만, can보다는 약한 의미이다. 이 의미의 부정형은 cannot이다.

You may *get* this at the grocer's.(=can) 이것을 식료품점에서 살 수 있다.

2 may의 특별용법

❶ 용인

'(~해도) 괜찮다'라는 의미의 가능을 나타내는 may의 약한 의미로 쓰이는 용법이다. 부정형은 cannot.

You may *say* that Korea is a beautiful country. 한국을 아름다운 나라라고 말해도 좋다.

❷ 목적

(so) that ~ may, (in order) that ~ may 형태로 쓰여 '~할 수 있도록', '~하기 위해'라는 의미를 나타낸다. ⟨→ 382쪽 참조⟩

We eat (in order) that we may live. 사람은 살기 위해 먹는다.

He explained (so) that anyone might understand. 그는 누구든지 이해할 수 있도록 설명했다.

❸ 양보

양보를 나타내는 부사절에 쓰여 '~일(할)지라도'라는 의미를 나타낸다. ⟨→ 334. 340쪽 참조⟩

Wherever he may *go*, he takes something home for his children.
어딜 가든지 그는 아이들을 위해 선물을 갖고 돌아온다.

However cold it may *be*, he never wears an overcoat.
아무리 추워도 그는 절대로 외투를 입지 않는다.

❹ 기원

문어체에서 'May+주어+동사원형 ~!' 형태로 '~하길(이길) 빈다.'라는 의미로 기원·소망을 나타낸다. 어순에 주의해야 한다.

May he *succeed*! 그가 성공하길 빌어요!

☞ 구어에서는 보통 I hope he will succeed.라고 한다.

3 might의 특별용법

❶ 시제의 일치에 쓰인다.

주절의 동사가 과거시제일 때 종속절의 may는 시제의 일치에 따라 과거형인 might를 쓴다.

He *said* that he might *be* late for the meeting. 그는 회의에 늦을지도 모른다고 했다. …〈시제일치〉

❷ 가능성이 낮은 추측

might는 may보다 가능성이 낮은 추측을 나타낸다.

He might *know* her phone number. 아마 그가 그녀의 전화번호를 알지도 모른다.

It might *rain* this evening. 어쩌면 오늘 밤에 비가 올지도 모른다.

❸ 공손함을 나타낸다.

might는 may보다 공손한 표현으로 허가를 나타낸다. 즉 Might I ~?는 May I ~?보다 공손한 표현이다. 이 might는 원래 가정법이다. ⟨→ 198쪽 참조⟩

Might I *ask* your name? 성함을 물어봐도 되겠습니까?

❹ 가정법의 주절에 쓰인다.

If I had enough money, I might *buy* a car. 충분한 돈이 있다면 차를 살지도 모른다.

4 may, might를 쓰는 관용 표현

❶ may well: ~하는 것도 당연하다, ~할만도 하다

과거의 의미는 might well ~(~하는 것도 당연했다)이 된다.

You may well *say* so. 네가 그렇게 말하는 건 당연하다.

❷ may as well: ~하는 편이 낫다

might as well ~은 may as well보다 공손한 표현이 된다.

You may as well *give up* smoking. 너는 금연하는 게 낫다.

05 must와 ought to

1 must

must는 필요·의무를 나타내며 현재시제에서만 쓰인다. 현재시제 이외에서 의무나 필요를 나타낼 경우에는 have to를 이용한다.

❶ 필요, 의무

must는 '~해야 한다'라는 의미로 필요·의무를 나타낸다. 부정형은 don't(doesn't) have to이고 '~할 필요 없다(= need not)'라는 의미를 나타낸다. 또한 과거시제인 경우에는 had to를 쓰고, 다른 조동사 뒤에 쓸 경우에는 have to를 쓴다.

I must *do* my homework by Sunday. 나는 일요일까지 숙제를 해야 한다.

A: Must I do it? 내가 그걸 해야 하니?

B: Yes, you must. 그래, 해야 해.

B: No, you don't have to.(=need not) 아니, 할 필요 없어.

We *will* have to *work* late a few nights. 며칠 동안은 밤늦게까지 일해야 한다.

Thanks to the storm, I had to *stay* home all day long. 폭풍 때문에 나는 하루 종일 집에 있어야만 했다.

❷ 금지

must not은 may의 반대말로 '~해선 안 된다'라는 의미의 금지를 나타낸다.

You must not *eat* too much. 너는 과식해선 안 된다.

A: May I *go* with you? 같이 가도 돼?

B: No, you must not. 아니, 안 돼.

❸ 단정적 추측

must는 '~임에 틀림없다'라는 의미의 단정적인 추측을 나타내며, 이 경우 부정은 cannot, 과거의 일에 관한 단정적인 추측은 'must have+과거분사'로 나타낸다.
원칙적으로 have to는 추측의 의미로 쓸 수 없지만, 미국영어에서는 쓰기도 한다.

She must *know* the reason why he is absent today. 그가 오늘 결석한 이유를 그녀는 알고 있음에 틀림없다.

A: He must *be* over sixty. 그는 60살은 넘은 게 틀림없어.

B: No, he cannot *be* so old. 아니야, 그렇게 나이를 먹었을 리 없어.

She is still in bed. She must *have sat up* late last night.
그녀는 아직 자고 있다. 어젯밤 밤늦게까지 자지 않은 게 틀림없다.

2 ought to

ought는 다른 조동사와는 달리 뒤에 to부정사를 쓰므로 ought to로 기억해야 한다. 부정은 ought not to이고, 과거형은 없다.

❶ 의무

ought to는 should처럼 '~해야 한다'라는 의무를 나타내지만, should보다 의미가 강하다. 'ought to have+과거분사'는 과거의 일에 대한 유감을 나타낸다.

We ought to *save* energy. 우리는 에너지를 아껴야 한다.

You ought not to *eat* between meals. 간식을 먹어선 안 된다.

The clerk ought to *have given* you a receipt. 그 점원은 너에게 영수증을 주었어야 했다.

☞ 의무 · 필요의 강도 must 〉 ought to 〉 should

❷ 당연한 추측

ought to는 should처럼 '~일 것이다'라는 추측의 의미로 쓰인다. 'ought to have+과거분사' 형태로 쓰면 '~했을 것이다(~하지 않았다면 이상하다)'라는 의미를 나타낸다.

If he started at seven, he ought to be there by noon.
7시에 출발한다면 그는 정오까지는 그곳에 도착할 것이다.

Since he is practicing very hard, he ought to win the match.
그는 열심히 연습하고 있으니까 경기에서 이길 것이다.

The match ought to have started by now. 지금쯤 그 경기는 시작됐을 것이다.

참고

조동사의 긍정과 부정의 관계 정리

의미	긍정문	부정문
~할 수 있다(능력)	I can run	I cannot run
~해도 좋다(허가)	You may go.	You must not go.
~일지도 모른다(추측)	It may be true.	It may not be true.
~해야 한다(필요)	I must go.	I need not go.
~해야 한다(필요)	I have to go.	I don't have to go.
~임에 틀림없다(추측)	It must be true.	It cannot be true.

06 used to, need, dare

1 used to

used도 ought처럼 그 뒤에 to부정사를 쓰지만, 과거의 의미로만 쓰이며 현재와의 대비에 중점이 있다. used to는 [júːstə]로 발음한다. 부정은 used not to, usedn't to가 있고, 의문문에서도 used를 주어 앞에 쓰면 되지만, 문어적인 표현이다. 구어에서는 보통 didn't used to, 'Did+주어+use to ~?' 형식으로 쓴다.

❶ 과거의 규칙적인 습관 ⟨→ 103쪽 참조⟩

used to는 '늘 ~하곤 했다.'라는 과거의 습관을 나타낸다. 이 경우 would (often)를 쓸 수도 있다.

I used to *swim* in this river. 나는 이 강에서 수영을 하곤 했다.

= I would (often) swim in this river.

He didn't use to *drink* coffee. 그는 커피를 마시는 일이 없었다. ···⟨구어체⟩
He used not(usedn't) to *drink* coffee. ···⟨문어체⟩

Did you use to *live* in Seoul? 전에 서울에서 살았니? ···⟨구어체⟩
Used you to *live* in Seoul? ···⟨문어체⟩

❷ 과거의 상태

'전에는 ~했었다(였다)'라는 의미로 과거의 상태를 나타낸다. would에는 이 용법은 없다. used to는 보통 be, live, know, belong, love, think 등의 상태동사와 함께 쓰이며, 현재와 대비하여 표현하는 것이다.

There used to *be* a coffee shop here. 전에 여기에 커피숍이 있었다. (지금은 없다.)

> 주의 'be(get) used[juːst] to (동)명사'와 혼동해선 안 된다.
> I am used to hard work. 나는 힘든 일에 익숙하다.
> I got used to hard work. 나는 힘든 일에 익숙해졌다.

참고
used to와 would의 차이
used to와 would는 둘 다 과거의 습관을 나타내지만, used to는 과거와 현재를 대비하여 현재는 그렇지 않은 과거의 사실을 말하는 것이다. would는 화자가 개인적으로 과거를 회상하는 의미가 강하다.
또한 used to가 동작동사·상태동사와 결합해서 비교적 장기간에 걸친 습관이나 상태를 나타내는데 비하여, would는 동작동사와 결합하여 과거의 불규칙한 반복적 행동을 나타낸다.

---

2 need

조동사로 쓰이는 need는 부정문과 의문문에만 쓰인다. need 뒤에는 동사원형을 써야 한다.

> need not … ∼할 필요는 없다, ∼하지 않아도 된다(=don't have to)
>
> Need ∼? … ∼할 필요가 있어요?

You need not *hurry*. 서두를 필요 없어.

A: Need I *come* tomorrow? 내일 올 필요가 있니?

B: No, you needn't. 안 와도 돼.

조동사로 쓰이는 need와 동사로 쓰이는 need 비교

	긍정문	부정문	의문문
조동사		He need not+동사원형	Need he+동사원형 ∼?
동사	He needs to+동사원형	He doesn't need to+동사원형	Does he need to+동사원형 ∼?

need가 일반동사로 쓰일 경우 뒤에 to부정사나 명사를 목적어로 쓴다.

He needs *to buy* a new watch. 그는 새 시계를 살 필요가 있다.

She doesn't need *to go* to market today. 오늘 그녀는 시장에 갈 필요가 없다.

Do I need *to attend* the sales meeting? 나도 영업 회의에 참석해야 하나요?

'need not have+과거분사'는 '∼할 필요가 없었는데'라는 불필요한 행위를 했다는 것을 나타낸다.

I need not have said so. 그런 말을 할 필요는 없었다. → 실제는 말했다. …〈need는 조동사〉

I didn't need *to say* so. 그런 말을 할 필요가 없었다. → 그래서 말하지 않았다. …〈need는 동사〉

3 dare

조동사로서의 dare는 부정문·의문문에만 쓰인다. 조동사 dare 뒤에는 동사원형을 써야 한다. 과거형은 dared이지만 dare를 쓸 수도 있다.

> dare not … 감히 ∼할 용기가 없다
>
> Dare ∼? … 감히 ∼할 용기가 있어요?

She dare not *say* it. 그녀는 그것을 말할 용기가 없다.

He dared not *touch* the wire with his finger. 그는 전선에 손가락을 댈 용기가 없었다.

Dare she *go* there alone? 그녀는 거기 혼자 갈 용기가 있니?

How dare you *come* here? 어떻게 뻔뻔하게 여기 올 수 있어?

☞ 의문사 how와 함께 쓰이면 How dare ~?(어떻게 뻔뻔하게 ~할 수 있어?)라는 반어적인 표현이 된다.

I dare say는 관용표현으로 '아마도(= probably)'라는 의미이다.

I dare say it is a lie. 아마 그건 거짓말일 것이다.

You, I dare say, think otherwise. 너는 아마 다르게 생각할 것이다.

조동사로 쓰이는 dare와 동사로 쓰이는 dare 비교

	긍정문	부정문	의문문
조동사		He dare not+동사원형	Dare he+동사원형 ~?
동사	He dares to+동사원형	He doesn't dare to+동사원형	Does he dare to+동사원형 ~?

dare가 일반동사로 쓰일 경우 뒤에 to부정사를 쓴다. 구어에서 동사 dare는 부정문·의문문에서도 쓰인다.

He dares *to insult* me. 그는 감히 나를 모욕했다.

I don't dare *to run* down this steep slope. 나는 이 급경사를 뛰어 내려갈 용기가 없다.

Did she dare *to go* there alone? 그녀는 거기 혼자 갈 용기가 있었을까?

《해답 419쪽》

Review Test 01

다음을 영어로 쓰세요.

1. 그 물고기는 우리처럼 눈을 감고 있었니?

2. 네가 집에 빨리 오기를 정말 바란다.

3. 그는 배가 고플지 모르겠지만, 너는 배가 고플 리 없다.

4. 장시간 걸어야 했으니까 너는 틀림없이 피곤할 것이다.

5. 톰은 있어도 되지만, 빌을 떠나야 한다.

6. 그는 유능한 사람이 아닐지 모르지만, 그런 일은 할 수 있을 것 같다.

7. 너는 살 필요가 없는 것은 사지 말아야 한다.

가늠 may와 must는 의미에 따라 부정형이 다르다. 의미의 차이와 부정형의 용법에 주의한다.

풀이 1. '우리처럼' → '우리가 눈을 감는 것처럼'으로 생각하고 대동사 do를 쓴다.

2. 강조의 do를 쓴다.　　　　　　　　　　3. may와 cannot을 쓴다.

4. must와 had to를 쓴다. '장시간' → for many hours　　5. may와 must를 쓴다. '있다' → stay, '떠나다' → leave

6. may와 can을 쓴다. '유능한 사람' → an able man　　7. must not과 need not을 쓴다. 관계대명사절을 이용한다.

07 will, shall의 특별용법

1 will

will은 미래시제를 만드는 조동사로서의 용법 외에도 다음과 같은 특별한 용법이 있다.

❶ 현재의 습관

이 경우 will은 '항상 ~한다, ~하는 법이다.'라는 의미가 된다. 보통 often, sometimes, always 등과 함께 쓰일 때가 많다.

He will *sit* on the bench for hours, reading books. 그는 책을 읽으며 몇 시간이나 그 벤치에 앉아 있곤 한다.

She will often *go* to school without taking breakfast. 그녀는 아침을 안 먹고 등교하는 일이 자주 있다.

❷ 일반적인 습성·경향

'~하기 마련이다, ~하려고 한다.'라는 의미로 일반적인 경향이나 습성을 나타낸다.

Accidents will *happen*. 사고라는 것은 일어나는 법이다.

Teenagers will not *do* as they are told. 10대들은 시키는 대로는 하지 않는 법이다.

❸ 강한 의지·고집

'어떻게든 ~하려고 한다.'라는 의미로 주어의 강한 의지를 나타내며, 부정형 will not은 '아무리 해도 ~하려고 하지 않는다.'라는 거절을 나타낸다.

You will *do* the work yourself, though I offer you my aid. ···〈강한 의지〉
내가 도움을 주려고 해도 너는 어떻게든 스스로 일을 하려고 한다.

You won't *change* your mind, whatever your wife says. ···〈거절〉
네 처가 뭐라고 하든 너는 마음을 바꾸려고 하지 않는다.

This door will not *open*. 이 문은 도무지 안 열린다. ···〈고집〉

주의 will not은 의지가 없는 무생물 주어에 쓰여 '좀처럼 ~하지 않는다.'라는 주어의 고집을 나타낼 수 있다.

❹ 은근한 명령·지시

구어에서 You will ~이 은근한 명령이나 지시를 나타내어 '~하세요.'라는 의미로 쓰인다.

You will please *open* the window. 창문 좀 여세요.

❺ 화자의 추측

'아마 ~일 것이다'라는 의미로 화자의 추측을 나타낸다.

This cellphone will *be* Tom's. 이것은 아마 톰의 휴대전화일 것이다.

2 shall

shall은 'Shall I ~?(~할까요?)', 'Shall we ~?(같이 ~할까요?)' 형태로 상대방의 의향을 물을 때 쓰는 외에 다음과 같은 특별한 용법이 있다.

❶ 명령·약속·규정

법률·규칙 등의 문서에서 인칭에 관계없이 쓰인다. 따라서 문어체이며, 이 경우의 shall은 강하게 발음한다.

The president shall *be* **the symbol of the State.** 대통령은 그 국가의 상징이다.

❷ 주어의 강한 의지

1인칭(I /we)의 강한 의지를 나타내지만, will을 쓰는 경우가 많다. 단순미래에서 전용된 것으로 will보다 의미가 강하다.

I shall **never** *forget* **your kindness.** 당신의 친절을 절대 잊지 않을 겁니다.

❸ 예언

운명적인 필연을 나타내며 성경에 많이 쓰이는 용법이다.

Ask, and it shall *be* **given you.** 구하라, 그러면 얻을 것이다. …〈성경〉

참고

shall은 명령·결정·의향 등의 의미를 가진 동사 다음의 that절에서 명령의 의미를 나타낸다.
I *insist* **that he** shall **be dismissed.** 그를 해고할 것을 나는 요구한다.

Review Test **02**

《해답 419쪽》

다음을 우리말로 옮기세요.

1. How dare you speak to me like that?

2. She used to play the piano before she went to bed.

3. You ought to be good neighbors.

4. They ought to have apologized to him.

>
>
> **개념** 'ought to'와 'ought to+have+과거분사'의 차이에 주의할 것
> ought to: ~해야 한다 …〈의무〉
> ought to have+과거분사: ~했어야 했다 …〈과거의 일에 대한 유감〉
>
> **풀이** 1. like that(그런 식으로)   2. 과거의 습관을 나타낸다.
>   3. neighbor(이웃)   4. '실제는 그렇게 하지 않았다'라는 뜻.

08 would, should의 특별용법

1 would

would는 시제의 일치에 따라 will의 과거형으로 쓰이는 것 외에 다음과 같은 특별한 용법이 있다.

❶ 과거의 불규칙한 습관

'자주 ~하곤 했다'라는 과거의 불규칙한 습관이나 반복적 행동을 나타낸다. often, sometimes 등의 빈도부사와 함께 쓸 때가 많다.

He would often *take* me fishing. 그는 자주 나를 낚시에 데려가 주었다.

☞ 규칙적·계속적인 습관은 used to로 나타낸다. ⟨⋯ 98쪽 참조⟩

❷ 과거의 강한 의지

'(어떻게든) ~하려고 했다'라는 의미로 주어의 의지를 나타내는 will의 과거에 해당한다. would not 은 '도대체 ~하지 하지 않았다'라는 과거의 거절을 나타낸다.

I kept telling him not to do it, but he would *do* it. 그에게 그러지 말라고 했지만 기어코 하려고 했다.

You wouldn't *eat* broccoli when you were a boy. 어렸을 때 너는 브로콜리를 먹으려고 하지 않았다.

❸ 현재의 소망

'~하고 싶다(=wish to)'라는 의미를 나타낸다.

Those who would *succeed* must be diligent. 성공하고 싶은 사람은 부지런해야 한다.

❹ 공손한 표현

Would you ~?는 '~해 주시겠어요?'라고 공손하게 요청하는 표현이 된다. 가정법에서 전용된 표현 으로 Will you ~?보다 공손한 표현이다.

Would you *take* my photo with this camera? 이 카메라로 사진 좀 찍어주시겠어요?

❺ would를 쓰는 관용표현

1. would like to+동사원형: ~하고 싶다

   would like+목적어+to+동사원형: 목적어가 ~해주면 좋겠다

   I would like to *have* beefsteak for dinner. 저녁으로 비프스테이크를 먹고 싶다.

   I would like *you* to *correct* my composition. 네가 내 작문을 고쳐 주면 좋겠다.

2. would rather+동사원형: ~하는 것이 낫다

　　 would rather not+동사원형: ~하고 싶지 않다

　　 would rather A than B: B하느니 차라리 A하겠다

I'd rather *have* some Chinese food. 차라리 중국음식을 먹는 게 좋겠다.

I'd rather not *go* shopping today. 오늘은 쇼핑하러 가고 싶지 않다.

I'd rather take a bus than take the train. 열차를 타고 가느니 차라리 버스를 타겠다.

2 should

should는 shall의 과거형이지만, 시제의 일치와 가정법에서 쓰이는 외에는 과거의 의미 없이 다음과 같이 쓰인다.

❶ 의무·당연

should는 '~해야 한다'라는 의미의 의무나 당연한 행동을 나타내지만, 우리말의 '~해야 한다'만큼 강한 의미는 아니고 '~하는 게 옳다' 정도의 의미이다. should는 must보다 강제적이지 않고, had better보다 명령적이지 않다. ought to와 거의 같은 의미를 나타낸다.

We should *be* faithful to our duty. 우리는 자신의 의무에 충실해야 한다.

　☞ 'should have+과거분사'는 '~했어야 했다 (그런데 하지 않았다)'라는 의미를 나타낸다.
　　　You should have kept your promise. 너는 약속을 지켰어야 했다.(→ 약속을 어겼다.)

❷ 추측·예상

should는 '아마 ~일 것이다'라는 추측을 나타낸다. 화자의 확신 정도는 must보다 낮고, may보다 높다. ought to도 이 경우 should와 거의 같은 의미를 나타낸다.

She should *be* home by now since she left the office an hour ago.
1시간 전에 퇴근했으니까 그녀는 지금쯤 아마 집에 있을 것이다.

❸ 사람의 감정이나 판단을 나타내는 형용사 뒤의 that절에 쓰이는 should

사람의 감정·판단을 나타내는 형용사 strange(이상한), surprising(놀라운), fortunate(운이 좋은), natural(당연한), important(중요한), necessary(필요한), impossible(불가능한), right(옳은), good(좋은) 등은 'It is+형용사+that+주어+should+동사원형~' 형태로 쓰여 '주어가 ~하는 것은 …다'라는 의미를 나타낸다.

It is *strange* that you should *refuse* to see him. 네가 그를 만나는 걸 거절하다니 이상하다.

It is *natural* that you should *think* so. 네가 그렇게 생각하는 것도 당연하다.

❹ 주어의 의지를 나타내는 동사 뒤의 that절에 쓰이는 should

제안·주장·명령·결정 등 주어의 의지를 나타내는 동사의 목적어가 that절인 경우 that절에는 should를 쓴다. 이 경우 should는 보통 생략된다.

이 형식으로 쓰는 동사로는 suggest/propose(제안하다), ask/request(요청하다), recommend(추천하다), advise(조언하다), insist(주장하다), demand(요구하다), order(명령하다), decide/determine(결정하다), agree(동의하다), intend(의도하다)

I *suggested* that he (should) *take* a week off. 나는 그에게 일주일 쉬어야 한다고 제안했다.

He *insisted* that he (should) *try* it again. 그는 그걸 한 번 더 해보겠다고 우겼다.

❺ 의문사 강조

의문사 why, who, how 뒤에 should를 써서 의외·놀람 등의 감정을 강조한다.

Why should she look after the children? 왜 그녀가 그 아이들을 돌봐야 해? (→ 돌볼 필요 없다)

How should I know? 내가 어떻게 알아? (→ 알 리가 없다)

❻ lest ~ should ...

'~하지 않도록'이라는 의미를 나타내는 문어적인 용법이다. 〈→ 382쪽 참조〉

Take an umbrella with you lest it should rain. 비가 오면 안 되니까 우산을 갖고 가라.

〈해답 419쪽〉

Review Test **03**

( ) 안에 would나 should를 넣고 우리말로 옮기세요.

1. He (   ) often return home exhausted from his work.

2. You (   ) take off your hat when you enter the room.

3. (   ) you please carry these bags?

4. We talked in whispers lest we (   ) be heard.

5. I offered him some money, but he (   ) not take it.

6. It is natural that they (   ) hate him.

기본 would, should는 형태는 과거형이지만 반드시 과거의 의미를 나타내는 것은 아니다.
　　would ~: ~하고 싶다 …〈현재의 희망 또는 공손한 표현〉
　　should ~: ~해야 한다 …〈의무나 It is ~ that … should, lest ~ should〉

풀이 1. '자주 ~하곤 했다'라는 과거의 습관을 나타내는 문장이다.
　　2. take off(벗다)
　　3. 공손하게 요청하는 문장이다.
　　5. '~하려고 하지 않았다'라는 의지를 나타내는 문장이다.
　　6. <It is natural that ~.> 구문이다.

Chapter **03**
Exercise

A 다음을 부정문으로 고치세요.

1. That man must be a doctor.

2. You may come into this room with shoes on.

3. He is able to swim across the river.

4. She must translate these sentences into Korean for her friends.

B ( ) 안에 알맞은 조동사를 넣으세요.

1. He ( ) often come to see us of a Sunday.

2. You ( ) not have bought a new pen, because I ( ) lend you one of mine.

3. That man ( ) be rich; he owns a big house.

4. A: ( ) I help you, sir?

   B: Oh, yes. I ( ) like to have one of these hats.

5. He is afraid that he ( ) fail in the examination.

6. Help me. This door ( ) not open.

C 다음 문장의 밑줄 친 부분에서 잘못된 곳을 하나 고르세요.

My father <u>used to say</u> that I <u>would</u> give up <u>smoking</u> so
         Ⓐ   Ⓑ   Ⓒ

that I <u>might</u> not get cancer of the lung.
      Ⓓ

Tips

1, 2, 4 may와 must는 의미에 따라 부정형이 다르다.

2. with shoes on(신을 신고)

4. translate ~ into Korean(~을 한국어로 번역하다)

1. 뒤에 often이 있으므로 현재의 습관으로 판단한다.

2. 앞의 ( )에는 not have bought가 와서 '~할 필요는 없었다'는 의미를 나타내는 조동사를 쓴다.

5. 추측을 나타내는 조동사를 쓴다.

6. 강한 의지·고집을 나타내는 조동사를 쓴다.

'아버지는 폐암에 걸리지 않기 위해선 담배를 끊어야 한다고 늘 나에게 말씀하셨다.'라는 의미.

D 잘못 쓰인 문장을 2개 고르세요.

1. The dark used to be dangerous to man.

2. It is surprising that you would speak thus to me.

3. I made haste that I might be in time for the train.

4. The country was as beautiful as it was used to be in the old time.

Tips

감정을 나타내는 should와 used to의 용법에 주의한다.

2. <It is surprising that ~.> 구문이다.
   thus(이렇게)
3. <(so) that ~ may> 구문.
   make haste(바삐 서두르다)
   be in time for ~(~ 시간에 맞추다)
4. be used to와 used to에 주의.

E ( ) 안에 들어갈 말을 보기에서 골라 쓰세요.

A: Did you go to see the Motor Show, Kate?

B: Yes, I went with Billy last Sunday.

A: It must (1) awfully crowded.

B: Oh, yes. Do you know what happened? Billy (2) in one of the crowded exhibits.

A: How come?

B: You know, little children are crazy about racing car display, and Billy was lost in the crowd. I was careless, too. I should (3) a closer eye on him.

A: How did you finally find him?

B: He went to the police box near by and his name was (4) throughout the fair grounds. All I had to do was to (5).

1, 3은 과거의 일이므로 완료형을 고른다.

exhibit(전시물)
keep an eye on(~에서 눈을 떼지 않다)
fair ground(박람회장)

> **보기**
> ① be ② broadcast ③ go and get him ④ got lost
> ⑤ have been ⑥ have found ⑦ have kept ⑧ keeping
> ⑨ shout for him

Chapter

04

수동태

01 수동태의 이해

'태(Voice)'란 무엇인가?

타동사를 쓰는 문장은 동작을 하는 것을 주어로 쓰는 경우와 동작을 받는 것을 주어로 쓰는 경우에 타동사의 형태가 변한다. 이러한 타동사의 어형 변화를 '태'라고 하며 능동태(Active Voice)와 수동태(Passive Voice)가 있다.

1 능동태와 수동태

능동태	동작을 하는 것을 주어로 써서 'A는 B를 ~한다.'라고 할 때의 타동사의 형태.
수동태	동작을 받는 것을 주어로 써서 'B는 A에 의하여 ~된다.'라고 할 때의 타동사의 형태.

〈능동태〉 Everybody respects him. 모든 사람이 그를 존경한다.
주어   타동사   목적어

〈수동태〉 He is respected by everybody. 그는 모든 사람에게 존경받는다.
능동태의   be동사+과거분사   by+능동태의 주어
목적어
(주격)

결국 능동태와 수동태는 같은 내용을 말하는 것이지만, 그 표현 방법이 다르다. 수동태로 쓸 수 있는 것은 목적어가 있는 문장 즉 S+V+O(3형식 문장), S+V+IO+DO(4형식 문장), S+V+O+C(5형식 문장)만 가능하다.

2 수동태 만드는 방법

주어   타동사   목적어
〈능동태〉 Tom   hit   me   yesterday. 어제 톰이 나를 때렸다.

①   ②   ③   ④

〈수동태〉 I   was hit   by Tom   yesterday. 어제 나는 톰에게 맞았다.
능동태의   be동사+과거분사   by+능동태의 주어
목적어
(주격)

① 능동태의 목적어를 주격으로 바꿔 수동태의 주어로 쓴다.

② 동사를 'be동사+과거분사'로 바꾼다. 이 경우 시제를 바꾸거나 문장의 의미를 바꿔선 안 된다.

③ 능동태의 주어를 목적격으로 바꾸고 by 뒤에 쓴다.

④ 수식어는 그대로 써주면 된다.

3 수동태의 시제

수동태의 시제는 'be+과거분사'의 be동사의 변화형으로 나타낸다. 능동태처럼 수동태도 형식상 12시제를 나타낼 수 있지만, 이 중 수동태의 미래진행시제·현재완료진행시제·과거완료진행시제·미래완료진행시제는 어색한 표현이므로 실제에는 거의 쓰이지 않는다.

		단순시제	진행시제	완료시제
현재	능동태	I do it.	I am doing it.	I have done it.
	수동태	am(are/is)+과거분사 It is done.	is(are)+being+과거분사 It is being done.	have(has) been+과거분사 It has been done.
과거	능동태	I did it.	I was doing it.	I had done it.
	수동태	was(were)+과거분사 It was done.	was(were)+being+과거분사 It was being done.	had been+과거분사 It had been done.
미래	능동태	I will do it.	—	I will have done it.
	수동태	will be+과거분사 It will be done.		will have been+과거분사 It will have been done.

The lake is covered with thick snow. 그 호수는 두꺼운 얼음으로 덮여 있다. …〈현재시제의 수동태〉
This sweater was made by hand. 이 스웨터는 손으로 뜬 것이다. …〈과거시제의 수동태〉
The building will be pulled down tomorrow. 내일 그 건물은 철거될 예정이다. …〈미래시제의 수동태〉
A house was being built by them. 그들에 의해 집이 지어지고 있었다. …〈과거진행시제의 수동태〉
It has given to his son. 그건 그의 아들에게 주어졌다. …〈현재완료시제의 수동태〉
The gate had been closed before I got there. 내가 거기 도착하기 전에 문이 닫혔다. …〈과거완료시제의 수동태〉

4 수동태를 쓰는 이유

동사가 타동사일 때는 같은 문장을 수동태와 능동태로 표현할 수 있지만, 다음과 같은 경우에는 주로 수동태를 쓴다.

❶ 행위를 받는 사람이나 사물을 화제의 중심으로 하는 경우

The house was struck by lightning. 그 집은 벼락을 맞았다.
The young man was closely examined by the policemen. 그 젊은이는 경찰관들에게 엄밀히 조사받았다.

❷ 행위자를 모르거나 나타낼 필요가 없는 경우

행위자를 모르거나 나타내지 않으므로 당연히 'by+행위자'는 생략된다.

He was killed in the traffic accident. 그는 교통사고로 죽었다.

English is spoken in Australia. 호주에서는 영어가 쓰인다.

질문 있어요!!

Ｑ 목적어가 있는 문장은 모두 수동태로 쓸 수 있나요?

Ａ 목적어가 있는 문장이라고 해서 모두 수동태로 바꿀 수 있는 것은 아닙니다. 예를 들면 I have a pen.이나 He resembles his father.는 수동태로 쓸 수 없습니다.

또한 write나 31쪽의 buy형 동사들은 간접목적어를 주어로 하는 수동태는 어색합니다.

He bought me a hat.

→ I *was bought* a hat by him. …〈어색한 표현〉

02 수동태의 형식과 종류

수동태로 쓸 수 있는 동사는 타동사이므로 3형식 문장(S+V+O), 4형식 문장(S+V+IO+DO), 5형식 문장(S+V+O+C)만 가능하다.

수동태 부정문은 be동사 뒤에 not을 쓰고, 의문문은 be동사와 주어의 위치를 바꿔 만든다.

1 3형식 문장의 수동태

3형식 문장의 수동태는 목적어가 하나이므로 수동태도 하나뿐이다. 3형식 문장을 수동태로 하면 1형식 문장이 된다.

〈능동태〉 Jim opens the door. 짐이 문을 열었다. …〈3형식〉
　　　　　 S　　V　　　O

〈수동태〉 The door is opened by Jim. 문은 짐에 의해 열렸다. …〈1형식〉
　　　　　 S　　　　V　　　　수식어

2 4형식 문장의 수동태

4형식 문장은 목적어가 두 개 있으므로 원칙적으로 간접목적어를 주어로 하는 수동태와 직접목적어를 주어로 하는 수동태가 가능하다.

❶ 간접목적어를 주어로 하는 수동태

간접목적어를 주어로 하는 수동태는 3형식 문장이 된다.

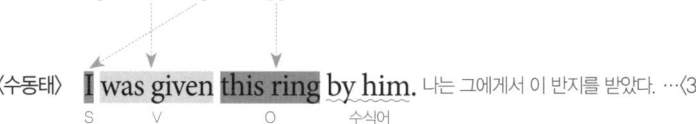

〈능동태〉 He gave me this ring. 그가 나에게 이 반지를 주었다. …〈4형식〉
　　　　　 S　 V　 IO　 DO

〈수동태〉 I was given this ring by him. 나는 그에게서 이 반지를 받았다. …〈3형식〉
　　　　　 S　　V　　　O　　　수식어

☞ 이 경우 나머지 목적어인 this ring은 그대로 동사 뒤에 남는다.

주의 buy형 동사(make, sing, find, cook)는 간접목적어를 주어로 쓰는 수동태는 어색하므로 직접목적어를 주어로 하는 수동태만 쓴다.

My mother made me *a sandwich*. 어머니가 나에게 샌드위치를 만들어 주셨다.

A sandwich was made for me by my mother. (○)

I was made a sandwich by my mother. (×)

② 직접목적어를 주어로 하는 수동태

직접목적어를 주어로 해서 수동태를 만드는 경우 동사 뒤에 남은 간접목적어 앞에 전치사를 쓴다.
give형 동사에는 to를, buy형 동사에는 for를 쓰는데, to는 생략할 수 있지만 for는 생략할 수 없다.
〈… 30쪽 참조〉 직접목적어를 주어로 하는 수동태는 1형식 문장이 된다.

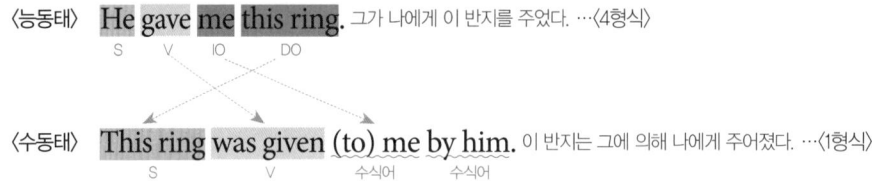

3 5형식 문장의 수동태

5형식 문장은 목적어가 하나이므로 수동태도 한 가지만 만들 수 있다. 능동태의 S+V+O 부분만 수
동태로 고치고 목적어 뒤의 목적격보어나 수식어는 그대로 쓰면 된다. 5형식 문장을 수동태로 하면
2형식 문장이 된다.

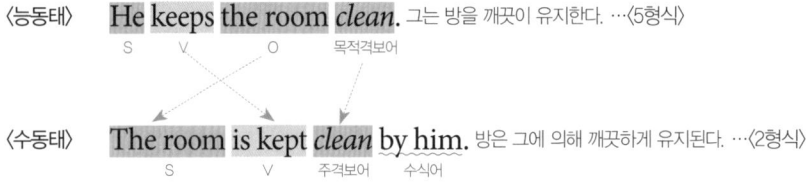

지각동사나 사역동사 뒤의 목적격보어로 쓰인 원형부정사는 수동태에서는 to부정사로 바꾼다.

We heard her *sing*. 우리는 그녀가 노래하는 것을 들었다.

→ She was heard *to sing* [by us]. 그녀가 노래하는 것이 들렸다.

I made him *open* the door. 나는 그에게 창문을 열게 했다.

→ He was made *to open* the door by me. 그는 나에 의해 창문을 열게 되었다.

☞ 사역동사 have나 let에는 수동태가 없다.

4 수동태의 부정문과 의문문

① 수동태의 부정문

수동태의 부정문은 be동사 뒤에 not을 써서 'be동사+not+과거분사' 형태로 만든다. 조동사가 쓰인
경우에는 조동사 뒤에 not을 쓴다.

〈능동태〉 Jane did not love me.

〈수동태〉 I was not loved by Jane. 나는 제인에게 사랑받지 않았다.

〈능동태〉 They will not announce the results of the election tomorrow.

〈수동태〉 The results of the election will not be announced tomorrow.
선거결과는 내일 발표되지 않을 것이다.

❷ 수동태의 의문문

Yes-No 의문문은 be동사를 주어 앞에 써서 'be동사+주어+과거분사 ~?' 형태로 만든다.

Did your mother cook this fish?

Was this fish cooked by your mother? 이 생선은 네 어머니에 의해 요리됐니?

Can they fix the bicycle by tomorrow?

Can the bicycle be fixed by tomorrow? 내일까지 자전거가 수리될 수 있나요?

의문사가 있는 의문문의 수동태는 의문사의 문장에서의 역할에 따라 어순이 달라진다.

1. 의문대명사가 문장의 주어인 경우 수동태로 하면 'By+의문대명사(목적격)+be동사+주어+과거분사 ~?' 형태가 된다.

   Who painted *the picture*? 누가 그 그림을 그렸니?

   By whom was *the picture* painted? 누구에 의해 그 그림이 그려졌니?

2. 의문대명사가 목적어인 경우 '의문대명사(주격)+be동사+과거분사 ~?' 형태가 된다.

   What did he send to you? 그가 당신에게 무엇을 보냈어요?

   What was sent to you by him? 무엇이 그에 의해 당신에게 보내졌나요?

3. when, where, why, how 등의 의문부사를 수동태와 함께 쓸 때는 '의문부사+be동사/조동사+주어 ~?'형태로 쓴다.

   When will they hold the meeting? 그들은 언제 회의를 여니?

   When will the meeting be held? 회의는 언제 열리니?

Why did your father scold him?

Why was he scolded by your father? 그는 왜 네 아버지한테 꾸중을 들었니?

5 명령문의 수동태

명령문의 수동태는 let을 이용해서 'Let+목적어+be+과거분사 ~' 형태로 만든다.
부정명령문인 경우에는 'Don't+let+목적어+be+과거분사 ~' 또는 'Let+목적어+not+be+과거분사
~' 형태로 나타낸다.

Cut down the tree. 나무를 베자.

→ *Let* the tree be cut down.

Don't forget the presents. 선물 잊지 마.

→ *Don't let* the presents be forgotten.

→ *Let* the presents *not* be forgotten.

6 타동사구의 수동태

'동사+전치사', '동사+부사', '동사+부사+전치사' 등의 타동사구가 쓰인 경우 타동사구 전체를 하나의
동사로 취급하여 수동태로 바꾼다.

❶ 자동사+전치사

The aunt will look after the children. 작은 어머니가 아이들을 돌볼 것이다.

→ The children will be looked after by the aunt.

❷ 자동사+부사+전치사

She always speaks ill of him. 그녀는 항상 그를 험담한다.

→ He is always spoken ill of by her.

❸ 타동사+부사

The firemen put out the fire 소방관들이 그 화재를 진압했다.

→ The fire was put out by the firemen.

❹ 타동사+명사+전치사

I lost sight of **him in the crowd.** 나는 군중 속에서 그를 놓쳐 버렸다.

→ He was lost sight of **by me.**

☞ '타동사+명사+전치사'의 경우 형식상 명사가 타동사의 목적어가 되므로 명사에 형용사가 붙은 경우 이것을 주어로 하
는 수동태도 가능하다.
  I made good use of *this cell phone*. 나는 이 휴대전화를 유용하게 썼다.
  → *This cell phone* was made good use of.
  → Good use was made of *this cell phone*.

Review Test · 01   《해답 419쪽》

다음을 수동태로 쓰세요.

1. He will sell the car tomorrow.

2. She showed them the new dress.

3. Who produced this CD?

4. A dump truck has run over the child.

5. He is playing the lovely andante.

> **Tips**
>
> **기본** 수동태의 주어로 쓰는 말을 먼저 찾을 것. 다음에 시제에 주의해서 동사를 'be동사+과거분사' 형태로 바꾼다.
>
> **풀이** 2. them→they와 the new dress를 주어로 쓰는 두 가지 형태의 수동태가 가능하다.
> 3. 의문사가 있는 의문문의 수동태는 의문사의 문장에서의 역할에 따라 어순이 달라진다. 의문사가 능동태에서 문장의 주어
> 로 쓰인 경우이다.
> 4. run over는 타동사구로 하나의 동사로 취급한다.

03 여러 가지 수동태 표현

1 동작을 나타내는 수동태와 상태를 나타내는 수동태

수동태는 '~당하다'라는 동작을 나타내는 경우와 '~되어 있다, ~된 상태이다'라는 상태를 나타내는 경우가 있다. 모두 'be동사+과거분사'로 나타낼 수도 있지만, be동사 대신에 become 등의 동사를 써서 동작을 나타내거나 remain 등의 동사를 써서 상태를 나타내는 경우도 있다.

❶ 동작을 나타내는 수동태

동작을 강조하기 위해 'get(become, grow)+과거분사' 형태를 쓸 때가 많다.

He got involved the case. 그는 그 사건에 휘말렸다.

You will soon grow accustomed to her way of speaking. 너는 곧 그녀의 말투에 익숙해질 것이다.

❷ 상태를 나타내는 수동태

상태를 강조하기 위해 'remain(lie, stay, stand, keep)+과거분사' 형태를 쓸 때가 많다.

He still remains unmarried. 그는 아직 결혼하지 않았다.

The store stayed closed. 그 가게는 닫혀 있었다.

> ☞ 'be동사+과거분사'의 경우에는 동작을 나타내는지, 상태인지는 문맥으로 판단한다.
> The gate was closed, but I don't know when it was closed. 문은 닫혀 있었는데, 나는 그 문이 언제 닫혔는지 모른다.

2 능동태로 수동의 의미를 나타내는 동사

타동사 중에 동사는 형태는 능동태이지만, 수동의 의미를 나타내는 것이 있다. 이 용법에서는 보어나 부사(구)와 함께 쓰일 때가 많다.

This car sells at a high prise. 이 차는 고가에 팔린다. …<sells = is sold>

That bed feels hard. 저 침대는 딱딱한 느낌이 든다. …<feels = is felt>

The knife cuts well. 그 칼은 잘 든다. …<cuts = is cut>

☞ 이외에 수동의 의미를 나타내는 동사로 read(읽히다), wash(씻기다), blame(비난받다), write(써지다), dye(염색되다) 등이 있다.

3 have(get)+목적어+과거분사

이 형식은 보통 '~시키다'라는 사역의 의미와 '~당하다'라는 수동의 의미로 쓰이며, have는 문어적인 표현이고 get은 구어적인 표현이다. (→ 176쪽 참조)

❶ 사역의 의미

이것은 '남에게 ~하게 하다(시키다)'라는 의미로 쓰이는 형식으로 have나 get을 강하게 발음한다.

I had(got) a new suit made. 나는 새 옷을 맞췄다.

❷ 수동의 의미

주어의 신체 일부분이나 몸에 소지한 것이 외부로부터 행위를 당하는 표현으로 have나 get은 약하게 발음하고 과거분사를 강하게 발음한다.

I had(got) my hat blown off in the gale. 강풍에 모자가 날아가 버렸다.

He had(got) his pocket picked in a bus. 그는 버스에서 소매치기 당했다.

'have+목적어+과거분사'는 사역의 의미일 때는 보통 의식적이거나 유익한 행위이고, 수동의 의미일 때는 무의식적이거나 불이익이 되는 경우가 많다.

4 say, believe 등의 수동태

동사 say, believe, expect, know, think, understand 등의 목적어가 that절인 경우 가주어를 써서 It is ... that 형식으로 쓰는 수동태와 that절 안의 주어를 쓰는 수동태가 가능하다.

They say that she is attending the job. 그녀는 열심히 일한다고 한다.

→ It is said that she is attending the job.

→ She is said to be attending the job.

04 주의해야 할 수동태

1 by ~를 생략하는 수동태

능동태의 주어가 we, you, they, people 등 막연한 일반인인 경우 by us(you, them, people)는 생략한다.

We must respect freedom of speech. 우리는 언론의 자유를 존중해야 한다.

→ **Freedom of speech must** be respected.

☞ 위의 경우를 포함해서 수동태 문장에서는 행위자를 나타내는 by ~가 생략될 때가 많다.

2 주로 수동태로 쓰는 동사

다음과 같은 타동사는 주로 수동태로 쓰이며 by 이외의 with, in, to 등의 전치사를 사용한다.

❶ 감정이나 심리상태를 나타내는 경우

감정이나 심리상태를 나타내는 동사의 수동태는 by 이외에 with, in, to 등의 전치사를 쓰는 경우가 많다. 이 경우 형식은 수동태이지만 능동의 의미로 해석하면 좋다.

She was surprised at **his rudeness.** 그녀는 그의 무례함에 놀랐다.

I am contented with **my present life.** 나는 현재의 생활에 만족한다.

☞ be surprised(amazed, astonished)(놀라다), be disappointed(실망하다), be pleased(기쁘다), be satisfied (contented)(만족하다), be convinced(확신하다), be frightened(scared)(무서워하다), be interested(흥미가 있다)

❷ 피해·상태를 나타내는 경우

A policeman was injured **in the accident.** 한 경찰관이 그 사고로 부상을 당했다.

He was seated **there with his legs crossed.** 그는 다리를 꼬고 거기 앉아 있었다.

I was born **in 1990.** 나는 1990년에 태어났다.

☞ 피해를 나타내는 동사: be killed(죽다), be wounded(다치다), be lost(길을 잃다), be delayed(지연되다), be drowned (익사하다), be wrecked(난파하다) 등이 있다.

상태를 나타내는 동사: be covered(덮여 있다), be packed(filled)(가득 차 있다), be caught(걸리다), be known(알려져 있다), be married(결혼하다), be born(태어나다), be raised(자라다), be engaged(종사하다), be devoted(헌신하다), be absorbed(열중하다)

[참고]

hurt는 자동사로 쓰이면 신체의 일부가 아프다는 의미를 나타낸다.

My back hurts. 허리가 아프다.

③ 수동태로 쓸 수 없는 동사

have(가지다), resemble(닮다), cost(비용이 들다)와 같은 동사는 타동사이지만 수동태로 쓸 수 없다.

He has a brother. 그에게는 형이 있다.

→ A brother *is had* by him. (×)

Jane resembles her mother very much. 제인은 어머니를 빼닮았다.

→ Her mother *is resembled* by Jane very much. (×)

《해답 420쪽》

Review Test 02

다음을 영어로 쓰세요.

1. 이 꽃은 영어로 뭐라고 불리나요?

2. 그 잔은 물이 가득 차 있었다.

3. 그는 네 대답에 만족하지 않을 것이다.

4. 그의 이름은 많은 사람에게 알려지게 되었다.

5. 나는 열차에서 시계를 도둑맞았다.

기본 be filled with, be satisfied with 등은 'be동사+과거분사+전치사' 형태를 숙어처럼 외운다.

풀이 1. 능동태로 하면 What do you call this flower in English?로 주어는 일반인을 나타내는 you다.
2. be filled with를 이용한다.
3. be satisfied with를 이용한다.
4. be known to의 be 대신 become을 이용한다.
5. 'have+목적어+과거분사' 구문으로 쓴다.

《해답 420쪽》

Chapter **04**
Exercise

A 다음 문장을 능동태는 수동태로, 수동태는 능동태로 쓰세요.

1. Spanish is spoken in most South American countries.
2. All the people watched the plane take off.
3. Everybody laughed at him for his folly.
4. When will they hold the meeting?
5. This wonderful method has brought many amazing rewards to mankind.

B 다음을 우리말로 옮기세요.

1. a) The wind blew the girl's umbrella out.
   b) The girl had her umbrella blown out by the wind.

2. a) The misfortune forced him to leave school.
   b) He was compelled to leave school by the misfortune.

3. a) An interesting story was told us by Miss Brown.
   b) We were told an interesting story by Miss Brown.

4. a) The girl did not get hurt.
   b) This girl was not hurt.

C ( ) 안에 들어갈 알맞은 말을 보기에서 골라 쓰세요.

Now that he (1) in one place for a long period of time, early man began to improve his home. His hut was (2) of more lasting materials. He slanted the roof so that the rain might (3) swiftly to the ground. To remove the (4) caused by the fire, a hole was made in the roof. The bare floor was (5) with animal skins.

보기
① flow ② make ③ smoke ④ remained
⑤ covered ⑥ flew ⑦ made ⑧ moved

Tips
now that = since
so that ~ may(~하도록)
2. 뒤에 재료를 나타내는 of가 있다.
5. 뒤의 with에 주목한다.

05

구와 절

01 구

둘 이상의 단어가 모여 하나의 품사 역할을 하지만, '주어+동사'의 형식을 갖추지 않은 것을 구 (Phrase)라고 한다. 구에는 명사구, 형용사구, 부사구가 있다.

1 구의 종류

❶ 명사구

명사처럼 문장의 주어, 보어, 목적어 역할을 하는 구를 명사구(Noun Phrase)라고 한다. 부정사, 동명사, '의문사+to부정사'가 명사구가 된다. 〈→ 138, 156, 139쪽 참조〉

To write poems is difficult. 시를 쓰는 것은 어렵다. ⋯〈주어 역할〉
　　부정사

Do you know **how to swim?** 이 수영하는 방법을 아니? ⋯〈목적어 역할〉
　　　　　　 의문사+부정사

My favorite pastime is **taking pictures.** 내가 가장 좋아하는 여가생활은 사진을 찍는 것이다. ⋯〈보어 역할〉
　　　　　　　　　　　동명사

> **주의** 형용사구나 부사구가 명사구처럼 문장의 주어나 보어로 쓰일 수도 있다.
> **From Seoul to Busan** is a pretty long distance. 서울부터 부산까지는 꽤 먼 거리다.
> **Over the fence** is out of bounds. 담 너머는 출입금지다.

❷ 형용사구

형용사처럼 명사나 대명사를 수식하거나 보어 역할을 하는 구를 형용사구(Adjective Phrase)라고 한다. '전치사+명사(대명사)' 형식 외에 부정사, 분사가 형용사구가 된다. 〈→ 140, 174, 346쪽 참조〉

Sophia is *a girl* **with blue eyes.** 소피아는 눈이 파란 아이다. ⋯〈명사 수식〉
　　　　　　　　 전치사+명사

The problem is **of great importance.** 그 문제는 매우 중요하다. ⋯〈보어 역할〉
　　　　　　　 전치사+명사

Who is *the man* **standing at the door?** 문에 서 있는 남자는 누구니? ⋯〈명사 수식〉
　　　　　　　　　 분사

> **주의** 부사구가 형용사 역할을 하는 경우도 있다.
> He works at some factory not far away. 그는 그다지 멀지 않은 어느 공장에서 일한다.

❸ 부사구

부사처럼 동사, 형용사, 부사를 수식하거나 문장 전체를 수식하는 구를 부사구(Adverb Phrase)라고 한다. '전치사+명사(대명사)' 외에 부정사, 분사 등이 부사구가 된다. 분사구문도 부사구로 볼 수 있다. 〈→ 142, 179, 346쪽 참조〉

He *went* home by bus. 그는 버스를 타고 집으로 갔다. ···〈동사 수식〉
전치사+명사

I am *sorry* to hear that. 그런 말을 들으니 안됐다. ··· 〈형용사수식〉
부정사

To tell the truth, I don't like him. 사실, 나는 그를 안 좋아한다. ···〈문장 전체 수식〉
부정사

Hearing a cry for help, he rushed outside. 도와달라는 소리를 듣고 그는 급히 달려 나갔다. ··· 〈문장 전체 수식〉
분사구문

참고

구에는 명사구, 형용사구, 부사구 외에 each other(서로)와 같은 대명사구〈··· 258쪽 참조〉, take care of(~을 돌보다)와 같은 동사구
〈··· 363쪽 참조〉, in front of(~의 앞에)와 같은 전치사구(이중전치사·군전치사)〈··· 350쪽 참조〉 등이 있고, 구 안에 구를 포함할 수 있다.

I was too selfish to make friends with anybody in the world. 나는 너무 이기적이어서 세상 누구와도 친구가 될 수 없었다.

<too ... to ~> 구문에서 to make ~ the world는 부사구이지만, 그 안의 with 이하는 make를 수식하는 부사구다.
in the world는 anybody를 수식하는 형용사구.

 Review Test 01

〈해답 420쪽〉

각 문장에서 구를 지적하고 종류와 용법을 말하세요.

1. We went to the station with him in a hurry.

2. The paper for our books and newspapers is made from wood.

3. Making a house is necessary to keep off the rain.

4. The most important thing is to understand the people of other countries.

 Tips

가론 '전치사+명사', 부정사, 동명사, 분사가 구가 된다.

풀이 1. in a hurry(급히)

2. for ~ newspapers가 paper를 수식하고 있다.

② 주의해야 할 부사구

❶ 전치사가 없는 부사구

전치사가 없는 부사구는 '전치사+명사' 형태의 부사구 중 전치사가 생략된 것으로 생각할 수 있다. 이런 형태의 부사구는 명사가 목적격이므로 부사적인 목적격이라고도 한다.
시간, 거리, 수량, 방법, 정도, 양태 등을 나타내는 명사에 많다.

1. 형용사 또는 부사를 수식하여 정도를 나타낸다.

   He is two years *younger* than I.(= younger than I by two years) 그는 나보다 2살 어리다.
   New York is a few miles *away* from here. 뉴욕은 여기서 몇 마일 떨어진 곳에 있다.

2. 동사 수식를 수식하여 시간, 거리, 무게, 정도, 방법 등을 나타낸다.

   He *walked* ten hours without a rest.(= for ten hours) 그는 쉬지 않고 10시간을 걸었다.
   I *will see* him next Sunday.(= on Sunday next) 다음 주 일요일에 그를 만날 것이다.
   I *came* a thousand miles to see her.(= for a thousand miles) 그녀를 만나러 천 마일이나 왔다.
   I *don't care* a bit for him. 나는 그에게 조금도 관심이 없다.

❷ 부대상황을 나타내는 부사구

주절의 동작과 동시에 일어나고 있는 동작이나 상태를 나타내는 부사구를 부대상황을 나타내는 부사구라고 한다. 보통 부대상황을 나타내는 부사구는 'with+명사+분사(형용사·부사(구))' 형식으로 나타낸다. (→ 184쪽 참조)

We drove down the main street, with the sleigh bells *jingling*.
우리는 썰매 방울소리를 울리며 큰 거리를 달려 내려갔다.

Don't talk with your mouth *full*. 입 속에 (음식을) 가득 물고 말해선 안 된다.
She walked with her head *down* like an old woman. 그녀는 노인처럼 고개를 숙이고 걸었다.
He went out, with a book *under his arm*. 그는 책을 겨드랑이에 끼고 나갔다.

부대상황을 나타내는 with는 생략되어 다음과 같은 형태로 쓰일 수 있다.
He was standing, (with a) pipe in (his) mouth. 그는 파이프 담배를 입에 물고 서 있었다.

質問 있어요!!

Q ① He is in good health.와 ② He is in the garden.에서 밑줄 친 부분은 형용사구인가요, 부사구인가요?

A ①의 in good health=healthy로 주격보어로 쓰인 형용사구입니다. is는 '~이다'라는 의미의 불완전자동사로 '그는 건강하다'의 의미가 됩니다. ②는 '그는 마당에 있다'라는 의미인데, is=exists(있다)라는 의미의 완전자동사입니다. 즉 in the garden(정원에)은 is를 수식하는 부사구입니다.

①의 in good health는 ②의 in the garden과 달리 주어 He의 상태를 설명하는 빠뜨려서는 안 되는 문장의 요소입니다. 다음은 같은 구가 형용사구, 부사구로 쓰이는 예입니다.

He was in anger.(=angry) 그는 화가 나 있었다.
He shouted in anger.(=angrily) 그는 화를 내며 소리쳤다.

《해답 420쪽》

ReviewTest 02

밑줄 친 부분에 주의해서 다음을 우리말로 옮기세요.

1. This is a great deal better than that.

2. He will be back this day week.

3. I sat down there, with my cap in my hand.

4. He lay still, with his eyes yet turned to her.

Tips

[개념] 'with+명사+ ~'의 ~부분에 ① 부사(구), ② 형용사, ③ 현재분사, ④ 과거분사가 와서 부대상황을 나타낸다. '~하면서', '~해서', '~인 채로' 등으로 해석하면 된다.

[풀이] 1. a great deal은 better를 수식해서 정도를 나타낸다.
2. this day week(다음 주 오늘)
3, 4.의 with ~는 부대상황을 나타낸다. turn to ~(~로 돌리다)

02 절

문장의 일부로 '주어+동사'의 형식을 갖추고 있는 단어의 집합을 절(Clause)이라고 한다. 절은 구조에 따라 등위절, 주절, 종속절로 나눌 수 있고, 종속절은 문장에서의 역할에 따라 명사절, 형용사절, 부사절로 나뉜다.

1 등위절

He is tall, but he is not strong.에서 He is tall과 he is not strong은 문법상 대등한 관계로 독립해 있어서 어느 것이 주(主), 어느 것이 종(從)인 관계가 없다. 이런 관계에 있는 절을 등위절이라고 한다. 등위절은 and, but, or 등의 등위접속사로 연결된다.(→ 370쪽 참조)

The weather was fine, and there were no clouds in the sky. 날씨는 좋았고 하늘에 구름 한 점 없었다.
등위절   등위절

☞ 등위절은 등위접속사 없이 콤마, 콜론, 세미콜론으로 연결될 수 있다. 이 경우 보통 뒤에 있는 절이 앞에 있는 절 내용을 설명한다.
What he said may be true; he is always honest. 그의 말은 사실일지도 모른다. 그는 늘 정직하니까.

2 주절과 종속절

예를 들면 If he says so, it may be true.(그가 그렇게 말하면, 사실일지 모른다.)에서 If he says so는 he라는 주어와 says라는 동사를 갖추고 있지만, 이것만으로는 완전한 의미를 나타내지 못한다. 반면에 it may be true는 자체로 독립된 의미를 나타내고 있다. 이 it may be true와 같이 문장의 중심이 되고 독립된 의미를 나타내는 절을 주절이라고 하며, If he says so와 같이 주절에 종속되어야 비로소 완전한 의미를 나타내는 절을 종속절이라고 한다.

3 종속절의 종류

종속절에는 명사절, 형용사절, 부사절 세 종류가 있다.

❶ 명사절

명사처럼 문장의 주어, 보어, 목적어 역할을 하는 절을 명사절(Noun Clause)이라고 한다. 명사절은 that, if, whether 같은 종속접속사, 의문사, 관계사 등이 이끈다.(→ 40, 376, 328, 334, 338쪽 참조)

What he said is true. 그가 말한 것은 사실이다. ···〈주어〉
관계대명사

Whether it is harmful or not is a matter for argument. 그것이 해로운지는 논의해야 할 문제다. ···〈주어〉
접속사

I know **that Kate is smart.** 나는 케이트가 똑똑하다는 것을 안다. ···〈목적어〉
접속사

I wonder **who came while I was out.** 내가 나간 사이 누가 왔었는지 궁금하다. ···〈목적어〉
의문사

Take **whatever you like.** 마음에 드는 것으로 아무거나 가져라. ···〈목적어〉
복합관계대명사

I'll see **if we have a good knife.** 좋은 칼이 있는지 알아볼게요. ···〈목적어〉
접속사

The trouble is **that I have no money with me.** 문제는 내가 돈이 없다는 것이다. ···〈보어〉
접속사

This is **how you can learn English.** 이런 방법으로 여러분은 영어를 배울 수 있다. ···〈보어〉
관계부사

Have you ever thought about **how films are made?** ···〈전치사의 목적어〉
영화가 어떻게 만들어지는지 생각해 본 적 있니? 의문사

참고

감탄문이 그대로 명사절이 되는 경우도 있다.

I am surprised to see how well you can draw. 네가 얼마나 그림을 잘 그리는지 알고 놀랐다.

원래의 감탄문은 How well you can draw!

---

❷ **형용사절**

형용사처럼 앞에 있는 명사나 대명사를 수식하는 절을 형용사절(Adjective Clause)이라고 한다. 형용사절은 보통 관계대명사나 관계부사가 이끈다.〈··· 320, 336쪽 참조〉

He has *a guitar* **which** has only three strings. 그는 줄이 세 개뿐인 기타를 갖고 있다.
관계대명사

I will never forget *the day* **when** I first met her. 그녀를 처음 만난 날을 결코 잊을 수 없을 것이다.
관계부사

참고

접속사가 형용사절을 이끄는 경우도 있다.

Can you imagine his surprise when he heard the news? 그가 그 소식을 들었을 때의 놀람을 상상할 수 있겠니?

---

❸ 부사절

부사처럼 주절의 동사나 주절을 수식하는 절을 부사절(Adverb Clause)이라고 한다. 부사절은 종속접속사, 복합관계사가 이끄는 경우가 많다.

시간, 장소, 원인, 결과 등 여러 가지 의미를 나타내는 종속접속사가 있다.⁽… 378쪽 참조⁾

I can't paint when someone is watching me. 누가 지켜보면 나는 그림을 그릴 수 없다. …〈시간〉

He did this because he had a kind heart. 그는 친절한 마음이 있었기 때문에 이 일을 했다. …〈원인〉

She read the story so slowly that the child could understand it. …〈결과〉
그녀가 그 이야기를 천천히 읽어서 아이는 이해할 수 있었다.

-ever 형식의 관계사(복합관계사)가 이끌 때는 양보의 뜻을 나타낼 경우가 많다.⁽… 334, 340쪽 참조⁾

Whoever may come, I won't be afraid. 누가 와도 두려워하지 않겠다.

However hard I tried, I could not persuade him. 아무리 해봐도 그를 설득할 수 없었다.

《해답 420쪽》

Review Test 03

다음 각 문장에서 명사절을 지적하고 문장 전체를 우리말로 옮기세요.

1. It doesn't matter whether he will agree or not.

2. What do you think I have here?

3. What is important is that we must solve the problem for ourselves.

> **기본** 접속사, 의문사, 관계대명사가 이끌고 있는 부분을 보고 판단한다.
>
> **풀이** 1. whether ~ or not은 '~하건 안 하건'이라는 의미.
> 2. 간접의문문이지만 의문사를 앞에 쓴 것에 주의. 이와 같이 do you think(believe, say, imagine, suppose) 등은 의문사 뒤에 삽입될 수 있다.
> 3. what절이 주어, that절이 보어인 문장이다.

Chapter **05**
Exercise

A 밑줄 친 부분을 구로 고치세요.

1. It is dangerous that a child swims in this river.
2. He is the only man that tells me the truth.
3. I have to see him by all means while he is staying here.
4. She insisted that she would marry the gentleman.
5. He did not know what he should do next.
6. She was proud that he had obtained his degree.
7. As it rained heavily, the roads were badly muddy.
8. Do you know the lady who is standing before the gate?

Tips

1. 부정사를 써서 <It ~ for ... to> 구문으로 고친다.
2. 부정사로 바꾼다.
3. 전치사 during을 이용한다.
4. 동명사를 이용한다.
5. '의문사+부정사'로 한다.
6. 동명사를 이용한다. 완료동명사 (having+과거분사)를 써야 한다. 완료동명사는 문장의 시제보다 한 시제 앞선 시점을 나타낸다.
7. 이유를 나타내는 절이다. because of 를 이용해서 고친다.
8. 분사의 형용사적 용법을 이용한다.

B 밑줄 친 부분을 형용사 또는 부사로 고쳐 다시 쓰세요.

1. He is a man of ability.
2. The book is of no use to me.
3. You can do the work with ease.
4. The Browns treated me with kindness.

'of+추상명사'는 형용사로, 'with+추상명사'는 부사로 바꿀 수 있다.

C 다음을 영어로 쓰세요.

1. 그는 양손을 호주머니에 넣고 버스를 기다리고 있었다.
2. 그 어머니는 아기를 무릎에 앉히고 뜨개질을 하고 있었다.

부대상황은 with가 이끄는 구로 만든다.

D 밑줄 친 부분을 절로 고치세요.

1. For all his powers, he was kind to his men.
2. He could not believe me to be innocent.
3. On leaving school, he began to work at his uncle's.
4. The orphan had no house to live in.
5. The boys playing hide-and-seek are all my grandsons.
6. It is natural for him to refuse your proposal.
7. Do you understand the reason for his silence?

Tips

1. for all(~에도 불구하고)
3. on -ing(~하자마자)
6. <It is ~ that ... should> 구문으로 고친다.
7. the reason을 선행사로 해서 관계부사가 이끄는 절로 고친다.

E 밑줄 친 부분에 주의해서 우리말로 옮기세요.

1. a) He was not interested in what he saw there.
   b) He was too young to know what was happening there.

2. a) I asked her if her family are all well.
   b) I will call on her if she is not busy.

1. what이 관계대명사인지 의문사인지 판단한다.
2. if절이 명사절인지 부사절인지 판단한다.

F 다음 각 문장에서 명사절, 형용사절, 부사절을 지적하고 우리말로 옮기세요.

If you find yourself bored by a book that well-informed people regard as important and readable, be honest with yourself and confess that probably the difficulty is not in the book but in you. Often a book which now seems dull or difficult will prove easy to grasp and fascinating to read when you are more mature intellectually.

bored(지루한, 따분한)
well-informed(박식한)
grasp(이해)

Chapter 06

부정사

❖ 준동사

부정사와 Chapter 7, Chapter 8에서 배우는 분사와 동명사를 합쳐 준동사라고 한다.

준동사의 특징

술어동사의 경우에는 반드시 주어가 있고, 인칭·수·시제·태 등에 따라 어형 변화를 하는데 비해 준동사는 다음과 같은 특징이 있다.

술어동사로서의 역할을 하지 않는다.	1. 문법상의 주어가 없다. 2. 인칭·수에 따른 어형 변화가 없다. 3. 따라서 술어동사로 쓸 수 없다.
동사로서의 성질이 남아 있다.	1. 목적어나 보어를 가질 수 있다. 2. 부사의 수식을 받을 수 있다. 3. 관사나 형용사 등을 붙일 수 없다. 4. 시제·태 표현이 가능하다.

01 부정사의 용법

부정사는 'to+동사원형' 형태의 to부정사(to-Infinitive)와, to가 없는 원형부정사(Root-Infinitive)가 있다.

부정사는 완료형, 수동태, 진행형으로 만들 수 있다. do를 예로 들면 오른쪽 표처럼 6가지 형태가 있다.

	단순부정사	완료부정사
능동태	to do	to have done
수동태	to be done	to have been done
진행형	to be doing	to have been doing

부정사는 동사처럼 자체의 목적어, 보어, 수식어를 가질 수 있고, 문장에서 명사, 형용사, 부사 역할을 한다.

1 명사 역할

To live *without air* is impossible. 공기 없이 사는 것은 불가능하다.

Live without air에서 live는 동사이므로 주어가 될 수 없다. 그러나 To live without air라고 부정사로 만들면 명사 역할을 해서 주어가 될 수 있다.

2 형용사 역할

I have *a lot of things* to do. 나는 해야 할 일이 많다.

부정사 to do가 바로 앞의 명사구 a lot of things를 수식하는 형용사 역할을 하여 '~해야 할, ~하기 위한'이라는 의미를 나타낸다.

3 부사 역할

We *went to the airport* to meet Mr. Smith. 우리는 스미스 씨를 마중하러 공항에 갔다.

부정사 to meet Mr. Smith는 술부인 went to the airport의 부사 역할을 하여 목적을 나타낸다.

02 to부정사의 명사적 용법

to부정사가 명사와 마찬가지로 문장의 주어, 보어, 목적어로 쓰이는 것을 명사적 용법이라고 한다. '~하는 것, ~하기'이라고 해석한다.

1 주어 역할

To read books is interesting. 책을 읽는 것은 재미있다.
It is good for the health to sleep well. 잘 자는 것은 건강에 좋다.
= To sleep well is good for the health.

주어 부분이 길어지면 It을 가주어로 쓰고 to부정사 부분을 뒤에 쓰는 것이 일반적이다. 뒤에 쓰인 to부정사를 진주어라고 한다.

2 목적어 역할

He likes to read books. 그는 책을 읽는 것을 좋아한다.
I think it necessary to inform you of our plan. 너에게 우리 계획을 알려 줄 필요가 있을 것 같다.

5형식 문장의 목적어가 to부정사인 경우 가목적어 it을 쓴다. 뒤에 쓰인 to부정사를 진목적어라고 한다.

3 보어 역할

주격보어로 쓰일 때와 목적격보어로 쓰일 때가 있다.

❶ 주격보어

to부정사는 be동사 뒤에 쓰여 주어를 설명하는 주격보어로 쓰인다.

To see is to believe. 보는 것이 믿는 것이다.
My plan was to go to America. 내 계획은 미국에 가는 것이었다.

주의 구어에서는 주어에 all, best 등이 붙으면 to가 생략될 때가 많다.
All I can do is (to) wait for him. 내가 할 수 있는 일은 그를 기다리는 것뿐이다.

❷ 목적격보어

'타동사+A(목적어)+to부정사' 구문으로 목적어와 to부정사는 '주어+동사'의 관계에 있다.

He *told me* to sweep the garden. 그는 나에게 마당을 청소하라고 했다.

= He told me *that I should sweep the garden.*

☞ 〈타동사+목적어+to부정사〉 형식으로 쓰는 주요 동사

　allow(permit)+A+to부정사: A가 ~하는 것을 허용하다

　ask+A+to부정사: A에게 ~하도록 요청하다

　cause+A+to부정사: A에게 ~하게하다

　expect+A+to부정사: A가 ~하는 것을 기대하다, ~한다고 생각하다

　force(compel, oblige)+A+to부정사: 억지로 A에게 ~시키다

　leave+A+to부정사: A를 ~하게 두다

　tell+A+to부정사: A에게 ~하라고 말하다

　want(wish)+A+to부정사: A가 ~하길 바라다

believe, consider, think 등의 '~라고 생각하다'라는 의미의 동사는 '타동사+A(목적어)+to be+보어' 형식으로 쓰는 경우가 많다. 이 경우 to be는 생략할 수 있다.

I *think him* to be honest. 나는 그가 정직하다고 생각한다.

= I believe *that he is honest.*

④ 의문사+to부정사

'의문사+to부정사'는 명사구가 되어 문장의 목적어로 쓰일 때가 많다.

You must decide what to do. 너는 무엇을 해야 할지 결정해야 한다.

Tell me which way to choose. 어느 길을 선택해야 할지 알려 주세요.

He advised me whom to select. 그가 누굴 골라야 할지 조언해 주었다.

He showed me how to fish. 그가 나에게 낚시하는 방법을 가르쳐 주었다.

No one knew where to go. 아무도 어디로 가야 할지 몰랐다.

☞ what to do(무엇을 해야 할지)　　where to do(어디서 ~해야 할지)

　when to do(언제 ~해야 할지)　　how to do(어떻게 ~해야 할지)

03 to부정사의 형용사적 용법

to부정사가 명사 뒤에서 그 명사를 수식하는 것을 to부정사의 형용사적 용법이라고 한다. 이 용법의 to부정사는 '~할, ~해야 하는'으로 해석한다. 형용사와 마찬가지로 한정용법과 서술용법이 있다.

1 한정용법

형용사로 쓰이는 to부정사는 명사 뒤에서 그 명사를 수식한다. 일반적으로 형용사는 명사 앞에 쓰지만, to부정사는 반드시 명사 뒤에 쓴다.

❶ 수식을 받는 (대)명사가 to부정사의 의미상의 주어 역할

I have no *friend* to advise me. 나에게는 조언을 해줄 친구가 하나도 없다.
He was the *last* to arrive.(=that arrived) 그가 마지막으로 온 사람이었다.

❷ 수식을 받는 (대)명사가 to부정사의 의미상의 목적어 역할

I have *something* to tell you. 너에게 할 말이 있다.
He has a large *family* to support.(=that he must support) 그는 부양해야 할 대가족이 있다.

❸ 수식을 받는 (대)명사가 전치사의 목적어 역할

He has no *house* to live in.(=which he lives in) 그는 살 집이 없다.
   cf. He lives *in* the house.
He has no *money* to buy it with. 그는 그것을 살 돈이 없다.
   cf. He buys it *with* the money.

❹ to부정사가 바로 앞의 명사를 설명

부정사가 바로 앞의 명사의 내용을 설명하는 경우 부정사와 수식을 받는 명사를 '동격'이라고 한다.

He has made a *promise* to come again. 그는 다시 오겠다고 약속했다.
Have you heard about the *plan* to build a new hospital. 병원 신축 계획을 들어 본 적 있니?

☞ 동격의 to부정사를 쓰는 명사로는 ability(능력), attempt(시도), decision(결정), intention(의도), promise(약속), refusal(거절), tendency(경향) 등이 있다.

2 서술용법

❶ be to부정사

be to는 조동사와 같은 역할을 하므로 보통 'be to부정사'라고 부른다. be to부정사는 예정·의무·가능 등의 의미를 나타낸다.

We are to *meet* at the lobby.(=will) 우리는 로비에서 만나기로 되어 있다. …〈예정〉

What am I to *do* now?(=should) 이제 무엇을 해야 하니? …〈의무〉

He was never to *see* his home again.(=be destined to) 그는 집을 다시는 볼 수 없는 운명이었다. …〈운명〉

If I am to *be* a beggar, I won't ask for his help. 거지가 될지라도 그에게 도움을 청하진 않겠다. …〈가정〉

be to부정사가 '가능=can'의 의미를 나타내는 것은 부정문에서 'to be+과거분사' 형태의 완료부정사가 쓰이는 경우뿐이다.

Not a star was to be seen that night.(=could be seen) 그날 밤에는 별을 하나도 볼 수 없었다.

Many of the Dutch manners and customs are to be found among the New Yorkers.(=can be found)
네덜란드 사람들의 풍속과 습관은 뉴욕 사람들 사이에서도 볼 수 있다.

☞ 형태는 능동태이지만, 수동의 의미를 나타내는 것이 있다.
He is to blame.(=to be blamed) 그는 비난받아야 한다. → 그의 잘못이다.

❷ to부정사를 보어로 쓰는 2형식 동사

to부정사는 be동사 이외에 불완전자동사(seem, appear, prove 등)의 보어로 쓰인다.(⋯ 25쪽 참조)

seem to부정사: ~인 것 같다   appear to부정사: ~인 것 같다

happen to부정사: 우연히 ~하다   prove to부정사: ~로 판명 나다

turn out to부정사: ~로 밝혀지다

She seems to be happy. 그녀는 행복한 것 같다.

The news proved to be true. 그 소식은 사실로 판명되었다.

☞ come(get) to부정사: ~하게 되다
I came to like this small town. 이 작은 마을이 좋아졌다.
이 의미로는 상태동사만 to부정사로 쓸 수 있다.

04 to부정사의 부사적 용법

부사적 용법의 to부정사는 동사·형용사·부사를 수식하거나 문장 전체를 수식한다.

1 동사를 수식하는 to부정사

to부정사는 동사를 수식하여 목적, 판단의 근거, 결과 등의 의미를 나타낸다.

❶ 목적

to부정사가 동사를 수식하여 '~하기 위하여, ~하려고'라는 의미의 목적을 나타낸다.

He went to the station to meet his father. 그는 아버지를 마중하러 역에 갔다

목적의 의미를 분명히 나타낼 때는 in order to, so as to 등을 쓴다.

He wiped his glasses in order to *see* more clearly. 그는 더 잘 보려고 안경을 닦았다.

He opened the window so as to *get* some fresh air in. 그는 신선한 공기를 쐬려고 창문을 열었다.

> **참고**
>
> 목적을 나타내는 to부정사는 목적을 나타내는 부사절로 바꿔 쓸 수 있다.
>
> | to부정사
in order to부정사
so as to부정사 | ⋯▶ | in order that+주어+will(can/may/should)+동사원형
so that+주어+will(can/may/should)+동사원형 |
> |---|---|---|

❷ 결과

to부정사가 '(…한 결과) ~하게 되다.'라는 의미로 결과를 나타낸다.

My uncle lived to be ninety. 삼촌은 살아서 90살이 되었다. → 90살까지 사셨다.

The teacher explained, *only* to confuse the students. 교사는 설명했지만, 학생들은 혼동만 일으켰을 뿐이다.

We parted, *never* to see each other again. 우리는 헤어졌고 다시는 만날 수 없었다.

☞ only to부정사: …했지만, 결국 ~하게 되다
　 never to부정사: …하여 다시는 ~하지 못하다

❸ 판단의 근거

to부정사가 '~하다니, ~하는 것을 보니'라는 의미로 판단의 근거를 나타낸다. 이 경우 단정적인 추측을 나타내는 조동사 must(~임에 틀림없다)와 함께 쓸 때가 많다.

He must be a fool to say such a thing. 그런 말을 하는 것을 보니 그는 바보임에 틀림없다.

2 형용사 또는 부사를 수식하는 to부정사

to부정사는 형용사·부사를 수식하여 한정, 감정의 원인, 이유·판단의 근거 등의 의미를 나타낸다.

❶ 한정

to부정사가 형용사 · 부사를 수식하여 '~하기에'라는 한정의 의미를 나타낸다.

This book is difficult to read(to understand). 이 책은 읽기(이해하기) 어렵다.
This water is good to drink. 이 물은 마시기 적합하다.

❷ 감정의 원인

to부정사가 감정을 나타내는 형용사를 수식하여 '~해서, ~하게 되어서'라는 감정의 원인을 나타낸다.

I was surprised to hear of his failure. 그가 실패했다는 소식을 듣고 놀랐다.
I'm very pleased to meet you. 너를 만나서 정말 기쁘다.

❸ 관용표현

부사 too, enough, so와 to부정사를 결합하여 쓰는 관용표현이 있다.

1. 형용사(부사)+enough to부정사: …할 만큼 충분히 ~하다 (… 381쪽 참조)

    You are *rich* enough to buy that big house. 너는 저 큰 집을 살 만큼 부자다.

    ☞ 같은 내용을 정도 · 결과의 ⟨so ~ that …⟩ 구문으로 바꿔 쓸 수 있다.
    You are so *rich* that you can buy that big house.

2. too+형용사(부사)+to부정사: 너무 …해서 ~할 수 없다

    My coffee is too *hot* to drink. 커피가 너무 뜨거워서 마실 수 없다.

    ☞ ⟨so ~ that …⟩ 구문으로 바꿔 쓸 수 있다.
    My coffee is so *hot* that I cannot drink it.

3. so+형용사(부사)+as to부정사: …할 만큼 ~하다

    'so+~+ as to부정사'가 'enough+to부정사'보다 격식을 차린 표현이다.

    He was so *brave* as to enter the burning house. 그는 용감하게도 불타는 집에 들어갔다.

③ 문장 전체를 수식하는 to부정사

부사적 용법의 to부정사는 일종의 관용구처럼 문장 전체를 수식할 수 있다. 이런 용법을 '독립부정사'라고 한다. 독립부정사는 조건이나 양보를 나타낼 때가 많다.

To tell the truth, he didn't come to help us. 사실은, 그는 우리를 도우러 오지 않았다.

To be frank with you, I don't care much for this project. 솔직히 말해서, 나는 이 계획에 별 관심이 없다.

☞ 독립부정사는 이외에도 strange to say(이상한 말이지만), needless to say(두말할 필요도 없이), to be precise(정확히 말하자면), to be brief(요약하자면), to make matters worse(설상가상으로), to be sure(확실히), so to speak(말하자면), to make a long story short(간단히 말해서) 등이 있다.

Review Test — 01

《해답 421쪽》

다음을 우리말로 옮기고 밑줄 친 부정사의 용법을 말하세요.

1. He went into the forest never to return.

2. He hardly had courage to speak to her.

3. How happy I am to have such a good friend!

4. I think it possible to live under water.

5. I have something to talk to you about.

6. She allowed tears to flow from her eyes.

7. How to explain it is very difficult.

기본 먼저 역할에 따라 세 가지 용법을 구별한다. **명사적 용법**(① 주어, 보어, 목적어로 쓰인다. ② 앞에 it을 쓰고 진주어, 진목적어로 쓰인다.), **형용사적 용법**(앞에 있는 명사를 수식한다.), **부사적 용법**(의미에 따라 목적·결과·원인 등을 판단한다.)

풀이 1. '~로 들어가서 그리고 …'라는 의미.
  2. 앞에 있는 명사 courage을 수식한다.   hardly(거의 ~않다(아니다))
  3. what절이 주어, that절이 보어인 문장이다.
  4. 앞에 가목적어 it이 있는 점에 주의한다.   under water(수중에서)
  5. 앞에 있는 명사 something을 수식한다.
  6. allow … to ~(~가 …하게 놔두다) 구문이다.
  7. how to ~는 '의문사+부정사' 형태이다.

05 to부정사의 의미상의 주어

to부정사는 동사의 변화 중 하나이므로 동사를 문장의 술어동사로 쓸 때 주어가 필요한 것과 마찬가지로 to부정사도 주어에 해당하는 것이 필요하다. 이것을 to부정사의 의미상의 주어라고 한다.

1 to부정사의 의미상의 주어를 나타내지 않는 경우

다음과 같은 경우에는 to부정사의 의미상의 주어를 따로 나타내지 않는다.

❶ 문장의 주어가 to부정사의 의미상의 주어와 같은 경우

We went there to see her. 우리는 그녀를 마중하러 거기에 갔다.

❷ 문장의 목적어가 to부정사의 의미상의 주어와 같은 경우

I want *you* to clean the sinks. 싱크대를 청소해 줘요.

❸ 의미상의 주어가 일반인인 경우

It is good for health to take a moderate amount of exercise every day.
매일 적당한 운동을 하는 것은 건강에 좋다.

2 to부정사의 의미상의 주어를 나타내는 경우

to부정사의 의미상의 주어는 for ~ 또는 of ~로 나타낸다.

❶ 'for+목적격'을 쓰는 경우

to부정사의 의미상의 주어와 문장의 주어가 다른 경우 'for+목적격'을 부정사 앞에 쓴다.

It was natural *for him* to become a huntsman. 그가 사냥꾼이 된 것은 당연한 일이었다.

There wasn't any need *for me* to go that evening. 그날 저녁 내가 외출할 필요는 전혀 없었다.

This book is cheap enough *for students* to buy. 이 책은 학생들이 살 수 있을 만큼 싸다.

❷ 'of+목적격'을 쓰는 경우

It is 다음에 사람의 성질을 나타내는 형용사(kind, good, foolish, wise, sweet, great 등)가 오는 경우 to부정사의 의미상의 주어는 'of+목적격'으로 나타낸다.

It is kind *of you* to invite **me** to the party. 파티에 초대해 줘서 고마워요.

It was great *of him* to have **no prejudice.** 그는 편견이 없었다는 점에서 훌륭했다.

Q It is good for the health to get up early.에서 the health가 to get up의 의미상 주어인가요?

A '일찍 일어나는 것은 건강에 좋다'라는 의미이고 '건강'이 '일어날' 리는 없으므로 의미상의 주어가 아닙니다. is good for the health는 '건강에 좋다'입니다. 또한 for ~를 to부정사의 의미상의 주어로 해석해야 하는 경우도 있습니다.
It is easy *for you* to do so. 그렇게 하는 것이 너한테는 쉽다.

《해답 421쪽》

Review Test - 02

다음을 부정사를 이용해서 다시 쓰세요.

1. It is impossible that you should get there in an hour.

2. He made a park that all people could enjoy.

3. He spoke so fast that I couldn't understand him.

기본 절을 부정사를 이용해서 다시 쓸 때는 절의 주어를 for ~ 형태로 부정사 앞에 쓴다. 문장의 주어와 절의 주어가 같을 때는 for ~를 쓸 필요 없다.
〈문장의 주어=절의 주어〉 I was so old that I couldn't work. → I was too old to work.
〈문장의 주어≠절의 주어〉 I ran so fast he couldn't catch me. → I ran too fast *for him* to catch me.

풀이 1. <It is ~ for ... to> 구문을 이용한다.
2. that을 park를 수식하는 형용사적 용법의 부정사로 바꾼다.
3. <so ~ that> 구문을 <too ~ to> 구문으로 바꾼다.

06 to부정사의 시제 / 부정어의 위치 / 수동태

1 to부정사의 시제

to부정사는 동사로서의 성격이 있으므로 동사처럼 시간을 표현할 수 있다.

❶ 단순부정사(to+동사원형)

1. 문장의 동사와 같은 시간을 나타낸다.

   단순부정사는 보통 문장의 동사와 같은 시간을 나타낸다.

   He *seems* to be sick. 그는 아픈 것 같다. …〈현재〉

   = It seems that *he is* sick.

   He *seemed* to be sick. 그는 아픈 것 같았다. …〈과거〉

   = It seemed that *he was* sick.

2. 문장의 동사보다 미래를 나타낸다.

   hope, expect, mean, intend, wish 같은 바람·의도·기대를 나타내는 동사와 함께 쓰이는 경우에는 문장의 동사가 나타내는 시제보다 미래의 일을 나타낸다.

   I *expect* him to succeed. 나는 그가 성공하길 기대한다.

   = I expect that *he will succeed.*

   I *expected* him to succeed. 나는 그가 성공하길 기대했다.

   = I expected that *he would succeed.*

❷ 완료부정사(to have+과거분사)

1. 완료부정사는 문장의 동사보다 앞선 시간을 나타낸다.

   He *seems* to have been sick. 그는 아팠던 것 같다.

   = It seems that *he was(has been)* sick.

   He *seemed* to have been sick. 그는 아팠던 것 같았다.

   = It seemed that *he had been* sick.

2. 실현되지 못한 일에 대한 아쉬움을 나타낸다.

   expect, hope, intend, mean, want와 같은 기대·소망을 나타내는 동사의 과거형 뒤에 완료부정사를 쓰면 과거에 이루지 못한 행위에 대한 아쉬움을 나타낸다.

I *hoped* to have gone there. 나는 거기 가고 싶었다. → 가지 못해 아쉽다.

I *wanted* to have finished my homework before I left for the party.
파티에 가기 전에 끝마치고 싶었다. → 끝마치지 못해 아쉽다.

2 to부정사의 부정어의 위치

to부정사의 부정어는 not이나 never를 to부정사 바로 앞에 쓴다.

My mother decided *not* to sell her car. 어머니는 차를 팔지 않기로 했다.

3 to부정사의 수동태

to부정사의 수동태는 'to be+과거분사'로 나타낸다.

I don't want to be criticized by you. 나는 너에게 비판받고 싶지 않다.

The judge ordered the prisoner to be set free. 판사는 죄인을 석방하라고 명령했다.

《해답 421쪽》

Review Test 03

밑줄 친 부분에 주의해서 우리말로 옮기세요.

1. I am sorry not to have answered your last letter sooner.

2. She opened the window, though I had told her not to.

3. To begin with, he is too young for this task.

개념 완료부정사(to have+과거분사)는 문장의 동사보다 하나 앞선 시제를 나타낸다.

풀이 1. '답장을 하지 않은 것을'이라고 해석한다.
2. not to open the window를 보충해서 생각한다.
3. to begin with은 '우선'라는 의미의 관용구.

148 | Chapter 6 부정사

07 원형부정사

to없는 부정사를 원형부정사라고 한다. 원형부정사는 조동사 뒤에 쓰이는 것 외에 지각동사나 사역동사의 목적격보어로 쓰인다.

1 지각동사의 목적격보어 <S+V(지각동사)+O+C(원형부정사)>

지각동사(see, hear, feel, watch, find)가 쓰인 문장에서 목적어와 목적격보어가 능동이거나 진행인 경우 목적격보어로 원형부정사를 쓴다. '…가 ~하는 것을 보다(듣다)' 등으로 해석한다.^(→176쪽 참조)

He *heard* a bird sing in his garden. 그는 새 한 마리가 마당에서 지저귀는 소리를 들었다.

I *have* never *seen* her smile. 나는 그녀가 웃는 것을 본 적이 없다.

☞ 지각동사 외에 notice · observe(알아채다), listen to(듣다), look at(보다) 등도 이 구문으로 쓴다.

지각동사가 수동태로 되면 원형부정사가 아니라 to부정사를 쓴다.^(→114쪽 참조)

I *saw* him enter the restaurant. 나는 그가 식당에 들어가는 것을 보았다.

→ He *was seen* to enter the restaurant. 그가 식당으로 들어가는 것이 목격되었다.

2 사역동사의 목적격보어 <S+V(사역동사)+O+C(원형부정사)>

make, let, have 등의 사역동사도 목적어 뒤에 원형부정사를 쓴다.^(→177쪽 참조)

make+A(목적어)+원형부정사	억지로 A에게 ~시키다(=force, oblige, compel)
let+A(목적어)+원형부정사	A가 ~하는 것을 허락하다(=allow, permit), 놔두다(=leave)
have+A(목적어)+원형부정사	(요청하여) A에게 ~하게 하다(=get)

They *made* him work till night. 그들은 그를 밤늦게까지 일을 시켰다.

At last, Peter *let* his daughter go to the dance. 결국 피터는 딸이 댄스파티에 가는 것을 허락했다.

I *had* Tom clean the garage. 나는 톰에게 차고 청소를 하게 했다.

이 구문의 make가 수동태가 되면 원형부정사가 아니라 to부정사를 쓴다. let, have는 수동태로 할 수 없다.^(→114쪽 참조)

→ He *was made* to work till night.

help는 'help+목적어+(to)부정사' 형태로 목적어 뒤에 원형부정사와 to부정사를 쓸 수 있다.

He *helped* Jane (to) get into the car. 그는 제인이 차에 타는 것을 도와주었다.

get이 사역동사로 쓰일 때는 'get+목적어+to부정사' 형태로 쓴다.

I'll *get* Tony to help you. 토니에게 널 도와주라고 할게.

3 원형부정사를 쓰는 관용표현

❶ had better(best)+동사원형: ~하는 편이 좋다(가장 좋다)

부정문은 'had better not+동사원형'으로 '~하지 않는 편이 좋다'라는 의미를 나타낸다.

You *had better* go there by taxi. 택시로 가는 게 좋다.

❷ would rather+동사원형: 차라리 ~하고 싶다

I'm tired. I'*d rather* stay at home today. 좀 피곤하다. 오늘은 집에 있고 싶다.

❸ do nothing but+동사원형: ~하기만 하다

이 문장은 'All+주어+did was (to)+동사원형'으로 바꿔 쓸 수 있다. '주어가 한 것은 (단지) ~였다'
라는 의미이다.

The child *did nothing but* cry. = *All* the child *did was* (to) cry. 그 아이는 울기만 했다.

❹ cannot but+동사원형: ~하지 않을 수 없다

이 문장은 'cannot help but+동사원형'으로 바꿔 쓸 수 있다.

I *cannot but* feel sorry for her. 그녀가 안 됐다고 생각하지 않을 수 없다.

Review Test 04

《해답 421쪽》

다음을 영어로 쓰세요.

1. 그녀는 그가 문 쪽으로 걸어가는 것을 지켜봤다.

2. 그녀는 아들에게 그의 비밀을 말하게 했다.

3. 나는 제인에게 물을 한 잔 갖다 달라고 했다.

4. 너는 그들에게 담장을 수리하게 하는 게 좋다.

기본 '동사+목적어+원형부정사' 구문에 쓰이는 동사는 see, watch, hear 등의 지각동사, have, let, make 등의 사역동사이다.

풀이 1. '지켜보다'는 watch. 원형부정사를 쓰는 동사다.
2. '(강제로) ~시키다'는 make. 원형부정사를 쓰는 동사다. '비밀을 말하다'는 tell his secret.
3. '(요청해서) ~하게 하다'는 have. 원형부정사를 쓰는 동사다. '가져오다'는 bring.
4. '~하게 하다'는 have를 이용하고, 'had better+원형부정사'를 써서 '~하게 하는 편이 좋다'라는 의미를 나타내도록 한다.

08 주의해야 할 부정사의 용법

1 부정사를 수식하는 부사의 위치

to부정사를 수식하는 부사를 부정사 앞에 쓸 경우에는 not 등의 부정어와 마찬가지로 '부사+to부정사' 어순이 원칙이다. 다만, 부사가 부정사를 수식하는 것을 분명히 나타내려면 'to+부사+부정사' 어순으로 쓴다.

She told me to *quickly* finish my homework. 그녀는 나에게 숙제를 빨리 끝내라고 했다.

2 to부정사의 to를 대신하는 and

구어에서는 try, go, come 등의 동사와 다른 동사를 and로 연결하여 to부정사의 to 대신 쓴다.
다만, 이 경우 and로 연결된 두 개의 동사는 원형을 쓰는 것이 보통이다.

I'll try and teach him English.(=try to teach) 그에게 영어를 가르쳐보겠다.

Go and help your mother.(=Go to help) 가서 어머니를 도와라.

Come and see me again.(=Come to see) 또 놀러 와요.

☞ 이 경우 미국영어에서는 and를 생략할 때가 많다.
　 Will you come have dinner with me? 와서 같이 저녁 먹을래?

3 대부정사

같은 동사의 반복을 피하기 위해 to부정사의 to만 쓰는 형태를 대부정사(Pro-Infinitive)라고 한다. 일종의 생략으로 구어에 많이 쓰인다.

I asked him to come, but he didn't want to.(=to come) 그에게 오라고 했지만, 그는 오고 싶어 하지 않았다.

A: Won't you drop in at my house? 우리 집에 들르지 않을래?
B: I'd like to.(=to drop in at your house) 그러고 싶어.

Chapter **06**
Exercise

A ( ) 안에서 가장 알맞은 말을 고르세요.

1. However hard you may try, you can't let him (to obey, obey, have obeyed) you.

2. Her only son is hard (please, to please, pleasing).

3. It was foolish of you (try, tried, to try) it.

4. He ordered the room (to sweep, to be swept, sweeping).

5. In order (to master, master, mastering) a foreign language, we had better (to go, go, going) to the country where it is spoken.

B 밑줄 친 부분을 부정사를 이용해서 다시 쓰세요.

1. We supposed <u>he was innocent</u>.

2. Do you think <u>he is a good worker</u>?

3. I was surprised because <u>I found him there</u>.

4. I am sorry <u>I must leave you here</u>.

5. <u>It is said that he is wealthy</u>.

6. You are <u>so young that you cannot work with us</u>.

7. <u>It seemed that her mother was tired</u>.

Tips

앞에 있는 말에 주의해서 고른다.

1. let 다음에는 원형부정사를 쓴다. However hard you may try는 '아무리 열심히 해도'라는 의미의 양보를 나타낸다.

2. hard에 연결되는 것을 고른다.

3. <It is ~ of ... to> 구문이다.

4. order의 의미로 판단한다.

5. In order, had better로 판단한다.

1, 2는 부정사를 목적격보어로 쓴다.

3, 4는 원인을 나타내는 부정사로 쓴다.

5. is said to ~는 '~라고 한다.' that절의 주어를 문장의 주어로 쓴다.

6. <so ~ that> 구문.

7. seemed to는 '~인 것 같았다'라는 의미. that절의 주어를 문장의 주어로 쓴다.

C 다음 영문을 읽고 물음에 답하세요.

(a)When we read, we must first decide what to read. (b) Reading good books broadens our experience, but we simply waste our time reading bad books. (c)Another problem in reading is when to read. Most of us (d)(it, to find time, very difficult, to read).

1. 밑줄 친 (a), (c)를 우리말로 옮기세요.

2. (b)를 reading 대신에 부정사를 써서 다시 쓰세요.

3. (d)의 ( ) 안에 있는 말을 어순에 맞게 쓰세요(한 단어를 보충해야 한다).

Tips

1. what to read, when to read는 '의 문사+부정사' 형태.

2. 명사적 용법의 부정사로 쓴다.

3. 가목적어 it을 쓰는 문장을 만든다.

D 다음 영문을 읽고 물음에 답하세요.

It is from the big glaciers that the streams and waterfalls come, (a)to leap over the precipices.
I had heard of the "white coal" of Norway, and I wondered what it looked like, but I was surprised to find (b) it is the power from the streams and waterfalls. The streams of Norway and Sweden (c)are said to possess more water power (d) those of any of the other countries of Europe.

1. (b), (d)의 ( ) 안에 알맞은 말을 쓰세요.

2. 밑줄 친 (a)와 같은 용법의 부정사가 쓰인 것은?

   ① I want to visit him, but have no time to.

   ② I am too tired to go on.

   ③ We came up to his camp to find him already dead.

3. 밑줄 친 (c)를 우리말로 옮기세요.

2. and leap으로 바꿔 쓸 수 있으므로 결과를 나타내는 부정사다.

   glacier(빙하)

   leap(뛰어넘다)

   precipice(절벽)

Chapter

07

동명사

01 동명사의 형태와 역할

1 동명사의 형태

동사원형에 -ing를 붙여 문장에서 명사 역할을 하게 하는 것이 동명사이다. 이름 그대로 동사의 성질을 갖고 있지만, 문장에서는 명사 역할을 하는 말이며 '~하는 것, ~하기'로 해석하면 된다.

1. 단순동명사: 동사원형+ing
2. 완료동명사: having+과거분사
3. 동명사의 수동태: being+과거분사

	단순동명사	완료동명사
능동태	doing	having done
수동태	being done	having been done

I like getting up early. 나는 일찍 일어나는 것을 좋아한다. …〈단순동명사〉
She is proud of having played for Korea. 그녀는 한국 대표선수였던 것을 자랑스러워한다. …〈완료동명사〉
I don't like being told what to do. 나는 무엇을 하라는 소리를 듣고 싶지 않다. …〈동명사의 수동태〉

2 동명사의 역할

❶ 동명사의 명사 역할

동명사는 명사처럼 문장에서 주어, 목적어, 보어로 쓰인다.

Walking every morning made her healthy. 매일 아침 걷기로 그녀는 건강해졌다. …〈주어〉
She likes walking in the park. 그녀는 공원에서 걷는 것을 좋아한다. …〈목적어〉
What the doctor recommended was walking. 의사가 권유한 것을 걷기였다. …〈보어〉

동명사 중에는 명사 성질이 강하여 완전한 명사로 취급하는 것이 있다. 이 경우 본래의 동명사에는 없는 명사의 특징을 갖는다. 즉, 관사나 형용사를 가질 수 있고, 복수형이나 소유격으로 쓸 수 있다.

She has *a* liking for music. 그녀는 음악을 좋아한다.
I have heard of her doings. 나는 그녀의 행실에 관해 들었다.
He enjoys living for living's sakes. 그는 생활을 위한 생활을 즐긴다.

☞ reading(독서), building(건물), swimming(수영), writing(글쓰기), suffering(고통), sailing(항해), saying(속담), calling(직업), savings(저축), understanding(이해), misunderstanding(오해), painting(회화), printing(인쇄), spelling(철자) 등

❷ 동명사의 동사 역할

동명사는 동사의 성질이 있으므로 자체의 목적어나 보어를 가질 수 있고, 부사(구)의 수식을 받기도 한다.

Tom likes reading *history cartoons*. 톰은 역사 만화를 읽는 것을 좋아한다. …⟨history cartoons는 reading의 목적어⟩

She dreams of becoming *a doctor*. 그녀는 의사가 되려는 꿈을 갖고 있다. …⟨a doctor는 becoming의 보어⟩

His fault is sleeping *late* in the morning. 그의 단점은 아침에 늦잠을 자는 것이다. …⟨부사의 수식을 받음⟩

3 동명사의 부정어의 위치

동명사를 부정하는 부사 not이나 never는 동명사 바로 앞에 쓴다.

He complains of *not* having time to read. 그는 독서할 시간이 없는 것을 불평한다.

I regret *not* having done my best. 나는 최선을 다하지 않았던 것을 후회한다.

02 동명사의 용법

동명사는 명사처럼 문장에서 주어, 목적어, 보어로 쓰인다.

1 주어

동명사가 동사 앞에 쓰이면 주어가 된다.

Driving a car without insurance *is* against the law. 운전면허증 없이 운전하는 것은 위법이다.

Playing and watching baseball *refreshes* his mind and body.
야구를 하거나 보는 것은 그의 심신에 활력을 준다.

동명사가 주어로 쓰인 경우 동명사 대신에 It을 가주어로 쓰고, 진주어로 동명사를 쓸 수 있다.

Skiing down the steep slope **was fun**. 스키를 타고 급경사를 내려오는 것은 재미있었다.

→ It **was fun** skiing down the steep slope.

> **참고**
> 동명사와 부정사가 나타내는 의미
>
> 주어로 쓰이는 경우 부정사가 미래의 일을 나타내는데 비해, 동명사는 습관적인 행위나 일반론 등의 구체적인 사실을 나타내는 것이 원칙이다.

2 보어

동명사가 be동사 뒤에 쓰이면 보어가 된다. 이 경우 진행형에 쓰이는 현재분사(-ing)와 혼동해선 안 된다.

My job *is* delivering letters. 내 직업은 편지를 배달하는 것이다.

What is most important *is* studying. 가장 중요한 것은 공부하는 것이다.

> **참고**
> 진행형과 동명사 구별
>
> She is playing the guitar in her room. 그녀는 방에서 기타를 연주하고 있다. …〈현재분사〉
> -ing형의 의미상의 주어가 문장 전체의 주어(She)와 일치하면 'be동사+-ing'는 진행형이다.
>
> Her hobby is playing the guitar. 그녀의 취미는 기타를 연주하는 것이다. …〈동명사〉
> -ing형의 의미상의 주어(she)가 문장 전체의 주어(Her hobby)와 일치하지 않으면 'be동사+-ing'는 동명사이고 be동사의 보어로 쓰인 것이다.

3 목적어

동명사는 타동사의 목적어나 전치사의 목적어로 쓸 수 있다.

❶ 타동사의 목적어

동명사는 타동사의 목적어로 쓸 수 있다.

It *began* raining. 비가 오기 시작했다.

Have you *finished* reading the newspaper? 그 신문 다 읽었어?

❷ 전치사의 목적어

전치사의 목적어 쓸 수 있는 것이 동명사의 큰 특징이다.

What is the best way *of* learning English? 영어를 배우는 가장 좋은 방법은 뭐죠?

I'm not used *to* speaking in public. 나는 사람들 앞에서 말하는 것이 익숙하지 않다.

주의 전치사의 목적어로 쓰인 동명사는 to부정사로 바꿔 쓸 수 없다. 반드시 동명사를 써야 한다.

(○) He is fond of reading novels. 그는 소설 읽는 것을 좋아한다.

(×) He is fond of to read novels.

03 동명사의 시제와 수동태

1 시제

❶ 단순동명사(동사원형+ing)

문장의 동사와 같은 시제 또는 미래시제를 나타낸다.

She is proud of having her own car. 그녀는 자기 차가 있는 것을 자랑한다. … 〈문장의 동사와 같은 시제〉

= She is proud that she *has* her own car.

She was proud of having her own car. 그녀는 자기 차가 있는 것을 자랑했다. … 〈문장의 동사와 같은 시제〉

= She was proud that she *had* her own car.

I intend going to see my friends. 나는 친구들을 만나러 갈 작정이다. … 〈미래시제〉

= I think I'*ll go* to see my friends.

I intended going to see my friends. 나는 친구들을 만나러 갈 작정이었다. … 〈미래시제〉

= I thought I *would go* to see my friends.

☞ 문장의 동사가 희망이나 기대 등의 의미인 경우 미래를 나타낸다.

❷ 완료동명사(having+과거분사)

완료동명사는 문장의 동사보다 한 시제 앞선 시간을 나타낸다.

He repents of having given it up. 그는 그 일을 그만 둔 것을 후회한다.

= He repents that he *gave(has given)* it *up*.

He repented of having given it up. 그는 그 일을 그만 둔 것을 후회했다.

= He repented that he *had given* it *up*.

2 동명사의 수동태

동명사의 수동태는 'being+과거분사'로 나타낸다.

❶ 단순동명사의 수동태

단순동명사의 수동태는 'being+과거분사' 형태이고 '~되는 것, ~당하는 것'이라는 의미를 나타낸다. 능동태와 마찬가지로 문장의 동사와 같은 시제 또는 미래시제를 나타낸다.

She objects to being treated like a small child. 그녀는 어린 아이 취급받는 것을 싫어한다.

= She objects that she *is treated* like a small child.

❷ 완료동명사의 수동태

완료동명사의 수동태는 'having been+과거분사' 형태이다. 능동태와 마찬가지로 문장의 동사보다 한 시제 앞선 시간을 나타낸다.

I was proud of having been born and bred in Seoul. 나는 서울에서 나고 자란 게 자랑스러웠다.

= I was proud that I *had been born and bred* in Seoul.

참고

worth, need, want, require와 같은 동사의 목적어로 쓰인 동명사는 형태는 능동이지만, 수동의 의미를 나타낸다.

The movie is *worth* seeing.(= worth being seen) 그 영화는 볼 가치가 있다.

The work *needs* doing at once.(=needs to be done) 그 일은 당장 할 필요가 있다.

The shirts *want* pressing.(=needs to be pressed) 그 셔츠들은 대릴 필요가 있다.

《해답 422쪽》

Review Test 01

다음을 우리말로 옮기세요.

1. She says that teaching here will be real exciting.

2. I regretted not being obedient to my father.

3. A habit is a way of doing a thing without thinking about it.

4. I am ashamed of having done such a thing.

5. David carried the packages to the dinning room.

 Tips

개념 동명사는 현재분사와 형태는 같지만, '~하는 것'이라는 의미로 명사 역할을 한다. 동명사의 문장에서의 역할에 주의할 것.
　① 동명사는 문장의 주어, 보어, 목적어로 쓰인다.
　② 동명사는 전치사의 목적어가 된다.
　③ 명사 앞에 쓰여 용도·목적을 나타낸다.

풀이 1. teaching은 '가르치는 것'이라는 의미의 동명사. exciting은 형용사다.
　2. not being은 동명사의 부정형이다.
　3. doing, thinking은 모두 전치사의 목적어이다.
　4. having done은 완료동명사이다. 완료동명사는 문장의 동사보다 한 시제 앞선 시간을 나타낸다.

04 동명사의 의미상의 주어

동명사에는 반드시 의미상의 주어가 있다.

1 의미상의 주어를 나타내지 않는 경우

동명사의 의미상의 주어가 문장의 주어와 같은 경우에는 따로 나타내지 않는다. 또한 의미상의 주어가 일반사람이거나 전후의 문맥에서 알 수 있는 경우에도 따로 나타내지 않는다.

He is proud of being rich. 그는 (자신이) 부자라는 것을 자랑스러워한다. …〈being의 의미상의 주어는 He〉
= He is proud that he is rich.

Autumn is best season for reading. 가을은 독서에 가장 좋은 계절이다. …〈의미상의 주어=일반사람〉

2 의미상의 주어를 나타내는 경우

동명사의 의미상의 주어와 문장의 주어가 다를 경우에는 명사나 대명사의 소유격을 동명사 앞에 써서 나타내는 것이 원칙이다.

He is proud of *his father('s)* being rich. 그는 아버지가 부자인 것을 자랑스러워한다. …〈being의 의미상의 주어는 his father〉
= He is proud that his father is rich.

구어에서는 의미상의 주어가 명사인 경우 '명사+동명사'를 쓰고, 대명사인 경우 '목적격+동명사'를 쓸 때가 많다.

대명사: 소유격+동명사 / 목적격+동명사
명사: 명사+동명사 / 명사+'s+동명사

I don't approve of *girls* smoking. 나는 여성의 흡연에 찬성하지 않는다. …〈명사+동명사〉
Sam insisted on *us* paying the bill. 샘은 우리가 계산해야 한다고 우겼다. …〈목적격+동명사〉

05 동명사와 to부정사

동명사와 to부정사는 둘 다 동사의 목적어로 쓰일 수 있지만, 어느 것을 목적어로 쓰느냐 하는 것은 동사에 의해 결정된다.

1. 동명사만을 목적어로 쓰는 동사
2. to부정사만을 목적어로 쓰는 동사
3. 동명사와 to부정사를 목적어로 쓰는 동사

1 동명사만을 목적어로 쓰는 동사

동사 중에는 동명사만을 목적어로 쓰는 동사가 있다.

She *put off* going to the dentist. 그녀는 치과에 가는 것을 연기했다.

Jane is *considering* buying sunglasses. 제인은 선글라스 구입을 고려하고 있다.

☞ 동명사만을 목적어로 쓰는 동사

admit(인정하다), avoid(피하다), consider(고려하다), deny(부인하다), enjoy(즐기다), escape(피하다), feel like(~하고 싶다), finish(끝내다), delay/give up/postpone(포기하다), mind(꺼리다), miss(~하지 못하다), practice(연습하다), put off(연기하다), suggest/propose(제안하다) 등

2 부정사만을 목적어로 쓰는 동사

동사 중에는 부정사만을 목적어로 쓰는 동사가 있다.

He *managed* to sell his car. 그는 간신히 차를 팔았다.

Tom *refused* to answer my question. 톰은 아무리 해도 내 질문에 대답하려고 하지 않았다.

☞ 부정사만을 목적어로 쓰는 동사

agree(동의하다), decide/determine(결정하다), expect(기대하다), fail(실패하다), hesitate(주저하다), hope/wish/want(희망하다), learn(배우다), manage(겨우 ~하다), mean(~할 작정이다), offer(제안하다), plan(계획하다), pretend(가장하다), promise(약속하다), refuse(거절하다), seek(찾다) 등.

3 동명사와 to부정사 둘 다 목적어로 쓸 수 있는 동사

❶ 어느 것을 쓰던 의미에 차이가 없는 동사

begin/start(시작하다), continue(계속하다), hate(싫어하다), like/love/prefer(좋아하다), propose(제안하다) 등의 동사는 목적어로 동명사를 쓰든 to부정사를 쓰든 의미가 달라지지 않는다.

It *began* raining.(=to rain) 비가 오기 시작했다.

I *continued* reading the book.(=to read) 나는 그 책을 계속해서 읽었다.

> 주의 like, love, hate 등은 목적어로 동명사를 쓸 때와 to부정사를 쓸 때 의미에 차이가 생기는 경우도 있다. 이와 같은 경우 동명사가 '습관적인 일'을, to부정사는 '일시적인 일'을 나타낸다.
>
> I hate to say this, but he is not a reliable man. 이런 말을 하고 싶진 않지만, 그는 믿을만한 사람이 아니다.
>
> I hate getting up early. 나는 일찍 일어나는 것이 싫다.

❷ 의미에 차이가 생기는 동사

forget, remember, regret, try 등의 동사는 목적어로 동명사를 쓰느냐 to부정사를 쓰느냐에 따라 의미에 차이가 생긴다. 의미에 차이가 일어나는 것은 원칙적으로 동명사는 이미 지난 일이나 실제의 행위를 나타내는데 비해, to부정사는 아직 일어나지 않은 미래의 일을 나타내기 때문이다.

forget doing: (과거에) ~한 일을 잊다 forget to do: (미래에) ~할 일을 잊다	I will never *forget* seeing her. 〈과거의 일〉 나는 그녀를 만난 일을 절대로 잊지 않을 것이다. I *forgot* to see her. 〈미래의 일〉 나는 그녀를 만나야 한다는 것을 깜빡했다.
remember doing: (과거에) ~한 일을 기억하다 remember to do: (미래에) ~할 일을 기억하다	I *remember* locking the door. 〈과거의 일〉 나는 문 잠근 것을 기억한다. Please *remember* to lock the door. 〈미래의 일〉 문 잠그는 것을 잊지 말아요.
try doing: ~하는 것을 시도하다 try to do: ~하려고 노력하다	He *tried* solving the problem. 〈실제 풀었음〉 그는 시험 삼아 그 문제를 풀어봤다. He *tried* to solve the problem. 〈실제 풀었는지 아닌지 분명치 않음〉 그는 그 문제를 풀어보려고 했다.
regret doing: ~한 일을 후회하다 regret to do: 유감이지만, ~하다	I *regret* believing his story. 나는 그의 말을 믿은 것을 후회한다. We *regret* to tell you this story. 유감이지만, 너에게 이 말을 해야겠다.

stop은 목적어로 동명사만을 쓸 수 있지만, to부정사가 쓰이면 '~하기 위해 멈추다'라는 의미의 부사적 용법이다.

I *stopped* smoking. 나는 담배를 끊었다. …〈타동사〉

I *stopped* to smoke. 나는 담배를 피우려고 잠깐 멈췄다. …〈자동사〉

need의 경우 목적어로 동명사를 쓰면 수동의 의미를 나타내고 부정사를 쓰면 능동의 의미가 된다.

That fence *needs* fixing. 저 담장은 수리할 필요가 있다.

= That fence *needs* to be fixed.

I *need* to fix **that fence.** 나는 저 담장을 수리해야 한다.

☞ want, require, deserve 등도 같은 용법이다.
　　want doing: (~을) 필요로 한다 / want to do: ~하고 싶다
　　require doing: (~되어야 할) 필요가 있다 / require to do: (~할) 필요가 있다
　　deserve doing: (~되어야 할) 가치가 있다 / deserve to do: (~할) 가치가 있다

Q I like reading.(독서를 좋아한다.)과 I like to read.의 의미는 같다고 했는데, 똑같다는 건 좀 이상하지 않나요?

A 맞습니다. 의미는 같지만, 보통 습관적인 일에는 동명사를 쓰고, 일시적인 일에는 부정사를 씁니다. 다음의 예문에서 그 차이를 느껴 주세요.
I like swimming but I don't like to swim here. 나는 수영을 좋아하지만, 여기서 수영하는 건 싫다.

Review Test - 02

《해답 422쪽》

밑줄 친 부분을 동명사를 이용해서 다시 쓰세요.

1. I insisted that I should do it by myself.

2. I am tired because I worked so hard.

3. There is no reason why he refuses to do it.

4. Who told you that your wife was there?

기본 동명사의 의미상의 주어는
① 문장의 주어와 같을 때는 따로 나타낼 필요가 없다.
② 문장의 주어와 다를 때는 동명사 앞에 의미상의 주어를 쓴다. 이때 대명사는 보통 소유격으로 한다.

풀이 1. 문장의 주어와 절의 주어가 같으므로 의미상의 주어를 따로 나타내지 않는다. insist on -ing.
2. 문장의 주어와 절의 주어가 같으므로 의미상의 주어를 따로 나타내지 않는다. because of -ing 형으로 한다.
3. he→his를 의미상의 주어로 동명사 앞에 쓴다.
4. your wife('s)를 의미상의 주어로 동명사 앞에 쓴다.

06 동명사와 현재분사

동명사는 명사 앞에 쓰여 형용사처럼 명사를 수식할 수 있다. 동명사와 형태가 같은 현재분사도 명사 앞에서 그 명사를 수식하므로 동명사와 혼동하기 쉽다. 이 경우 동명사는 용도·목적(~하기 위한)을 나타내고, 현재분사는 그 명사의 성질·상태를 나타낸다.

또한 '동명사+명사'의 경우는 다음에 오는 명사와의 사이에 하이픈을 쓸 수 있고, 발음하는 경우 동명사에 강세가 있다. 이에 비하여 '현재분사+명사'의 경우는 명사에도 강세가 있다.

Finding a lodging *house* **is quite a hard job these days.** 하숙집을 찾는 것은 요즘은 꽤 어려운 일이다.

Bring me my sleeping *bag.* 내 침낭을 갖다 줘요.

☞ a lodging house는 a house for lodging, sleeping bag은 bag used for sleeping의 의미.

동명사	현재분사
a sléeping car = a car for sleeping 침대차	a sléeping báby = a baby who is sleeping 자는 아기
a láughing matter = a matter for laughing 웃을 일	a láughing chíld = a child who is laughing 웃는 아이
a wálking stick = a stick for walking 지팡이	a wálking díctionary = a dictionary that walks 살아 있는 사전
a swímming pool = a pool for swimming 수영장	a swímming dóg = a dog which is swimming 헤엄치는 개
a dínning room = a room for dining 식당	a dínning lády = a lady who is dining 식사하는 부인

☞ a wáiting room(대합실), a wríting desk(책상), a smóking-room(흡연실), a dáncing hall(무도장), a shóoting range(사격장), a wáshing machine(세탁기), a fishing boat(낚싯배)

질문 있어요!!

Q I remember my uncle telling us a very funny story.에서 telling은 현재분사인가요, 동명사인가요?

A 둘 다 가능합니다. telling을 my uncle을 수식하는 형용사라고 하면 '나는 우리에게 매우 재미있는 이야기를 해주시는 삼촌을 기억한다.'라는 의미가 됩니다. telling을 동명사, my uncle을 그 의미상의 주어라고 하면 '나는 삼촌이 우리에게 매우 재미있는 이야기를 해 준 것을 기억하고 있다.'라는 의미가 되는 겁니다.

07 동명사의 관용표현

동명사는 다음과 같은 여러 가지 구문에서 관용적으로 쓰인다. 관용적으로 쓰이는 표현 중에 대표적인 것들을 모아 정리했다.

❶ It is no use -ing: ~해도 소용없다(= It is of no use to+동사원형)

It is no use worrying about the past. 과거의 일을 걱정해봤자 소용없다.

= It is *of no use to worry* about the past.

❷ There is no -ing: ~하는 것은 불가능하다(= It is impossible to+동사원형)

There is no telling what he has in mind. 그가 무슨 생각을 하는지는 알 수 없다.

= *It is impossible to tell* what he has in mind.

❸ cannot help -ing: ~하지 않을 수 없다, ~할 수밖에 없다(= cannot but+동사원형)

I cannot help thinking that I have made a mistake. 내가 실수했다고밖에 생각할 수 없다.

= I *cannot but think* that I have made a mistake.

❹ feel like -ing: ~하고 싶은 기분이다

I don't feel like going to work on Monday. 월요일에는 출근하고 싶지 않다.

❺ worth -ing: ~할 가치가 있다, ~할 만하다(= It is worth while to+동사원형, It is worth while -ing)

London is worth visiting. 런던은 방문할 만하다.

= It is *worth while to visit(visiting)* London.

❻ of one's own -ing: 자신이 직접 ~한

That is a dress of her own making.(=made by herself) 그건 그녀가 손수 만든 옷이다.

❼ on -ing: ~하자마자, ~할 때

On seeing me, he ran away. 나를 보자마자 그는 달아났다.

=*As soon as he saw* me, he ran away.

☞ 동명사를 쓰는 관용표현은 이외에도 far from -ing(결코 ~하지 않다), on the point of -ing(막 ~하려고 하다), capable of -ing(~할 수 있다), It goes without saying that ~(~은 당연하다), make a point of -ing(~하는 것을 규칙으로 하다), go -ing(~하러 가다), be busy -ing(~하느라고 바쁘다), have difficulty (in) -ing(~하는데 고생하다), spend+A+(in) -ing(~하는데 A를 낭비하다) How about -ing?(~하는 건 어때요?) 등이 있다.

to 다음에 동사원형을 쓰기 쉬운 관용표현이 있다. 모두 -ing 형태의 동명사를 써야 하는 것들이다.

❶ be(get) used to -ing, be(get) accustomed to -ing: ~에 익숙하다(익숙해지다)

They're used to *getting up* early in the morning. 그들은 아침에 일찍 일어나는 것에 익숙하다.

❷ look forward to -ing: ~을 고대하다

I'm looking forward to *seeing* you this weekend. 주말에 너를 만나길 고대하고 있다.

❸ with a view to -ing: ~할 목적으로

She entered Harvard University with a view to *becoming* a lawyer.
그녀는 변호사가 될 목적으로 하버드대학에 입학했다.

❹ object to -ing: ~에 반대하다

Tom objects to *being* spoken to like that. 톰은 그런 소리를 듣는 것을 싫어한다.

❺ What do you say to -ing?: ~하는 건 어때요?

What do you say to *going* for a walk? 산책하러 가는 건 어때요?

 **Review Test 03**

《해답 422쪽》

밑줄 친 부분에 주의해서 우리말로 옮기세요.

1. I feel like going to the movies tonight.
2. There is no knowing who did it.
3. It is no use getting angry.
4. I cannot help thinking of my mother in the country.
5. On escaping from prison, he was caught again.
6. We enjoyed the dinner of my father's own cooking.
7. Everything worth having is difficult to get.

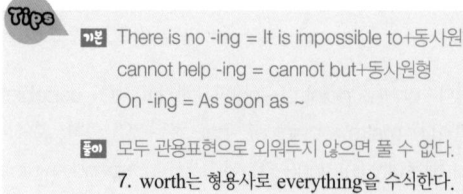

Tips

기본 There is no -ing = It is impossible to+동사원형
cannot help -ing = cannot but+동사원형
On -ing = As soon as ~

풀이 모두 관용표현으로 외워두지 않으면 풀 수 없다.
7. worth는 형용사로 everything을 수식한다.

Chapter 07
Exercise

A 다음 각 문장을 의미의 차이에 주의해서 우리말로 옮기세요.

1. a) He insisted on paying the bill.

   b) He insisted on my paying the bill.

2. a) I don't like a girl smoking.

   b) I don't like the smoking girl.

3. a) I remembered to ask for his advice.

   b) I remembered asking for his advice.

B 틀린 문장을 두 개 고르세요.

1. Do you want any help?

2. I don't want to go.

3. I don't want you to go.

4. What do you want doing to this house?

5. I want this work finished quickly.

6. I like to read in bed.

7. I don't like having meals in bed.

8. I like people to tell the truth.

9. I like my tea rather weak.

10. I like that you are here.

Tips

1. my가 있고 없고의 차이이다. a)는 paying의 의미상의 주어가 문장의 주어 He이지만, b)는 my로 의미상의 주어가 나타나 있다.

2. a)의 smoking은 like의 목적어로 쓰인 동명사, b)의 smoking은 girl을 수식하는 현재분사.

3. remember 다음의 to부정사는 미래의 일을 나타내지만, 동명사를 쓰면 과거의 일을 나타낸다.

1~5는 동사 want, 6~10은 동사 like가 쓰여 있다.

■ want는 'want+목적어(명사)', 'want+목적어(to부정사)', 'want+목적어+부정사·분사' 형태로 쓰지만, 동명사는 목적어로 쓸 수 없다.

■ like는 명사, to부정사, 동명사를 모두 목적어로 쓸 수 있지만, 절은 목적어로 쓸 수 없다.

C 다음 문장의 틀린 곳을 바르게 고치세요.

1. I have finished to read this book.

2. This book is worth of reading.

3. I was used to sit up till late at night.

4. When the teacher came in, we all stopped to talk.

5. Looking back upon my life, I cannot help feel what a lucky man I have been.

Tips

부정사와 동명사의 용법의 차이에 주의할 것.

1. 동사는 finish다.

2. worth -ing(~할 가치가 있다)는 숙어로 암기해 두어야 한다.

3. used는 '익숙한'이라는 의미의 형용사이고 to는 전치사다.

4. '말하는 걸 멈추었다'라는 의미가 되도록 해야 한다.

5. cannot help -ing(~하지 않을 수 없다)는 숙어로 암기해 두어야 한다.

D 다음 각 문장의 ( ) 안의 말 중에 알맞은 것을 고르세요.

1. I cannot find my purse. I remember (putting it, to have put it, to put it) in my bag this morning.

2. I don't mind (of you smoking, to your smoking, your smoking) here.

3. She is studying English for the purpose (of going, of going to, to go, to going) abroad.

4. Many students devoted themselves (to read, to reading, for reading) books in the university library.

1. '가방에 넣은 것을 기억한다.'라는 내용의 문장이다.

2. 동명사의 의미상의 주어는 대명사의 소유격을 동명사 앞에 쓴다.

3. for the purpose 뒤의 전치사는 of 이다.

4. devote oneself to -ing는 관용표현으로 '~하는데 전념하다'라는 의미.

E 다음을 우리말로 옮기세요.

Traveling abroad must be great fun, so I am thinking about touring Europe, if I can do that without spending so much money.

traveling은 주어로 쓰인 동명사.

touring, spending은 전치사의 목적어로 쓰인 동명사다.

Chapter

08

분사

01 분사의 형태와 성질 · 역할

분사에는 현재분사와 과거분사가 있다. 현재분사는 동명사처럼 '동사원형+-ing' 형태이고, 과거분사는 '동사원형+-ed' 형태이다.

현재분사는 진행형을 만들 때 쓰이거나, 과거분사는 수동태를 만들 때 쓰이기도 한다. 여기서는 분사가 문장의 요소(보어)로 쓰이는 용법, 명사를 수식하는 용법, 분사구문을 만드는 용법에 관해 공부한다.

1 분사의 형태

> 현재분사: 동사원형+-ing
> 과거분사: 동사원형+-ed

동사원형에 -ing를 붙인 것을 현재분사, -ed를 붙인 것을 과거분사라고 한다. 예를 들면 walk(걷다)의 현재분사는 walking, 과거분사는 walked이다. 다만 불규칙동사인 경우에는 불규칙한 활용을 한다. 예를 들면 write의 현재분사는 writing이지만, 과거분사는 written이다.

sleeping baby 자는 아기 …〈현재분사〉

printed book 인쇄된 책 …〈과거분사〉

분사는 be동사나 have동사와 결합하여 진행형 · 완료형 · 수동태를 만든다.

> be동사+현재분사 … 진행형
> be동사+과거분사 … 수동태
> have+과거분사 … 완료형

He *is* watching a movie on TV. 그는 텔레비전으로 영화를 보고 있다. …〈진행형〉
This sweater *was* made by hand. 이 스웨터는 손으로 뜬 것이다. …〈수동태〉
I *have* met him twice. 나는 그를 두 번 만난 적이 있다. …〈완료형〉

2 분사의 성질

❶ 동사로서의 성질

분사는 동사로서의 성질이 남아 있으므로 자체의 목적어나 보어를 가질 수 있고, 부사에 의해 수식을 받기도 한다.

The man reading *a book* over there is my teacher. …⟨목적어를 가짐⟩
저기서 책을 읽고 있는 남자가 내 선생님이다.

The story is about a girl called *Grace*. …⟨보어를 가짐⟩
그 이야기는 그레이스라는 소녀에 관한 것이다.

I want this work finished *promptly*. …⟨부사의 수식을 받음⟩
이 일을 빨리 끝내주면 좋겠다.

❷ 분사는 어형 변화를 한다.

과거분사는 시제나 태에 따른 형태 변화가 없어 한 가지 형태뿐이지만, 현재분사는 다음과 같은 4가지 형태가 가능하다.

	단순형	완료형
능동태	doing	having done
수동태	being done	having been done

분사의 제한적 용법

분사는 명사를 수식할 수 있다. 이 경우 분사를 빼도 문장은 성립한다. 분사의 위치에 주의해야 한다.

1 분사+명사

분사가 단독으로 쓰이는 경우에는 형용사처럼 명사를 앞에서 수식한다. 수식을 받는 명사는 분사의 의미상의 주어이고, 현재분사는 능동의 의미를, 과거분사는 수동의 의미를 나타낸다.

Don't wake the sleeping *baby*. 자고 있는 아기를 깨우지 마라.

Look at the broken *vase*. 깨진 꽃병을 봐라.

2 명사+분사

분사가 그 자체의 목적어, 보어 또는 수식어를 동반하는 경우에는 명사를 뒤에서 수식한다.

Don't wake *the baby* sleeping on the sofa. 소파에서 자고 있는 아기를 깨우지 마라.

Look at *the vase* broken to pieces. 산산이 깨진 꽃병을 봐라.

명사를 수식하는 부정사와 분사의 차이

문장에서의 위치	부정사	반드시 수식하는 명사 바로 뒤에 쓴다.
	분사	수식하는 명사 바로 뒤에 쓰는 것이 원칙이다. 단독으로 쓰이는 경우 명사 앞에 쓸 수도 있다.
수식하는 명사와의 관계	부정사	수식하는 명사는 부정사의 주어 또는 목적어
	분사	수식하는 명사는 분사의 의미상의 주어
나타내는 의미	부정사	미래의 일을 나타낸다.
	분사	실제의 행위·상태, 일반론을 나타낸다.

참고

불특정한 것을 주어로 쓰는 경우 갑자기 '주어+동사'로 문장을 시작하면 당돌한 느낌을 줄 수 있으므로 〈There+be동사 ~〉 구문을 쓴다. 능동태 문장이면 'There+be동사+명사+현재분사', 수동태 문장이면 'There+be동사+명사+과거분사'로 쓸 수 있다.
There's **a bus** coming. 버스가 와요.
There was **no pictures** left to print. 더 이상 인쇄할 사진이 없었다.

03 분사의 서술적 용법

분사는 문장에서 주격보어나 목적격보어로 쓰이는 형용사 역할을 한다. 이 경우 분사를 빼면 문장이 성립하지 않는다.

1 주격보어: 자동사+분사

'주어+동사+분사'의 형태로 분사가 불완전자동사의 보어로 쓰여 주어의 동작이나 상태를 나타낸다. 이 경우 분사의 의미상의 주어는 문장 전체의 주어와 같으며, 현재분사는 능동의 의미를, 과거분사는 수동의 의미를 나타낸다.

❶ 자동사+현재분사

The boy *came* singing a song. 그 소년은 노래를 부르며 왔다.

I *sat* in the theater enjoying the play. 그 연극을 보면서 극장에 앉아 있었다. → 극장에 앉아 연극을 보고 있었다.

☞ come, go, walk, sit, stand 등 동작을 나타내는 자동사를 분사와 함께 쓰면 술어동사의 '동작'과 동시에 주어가 하고 있는 일을 나타낸다.
My father *walked* smiling into the room. 아버지는 미소를 지으며 방으로 걸어 들어오셨다.
They *sat* staring at the summer sky. 그들은 여름 하늘을 바라보면서 앉아 있었다.

현재분사를 보어로 쓰는 대표적인 2형식 동사로는 sit(~하며 앉아 있다), stand(~하며 서 있다), go(~하며 가다), come(~하며 오다), keep(계속 ~하다), get(~하기 시작하다) 등이 있다.

주의 go -ing는 '~하며 가다'라는 의미와 '~하러 가다'라는 두 가지 의미로 쓰인다.

❷ 자동사+과거분사

The boy *came* accompanied by his parents. 그 소년은 부모와 같이 왔다.

She *looked* satisfied with the result. 그녀는 그 결과에 만족한 것 같았다.

과거분사를 보어로 쓰는 대표적인 2형식 동사로는 lie(~한 채로 누워 있다), feel(~하게 느끼다), appear(~처럼 보이다), get(~해지다), look(~처럼 보이다), remain(~한 상태로 남아 있다), seem(~하게 보이다) 등이 있다.

2 목적격보어: 타동사+목적어+분사

지각, 사역, 희망, 요구, 인식을 나타내는 동사의 보어로 많이 쓰인다. '주어+동사+목적어+분사'의 형태로 불완전타동사의 보어로 쓰이며 분사는 목적어의 동작이나 상태를 나타낸다. 즉, 목적어와 보어로 쓰이는 분사는 '주어+동사'의 관계가 있다. 목적어와 목적격보어가 능동의 관계면 현재분사를 쓰고, 수동의 관계면 과거분사를 쓴다.

❶ 타동사+목적어+현재분사

She *kept* me waiting for two hours. 그는 나를 두 시간이나 기다리게 했다.

지각동사를 제외하고 현재분사를 목적격보어로 쓰는 타동사는 keep(O가 계속 ~하게 하다), find(O가 ~하고 있는 것을 발견하다), get/have(O를 ~하게 하다), leave(O를 ~한 채로 놔두다), set(O를 ~되게 하다) 등이다.

❷ 타동사+목적어+과거분사

You had better *leave* such a thing unsaid. 그런 건 말하지 않는 게 좋다.
I *found* the door broken. 문이 망가졌다는 것을 알았다.
I *want* this piano carried upstairs. 이 피아노를 2층으로 옮겨주면 좋겠다.

지각동사와 사역동사를 제외하고 과거분사를 목적격보어로 쓰는 대표적인 타동사는 find, keep, leave, want/wish(O가 ~해주면 좋겠다) 등이다.

❸ 지각동사+목적어+분사

see, look at, hear, listen to, feel과 같은 지각동사도 목적어 뒤에 분사를 쓸 수 있다. 현재분사를 쓰면 'O가 ~하는 것을 보다(듣다)'라는 의미가 되고, 과거분사를 쓰면 'O가 ~되는 것을 보다(듣다)'라는 의미가 된다.

I *saw* him running. 나는 그가 달리고 있는 것을 보았다.
I *heard* my name called. 나는 이름을 부르는 소리를 들었다.

참고

'지각동사+목적어+동사원형'과 '지각동사+목적어+현재분사'의 차이

동사원형을 쓴 경우는 그 동작의 시작부터 끝까지 전 과정을 보거나 들은 것을 나타낸다. 현재분사의 경우는 그 행위의 일부를 보거나 들은 것을 나타낸다.

---

❹ 사역동사+목적어+과거분사

I *had* the air conditioners cleaned. 나는 에어컨을 청소시켰다.

We *got* our photographs taken. 우리 사진을 촬영하게 했다

'have(get)+목적어+과거분사'는 주어에게 이익이 되는 일인 경우에는 '남에게 ~하라고 시키다'라는 사역의 의미가 되고, 주어에게 손해가 되는 일인 경우에는 'O을 ~당하다'라는 피해의 의미가 된다. have 대신에 get을 써도 의미에 차이는 없다.

I *had(got)* my watch repaired. 시계 수리를 맡겼다. …〈사역〉

I *had* my bag stolen in the library. 도서관에서 가방을 도둑맞았다. …〈피해〉

참고

1. make+목적어+과거분사

    make도 목적격보어로 과거분사를 동반할 수가 있다. 이 경우 'O를 ~하게 하다'라는 의미가 된다. 다만, 과거분사가 형용사화한 경우를 제외하면 make oneself understood(자기 말을 남에게 이해시키다), make oneself heard(자기의 목소리가 들리게 하다) 등의 관용적인 표현으로만 제한적으로만 쓰인다.

    I cannot make myself understood in English. 나는 영어로 의사소통을 할 수 없다.

2. have+목적어+현재분사

    have는 'have+목적어+현재분사' 형태로 쓸 수도 있다. 이 경우 'O를 ~하게 하다, ~하도록 내버려 두다'라는 의미로 예상한 결과나 예상하지 않은 결과 표현에 쓰일 때가 많다. 부정문에서는 '~하도록 허용하다'라는 의미를 나타낸다.

    He *had* taxi waiting for more than thirty minutes. 그는 30분 이상이나 택시를 대기시켰다.

    I won't *have* you speaking in that way. 그런 말투는 허용하지 않겠다.

3. 사역동사 let

    let은 목적격보어로 원형부정사나 'be동사+과거분사'만 쓸 수 있고, 현재분사나 과거분사를 단독으로 목적격보어로 쓸 수 없다.

    Jane *let* him enter the room. 제인은 그를 방에 들어오게 했다.

    Let it be done at once. 그걸 즉시 해치우자.

A 다음을 영어로 쓰세요.

1. 톰은 달리는 차에 뛰어 올랐다.

2. 그 난파선에는 몇 사람의 선원이 타고 있었다.

3. 네 아버지와 얘기하고 있는 저 여성은 누구니?

4. 노란색으로 칠해진 버스는 공원을 통과했다.

B 밑줄 친 동사를 알맞은 형태로 바꾸고 해석하세요.

1. The house stands <u>face</u> the south.

2. Everyone feels much <u>relieve</u>.

3. She could see the crew <u>cling</u> to the mast.

4. She hated to have her photograph <u>take</u>.

5. We saw small fish <u>eat</u> by big ones.

Tips

 가념 현재분사와 과거분사는 모두 형용사로 쓸 수 있지만 의미는 전혀 다르다.
현재분사: ~하고 있는, ~하는 …〈진행·능동의 의미〉
과거분사: ~되어진, ~된 …〈수동의 의미〉

풀이 A 1. '달리는(running)'은 명사 앞에 쓴다. '~에 뛰어 오르다' → jump on
　　 2. '난파선'은 '난파된 배'로 봐 wrecked를 쓴다.
　　 3. '말하고 있는(talking)'은 뒤에 수식어가 있으므로 명사 뒤에 쓴다.
　　 4. '칠해진(painted)'은 뒤에 보어가 yellow이므로 명사 뒤에 쓴다. '통과하다' → run through

　　 B 1. 주격보어로 쓰였다.
　　 2. 주격보어로 쓰였다.
　　 4. '사진 찍히는'이라는 의미가 되게 한다.
　　 5. 뒤의 'by ~'와 함께 '~에게 먹히는'이라는 의미가 되게 한다.

04 분사구문

1 분사구문이란?

분사구문이란 '접속사(+주어)+동사' 형태의 부사절을 현재분사나 과거분사로 시작하는 구문으로 간결하게 나타내는 것이다. 분사구문은 분사가 접속사와 동사의 역할을 겸하여 주절을 수식하는 부사구로 쓰인 것이므로 대부분 접속사로 시작하는 부사절로 바꿔 쓸 수 있다.

분사구문은 보통 다음과 같은 순서로 만든다.

> ① 종속절(부사절)의 접속사를 없앤다.
> ② 종속절의 주어와 주절의 주어가 같을 때는 생략한다.
> ③ 종속절의 동사를 분사로 바꾼다.

When she saw the dog, she ran away. (주절과 종속절의 주어는 she로 같다.)
① 접속사 없애고   ③ 분사로 바꾼다.
② 주어 생략
　　　　　　Seeing the dog, she ran away. 개를 보자마자, 그녀는 달아났다.

또한 분사구문은 구어에서 쓰이는 경우가 별로 없으므로 함부로 분사구문을 사용해선 안 된다. 다만, 문장체에서는 분사구문을 쓸 때가 많으므로 용법에 관하여는 잘 알아두어야 한다.

2 분사구문의 형태

분사구문은 보통 현재분사 형태로 시작하며, 주절과 동시에 일어나는 일이나 연속해서 일어나는 일을 나타낸다.

Looking from the top of the hill, you can survey the entire town.
저 언덕 위에서 보면, 마을 전체를 볼 수 있다.

Hearing my footsteps, the dog began to bark. 내 발소리를 듣고 개가 짖기 시작했다.

분사구문에서 분사의 의미상의 주어는 보통 주절의 주어와 일치한다. 또한 분사구문은 문장 앞뿐만 아니라 주절 뒤나 주어 바로 뒤에 쓸 수도 있다.

Hearing this, they laughed loudly. 이 말을 듣자, 그들은 크게 웃었다.

The girl, playing the piano, did not hear the noise. 소녀는 피아노를 치고 있었기 때문에 그 소리를 듣지 못했다.

He stood up, rubbing his knees. 그는 무릎을 문지르며 일어섰다.

분사구문은 원칙적으로 현재분사로 시작하지만, 수동태 문장의 분사구문은 'Being+과거분사'로 나타내는데 보통 Being은 생략하므로 과거분사로 시작한다.

As the book is written in easy English, it is suitable for beginner.
　　생략　　　　분사로 바꾼다.

　　　　Being written in easy English, it is suitable for beginner.

　　　　　　　　Written in easy English, the book is suitable for beginner.
　　　　　　　　쉬운 영어로 쓰여서 그 책은 초보자에게 적당하다.

Asked the way by a foreigner, he felt embarrassed. 외국인이 길을 묻자 그는 당황했다.

분사구문의 부정은 분사 앞에 not을 쓴다.

Not knowing what to do, he asked for my advice. 어떻게 하면 좋을지 몰라 그는 나에게 조언을 구했다.

3 분사구문의 의미

분사구문이 나타내는 의미는 먼저 문장의 앞뒤 관계를 보고 생략된 접속사가 무엇인지 판단하면 의미를 알 수 있다. 분사구문은 보통 시간, 원인·이유, 부대상황, 조건, 양보 등의 의미를 나타낸다.

❶ **시간:** ~할 때, ~한 후에, ~하는 동안

when, after, before, while, as 등 시간을 나타내는 접속사로 바꿔 쓸 수 있다.

Walking along the street, I met Mr. Smith.(= *When* I was walking)
길을 걷고 있을 때 스미스 씨를 만났다.

Finishing breakfast at seven, he left for his office.(= *After* he finished)
7시에 아침식사를 마치고 그는 출근했다.

❷ **원인·이유:** ~이므로, ~ 때문에, ~해서

as, because, since 등의 접속사로 바꿔 쓸 수 있다.

Being sick, I stayed at home.(=*As* I was) 나는 아파서 집에 있었다.
Not knowing what to say, I remained silent.(*Since* I did not know)
뭐하고 하면 좋을지 몰라서 나는 침묵했다.

❸ **조건:** ~라면

접속사 if로 바꿔 쓸 수 있다.

Turning to the left, you'll find the hotel.(=*If* you turn) 왼쪽으로 가면 그 호텔을 찾을 수 있다.
Going straight along this street about fifty meters, you'll find the church.(=*If* you go)
이 길을 곧장 50미터 정도 가면 그 교회를 찾을 수 있다.

❹ 양보: 비록 ~이지만, ~일지라도

though, although, even if 등의 접속사로 바꿔 쓸 수 있다. 양보의 의미를 나타내는 분사구문은 많지 않다.

Living near his house, I have never seen him.(=*Though* I live)
그의 이웃에 살지만, 나는 그를 한 번도 만난 적이 없다.

Admitting what you say, I still think I am right.(*Even if* I admit)
네 말을 인정한다고 해도 역시 내가 옳다고 생각한다.

❺ 부대상황: ~하면서〈동시 상황〉, ~, …그리고 ~했다〈연속〉

부대상황은 주절에 추가하여 일어나는 상황을 나타내므로 분사구문 표현 중에 가장 빈도가 높다. 부대상황에는 '주절과 동시에 일어나는 상황'과 '주절과 연속해서 일어나는 상황'을 나타내는 경우가 있다. 이 용법의 경우 접속사로 바꿔 쓸 수 없는 경우가 많다.

Reading the morning paper, he ate breakfast. …〈동시 상황〉
조간신문을 읽으면서 그는 아침 식사를 했다.

Two comets appeared, traveling side by side. …〈동시 상황〉
두 개의 혜성이 나란히 움직이며 나타났다.

The train leaves at nine, arriving at Busan at noon.(=*and* it arrives) …〈연속〉
그 열차는 9시에 떠나서 정오에 부산에 도착한다.

☞ 연속을 나타내는 경우, and를 이용해서 바꿔 쓸 수 있다.

참고

접속사+분사구문

분사만으로는 의미를 구별하기 어려울 때 분사구문의 의미를 분명히 하기 위해 분사 앞에 접속사를 쓰기도 한다.〈→ 399쪽 참조〉

While traveling, he was suddenly taken ill.(= *While* he was traveling)
여행 중에 그는 갑자기 병을 얻었다.

His conduct, *if* strictly examined, will be found shameful.(=*if* it is strictly examined)
그의 행위는 엄밀히 조사하면 부끄러운 일이라는 게 밝혀질 것이다.

---

05 분사구문의 시제

분사는 동사에서 온 것이므로 동사처럼 시제를 나타낼 수 있다. 주절과 종속절의 시제가 같은 경우에는 단순분사구문(동사원형+-ing)을 쓰고, 문장의 동사보다 앞선 시제를 나타낼 경우에는 완료분사구문(having+과거분사)을 쓴다.

1 단순분사구문

단순분사구문은 '동사원형+-ing' 형태이고, 주절과 종속절의 시제가 같다.

Living on a small island, we need a boat.(=*Since* we *live*) 작은 섬에 살아서 우리는 배가 필요하다.

Looking out, I saw a big dog.(=*When* I *looked*) 밖을 보니까 큰 개가 보였다.

2 완료분사구문

완료분사구문은 'having+과거분사' 형태로, 주절의 시제보다 앞선 시제를 나타낸다.

Having lived in Seoul for a long time, he knows it well.(=As he *lived* or As he *has lived*)
서울에 오래 살아서 그는 서울을 잘 안다.

Having lived in Seoul for a long time, he knew it well.(=As he *had lived*)
서울에 오래 살아서 그는 서울을 잘 알고 있었다.

Review Test - 02

《해답 423쪽》

1~3은 접속사를 이용해서 쓰고, 4, 5는 분사를 이용해서 분사구문으로 쓰세요.

1. Hearing this, they laughed loudly.
2. Being a wise woman, the queen listened to him.
3. Having finished homework, I went shopping with Mother.
4. When Florence arrived in Crimea, she saw many wounded soldiers lying on the field.
5. She ran to the door and threw it open.

가념 분사구문의 분사는 '접속사+(주어)+동사'에 해당한다.

풀이 1~3은 분사가 어떤 의미인지 문맥으로 판단한다. 1은 when, 2는 as, 3은 after를 쓰면 좋다.
　　 3. 완료분사구문의 주절의 동사가 과거이므로 과거완료로 쓴다.
　　 5. and를 빼고 앞부분을 분사로 시작하는 구로 쓴다.

06 독립분사구문 / 부대상황

분사구문에서 분사의 의미상의 주어는 주절의 주어와 일치하는 것이 원칙이다. 그런데 실제 문장에서 분사의 의미상의 주어가 주절의 주어와 일치하지 않을 수도 있다. 이러한 분사구문을 '독립분사구문'이라고 한다.

1 의미상의 주어를 나타내는 경우

분사의 의미상 주어가 주절의 주어와 다를 경우에는 분사 앞에 의미상의 주어를 쓰는 것이 원칙이다.

As the snow was deep, the train was delayed.

The snow being deep, the train was delayed. 눈이 많이 와서 열차가 연착했다.

Two days having elapsed, we again set forward.(= After two days *had elapsed*)
이틀이 지나고 나서 우리는 다시 출발했다.

참고

There+분사구문

존재를 나타내는 <There is/are ~> 구문의 there는 문법적으로 주어 역할을 하므로 분사구문으로 만들 때는 there를 의미상의 주어로 써야 한다. 이것도 일종의 독립분사구문이다.

Because there is no bus service to Suwon, you must take a taxi. 수원행 버스 편은 없으니까 택시를 타야 해요.
→ There being no bus service to Suwon, you must take a taxi.

2 무인칭 독립분사구문

분사구문의 주어가 일반인을 나타내는 we, you, people 등이거나 말하는 사람 자신인 경우 주절의 주어와 분사구문의 의미상의 주어가 일치하지 않더라도 분사구문의 주어를 생략한다. 이것을 '무인칭 독립분사구문'이라고 한다.
독립부정사와 마찬가지로 독립적으로 쓰여 문장 전체를 수식하며 조건이나 양보를 나타낸다.

Generally speaking, it is easier to read English than to speak it.(=*If we* speak generally)
일반적으로 말해서 영어는 말하는 것보다는 읽는 것이 쉽다.

Judging from the appearance of the sky, it will not rain this afternoon.
하늘의 모습으로 판단하건대, 오늘 오후에는 비가 오지 않을 것이다.

The boy is tall, considering his age.(=for) 나이를 감안하면 그 아이는 키가 크다.

☞ 이외에 strictly speaking(엄밀히 말하면), talking of(~의 말이 나왔으니 말인데), frankly speaking(솔직히 말해서), granting that(~하더라도), including ~(~을 포함해도) 등이 있다.

③ with+(대)명사+분사

'with+목적어+목적격보어(분사)' 형태로 '~하면서, ~한 채'라는 의미의 부대상황을 나타낸다. 목적어와 목적격보어가 능동 관계면 현재분사를, 수동 관계면 과거분사를 쓴다.

With *night* coming on, they started for home. 밤이 되자, 그들은 집으로 떠났다.

The man was deep in thought, with *his eyes* closed. 그 남자는 눈을 감고 깊은 생각에 잠겼다.

부대상황의 with를 사용하는 구문에서 (대)명사 뒤에 분사 대신 형용사나 '전치사+명사', 부사 등을 쓸 수도 있다.

Don't speak with *your mouth* full. 입에 음식을 가득 물고 말을 하면 안 된다. ···〈형용사〉

He sat with *his back* to the window. 그는 등을 창문 쪽으로 향한 채 앉아 있었다. ···〈전치사+명사〉

She was sleeping with *the light* on. 그녀는 불을 켠 채로 자고 있었다. ···〈부사〉

 **Review Test 03** 《해답 423쪽》

다음을 해석하세요.

1. There was almost no freedom for the individual, nearly all his work being controlled by the needs of the state.

2. She listened to the music with her eyes closed.

3. Strictly speaking, the morning star is not a star.

> **개념** 'with ~+분사'는 '~하면서, ~한 채'라고 해석한다.
>
> **풀이** 1. 분사 being controlled 앞에 의미상 주어가 쓰인 독립분사구문이다.
>   2. with ~ closed는 부대상황을 나타낸다.

Chapter **08**
Exercise

A 다음을 의미의 차이에 주의해서 우리말로 옮기세요.

1. a) I felt the house shake.

   b) I felt the house shaking.

2. a) I had a new suit made.

   b) I had my sister make a new suit.

3. a) I watched a picture drawn by an artist.

   b) I watched an artist drawing a picture.

B 밑줄 친 부분을 분사를 이용해서 다시 쓰세요.

1. When I heard this, I changed my plans.
2. After he finished his work, he went out for a walk.
3. I have few visitors because I live in the country.
4. I rose early in the morning and went to Hyde Park by car.

C ( ) 안의 말을 어순에 맞게 쓰세요.

1. John swore as (cut, shaving, himself, he, while).
2. (he fell, a little drunk, coming home late last night, into the ditch).
3. (the Duchess, choosing vegetables, has, in the market, often, early in the morning, carefully, been seen).

D 다음을 읽고 물음에 답하세요.

(a)One sunny morning we were all sitting at table when we heard our father coming back. We became uneasy. (b)His was always a disturbing presence. Soon he came into the kitchen. We felt at once that he had something to tell.

"Give me a drink," he said.

My mother poured out his tea. But instead of drinking he suddenly put something on the table among the cups. A tiny brown rabbit! (c)A small rabbit, (sit) against the bread as still as if it were a (make) thing.

1. 밑줄 친 (a), (b)를 우리말로 옮기세요.

2. 밑줄 친 (c)의 ( ) 안의 동사를 알맞은 형태로 바꾸세요.

1. (a) coming은 목적격보어이다.
   (b) His (presence)를 보충해서 생각한다. disturb(평화를 깨다)

E 다음을 읽고 물음에 답하세요.

At first, Barry did not understand what the good boy wanted him to do. Paul ordered him to stand still. Then (a)hurrying down the mountainside, the boy disappeared from view, while Barry whined and barked uneasily. Presently Paul called to the dog; and (b)Barry leaped away in the direction of his master's voice, sniffing at the snow as he ran. When he came to the place where the scent of footsteps stopped, he looked about eagerly.

1. 밑줄 친 (a)를 접속사를 써서 다시 쓰세요.

2. 밑줄 친 (b)를 sniffing에 주의해서 우리말로 옮기세요.

1. 동작의 연속을 나타내므로 and를 쓴다. whined〈whine(킹킹거리다)
2. 동시 동작을 나타내는 분사구문이다.

Chapter

09

가정법

01 법의 종류

영어에서는 어떤 일을 표현하는 세 가지 방법이 있다.

① 어떤 일을 사실 그대로 표현(직설법)

② 상대방에게 명령·요구하거나 금지를 표현(명령법)

③ 사실과 반대되게 가정하거나 상상해서 표현(가정법)

이런 표현 방법에 따라 동사의 형태가 변하는데, 이것을 법(Mood)이라고 한다.

1 직설법

사실을 있는 그대로 표현하는 것으로 평서문, 의문문, 감탄문은 직설법이다.

I use e-mail. 나는 이메일을 이용한다.

This novel wasn't popular then. 그때 이 소설은 인기가 없었다.

Does she like strong coffee? 그녀는 진한 커피를 좋아하니?

How lucky you are! 넌 참 운이 좋다!

2 명령법

상대방에게 명령·요구하거나 금지 등을 표현하는 것이다. (··· 45쪽 참조)

Be careful when you drive. 운전할 때는 조심해라.

Don't push this button. 이 버튼을 누르지 마라.

3 가정법

사실과 반대되는 것을 가정하거나 상상해서 표현하는 것이다.

If I were rich, I would buy a house. 내가 부자라면 집을 살 텐데.

I *wish* my room were bigger. 내 방이 더 크면 좋을 텐데.

02 If를 사용하는 가정법

사실과 반대되는 가정이나 상상을 표현하는 동사의 형태를 가정법(Subjunctive Mood)이라고 하며 가정법 과거, 가정법 과거완료가 있다. 가정법의 이름은 가정법 과거, 가정법 과거완료의 경우 쓰인 동사의 시제에 따른 것이다.

가정법의 가장 일반적인 형식은 '만일 ~라면'이라는 의미의 가정을 나타내는 if절(조건절)과 그 결론을 나타내는 주절로 구성된다.

1 가정법 과거

가정법 과거는 현재 사실과 반대되는 것을 가정하거나 상상하는 표현이다. 가정법 과거라고 부르는 것은 if절에 동사의 과거형을 쓰기 때문이다. 우리말로 해석할 때 과거로 하지 않도록 주의한다.

❶ 형태와 의미

형태	If+주어+were(did) ..., 주어+would(should/could/might)+동사원형 ~.
의미	만일 …하면(이면), ~할(일) 텐데.

☞ 주절에도 가정법이 쓰이는 것은 주절의 내용도 가정이기 때문이다.

If you went there, you could see him. 네가 거기에 가면, 그를 만날 수 있을 텐데.
If I had two dogs, I would give you one. 개를 두 마리 있으면, 너에게 한 마리 줄 텐데.
I won't lie down. If I did, I might fall asleep. 눕지 않겠다. 눕게 되면 잠들어버릴 지도 모른다.

if절의 동사가 be동사일 때는 보통 주어의 인칭이나 수에 관계없이 were를 쓴다.

If I were tall, I could see far and wide. 내가 키가 크다면, 멀리까지 볼 수 있을 텐데.
How happy I would be if you were here. 네가 여기 있으면 얼마나 좋을까.

주의 구어에서는 주어가 1인칭이나 3인칭 단수인 경우 was도 쓰인다.
If she was(were) an Korean, she wouldn't use the expression. 그녀가 한국인이라면 그런 표현을 쓰지 않을 것이다.

if절에 조동사가 있는 경우에는 조동사의 과거형을 쓴다.

If I could lift it, would you give it to me? 내가 그걸 들 수 있다면 나한테 주겠어요?

② 직설법과의 관계

위의 예문을 직설법으로 쓰면 다음과 같이 된다.

If you went there, you could see him. …〈가정법〉

As you *don't go* there, you *can't see* him. 거기 안 가니까 그를 못 만난다. …〈직설법〉

If I had two dogs, I would give you one. …〈가정법〉

As I *don't have* two dogs, I *don't give* you one. 개를 두 마리 기르지 않아 한 마리 못 준다. …〈직설법〉

참고

현재 또는 미래에 일어날 가능성이 있는 일을 표현할 경우에는 조건문을 쓴다.

형태	If+주어+현재형 ~, 주어+will+동사원형 ~.
의미	…하면(이면) ~할 것이다.

If it rains tomorrow, I will not come. 내일 비가 오면, 안 올 것이다.

Q ① If you went there, you could see him.과 ② If you go there, you can see him.의 차이를 설명해 주세요.

질문 있어요!!

A ②는 '거기에 가면 그를 만날 수 있을 것이다'라는 의미로 단순히 조건을 말하는 직설법이고, ①은 '거기에 안 가지만, 만일 간다면'이라는 의미의 가정법입니다. 즉 현재 사실과 반대되는 가정을 말하는 것입니다.

---

2 가정법 과거완료

가정법 과거완료는 과거 사실과 반대되는 가정이나 상상을 나타낸다. 가정법 과거완료라고 부르는 것은 if절에 동사의 과거완료형을 쓰기 때문이다.

① 형태와 의미

형태	If+주어+had+과거분사 ..., 주어+would(should/could/might)+have+과거분사 ~.
의미	만일 …했더라면(이었으면), ~했을(이었을) 텐데.

If I had had money yesterday, I would have bought the camera.
어제 돈이 있었으면 그 카메라를 샀을 텐데.

If she had stayed at home that day, she would not have met with the accident.
그녀가 그날 집에 있었으면 그 사고를 당하지 않았을 텐데.

❷ 직설법과의 관계

위의 예문을 직설법으로 쓰면 다음과 같이 된다.

If I had had money yesterday, I would have bought the camera. ···〈가정법〉

As I *had no money* yesterday, I *could not buy* the camera. ···〈직설법〉

나는 돈이 없어서 그 카메라를 살 수 없었다.

If she had stayed at home that day, she would not have met with the accident. ···〈가정법〉

As she *did not stayed* at home that day, she *met* with the accident. ···〈직설법〉

그날 집에 있지 않아서 그녀는 그 사고를 당했다.

《해답 423쪽》

1, 2는 가정법 과거를 써서, 3, 4는 가정법 과거완료를 써서 영어로 쓰세요.

1. 내가 너라면 그런 일은 하지 않을 것이다.
2. 그에게 용기가 있다면 그녀를 사랑한다고 말할 수 있을 텐데.
3. 내가 열심히 일했으면 성공할 수 있었을 텐데.
4. 내가 그 열차를 탔으면 9시까지 여기 도착했을 것이다.

개념 현재 사실과 반대되는 가정할 때는 가정법 과거를 쓴다. 과거 사실과 반대를 가정할 때는 가정법 과거완료를 쓴다.

풀이 모두 앞부분을 if로 시작하는 절로 쓴다.
1. if절의 be동사는 were를 쓴다(이 경우는 주어에 관계없이 be동사는 were를 쓴다. 구어에서는 주어가 1인칭 단수이거나 3인칭 단수인 경우에는 was를 쓸 수도 있다).
2. 주절의 조동사는 could를 쓴다. '용기'→courage
3. 주절의 동사는 could have succeeded로 쓴다.
4. 주절의 동사는 would have arrived로 쓴다.

3 if절에 were to, should를 쓰는 가정법

1 were to

if절에 were to를 쓰면 미래의 일에 관한 가정을 나타낸다. 그 일은 일어나지 않을 가능성도 있고 실제로 일어날 수도 있으므로 내용이나 문맥으로 판단한다.

형태	if+주어+were to+동사원형 …, 주어+would+동사원형 ~.
의미	혹시 …한다면 ~할 것이다.

이 were to는 'be동사+to부정사'의 과거형이고 'be동사+to부정사'가 나타내는 미래의 의미를 갖고 있다. (→ 141쪽 참조)

If he were to hear of your failure, he would be surprised.
만일 네가 실패한 소식을 듣는다면, 그는 놀랄 것이다.

If I were to be young again, I would go to America.
만일 내가 다시 젊어진다면, 미국에 갈 텐데.

주의 구어에서는 주어가 1인칭 단수이거나 3인칭 단수인 경우 were 대신에 was도 쓸 수 있다.

2 should

if절에 should를 쓰면 미래에 실현 가능성이 거의 없다는 말하는 사람의 판단을 나타낸다. 이 표현에 한하여 주절에는 조동사의 과거형을 쓰지 않을 수도 있다.

형태	if+주어+should+동사원형 …, 주어+would(will) 등+동사원형 ~.
의미	(그럴 리 없겠지만) …한다면 ~할 것이다.

If it should rain tomorrow, the final game would(will) be put off.
만일 내일 비가 온다면 결승전은 연기될 것이다.

What would she say if anything should happen to her son?
만일 그녀의 아들에게 무슨 일이라도 일어나면, 그녀가 뭐라고 하겠니?

if절에 would를 쓰면 주어의 의지를 나타낸다.

If you would give me advice, I will be very glad. 네가 조언을 해주면 나는 매우 기쁠 것이다.

☞ 이와 같은 표현은 If you will give me advice, I will be very glad.를 우회적으로 공손하게 말하는 것이다.

주절에는 명령문을 쓸 수도 있다.

If the bottle should arrive broken, please ask me immediately.
병이 파손된 상태로 도착한 경우에는 즉시 저에게 문의하세요.

4 혼합가정법

if절에는 가정법 과거완료를 쓰고 주절에 '조동사의 과거형+동사원형(가정법 과거)'을 혼합하여 쓰기도 한다.

과거의 일이 현재에 영향을 미치는 것을 나타내는 표현으로 '그때 ~했다면, 현재 ~할 텐데'라는 의미를 나타낸다. 이런 가정법을 혼합가정법이라고 한다.

If you had not saved me then, I would not be alive now.(=As you saved me then, I am alive now.)
네가 그때 나를 구해주지 않았다면, 나는 지금 살아있지 않을 것이다.

《해답 423쪽》

Review Test 02

밑줄 친 부분을 우리말로 옮기세요.

(1) If you threw the ball hard enough, it would no longer fall to the ground. (2) If this should happen, the ball would keep flying around the earth. Of course you cannot throw anything so hard with your own hand. But (3) if you should find a suitable means, your ball could go around the earth.

가늠 가정법인지 아닌지는 동사의 형태를 보고 판단한다.
① if절(과거형), 주절(would+동사원형) → 가정법 과거
② if절(should+원형), 주절(would+원형) , 미래의 실현가능성이 극히 낮다는 말하는 사람의 판단

풀이 1. 가정법 과거
2, 3. if절에 should가 쓰였다. 이 경우 주절에 조동사 과거형을 쓰지 않을 수도 있다.
If our teacher should find out about your cheating, he will punish you.
혹시라도 선생님이 네가 부정행위를 한 것을 하신다면 너를 벌하실 것이다.

가정법

03 조건절에 if를 쓰지 않는 가정법

가정법 시제를 쓰는 표현으로 다음과 같은 것들이 있다.

1 I wish+가정법 과거(과거완료)

현재의 상황에서 실현할 수 없는 소망을 나타내거나 과거에 실현할 수 없었던 일에 대한 아쉬움을 나타낼 때는 'I wish+가정법 과거(과거완료)' 형식이 쓰인다.

형태와 의미

형태	의미
I wish+가정법 과거	～ 하면(이면) 좋겠는데.
I wish+가정법 과거완료	～ 했더라면(였다면) 좋았을 텐데.

I wish I *were* rich. 내가 부자라면 좋겠어.

I wish I *had known* the fact. 내가 그 사실을 알았더라면 좋았을 텐데.

위 예문은 다음과 같은 사실을 말하는 것이다.

I wish I were rich. → I am not rich.

I wish I had known the fact. → I did not know the fact.

☞ I wish 뒤의 be동사는 기본적으로 were를 쓰지만, 구어에서는 1인칭 단수·3인칭 단수인 경우 was를 쓰기도 한다. 또한 wish 다음에 could나 would를 쓸 수도 있다. could를 쓰면 '～할 수 있다'라는 의미를, would를 쓰면 '～해주다'라는 의미로 상대방에 대한 희망이나 기대를 나타낼 수 있다. 다만 실현될 가능성이 거의 없는 경우에는 would를 쓸 수 없다.
    I wish I *could* ski as well as you. 너만큼 스키를 잘 탈 수 있으면 좋겠어.
    I wish you *would* help them. 네가 그들을 좀 도와주면 좋겠어.

참고

wish that과 hope that과 차이

wish that+가정법 시제

hope that+직설법 시제

wish와는 달리 hope는 실현 가능한 일에 대한 바람을 나타낸다.

I wish he *could come* to my birthday party. 그가 내 생일 파티에 올 수 있으면 좋겠어. → 그는 올 수 없다.

I hope he *will come* to my birthday party. 그가 내 생일 파티에 오길 바라. → 그는 올 가능성이 있다.

194 | Chapter 9 가정법

2 as if+가정법 과거(과거완료)

'마치 ~인 것처럼'이라고 사실과 반대되는 상황을 가정하는 표현이다. as if 대신 as though를 쓸 수도 있다.

형태와 의미

형태	의미
as if(though)+가정법 과거	마치 ~한(인) 것처럼
as if(though)+가정법 과거완료	마치 ~했던(였던) 것처럼

The boy talks as if he *were* a man. 그 아이는 마치 어른처럼 말한다.

He looked as if nothing *had happened*. 그는 마치 아무 일 없었던 것 같은 표정이었다.

☞ 말하는 사람이 사실이라고 생각하는 것을 나타낼 때는 as if 뒤에 직설법이 쓰인다.
   You look as if you *are* very tired. 넌 매우 피곤해 보인다.

3 It is time+가정법 과거

'이미 ~했어야 할 시간이다. (사실은 아직 ~하지 않았다)'라는 의미를 나타낼 때는 It is time 다음에 가정법 과거를 쓴다.

It is time you *got* up. 이제는 일어나야 할 시간이다.

It is about time we *left* off our work. 이제 곧 일을 마쳐야 할 시간이다.

이 구문은 가정법 과거 대신에 현재형이나 'should+동사원형'을 쓰는 경우 '~할 시간이다'라는 의미를 나타낸다.

It is time you *should start*. 이제 출발할 시간이다.

04 if의 생략과 if를 대신하는 말

1 if의 생략

if절의 '주어+동사'를 도치해서 의문문과 같은 어순으로 쓰는 경우 if는 생략된다. 주어 앞에 쓰는 동사(조동사)는 were, had, could, should가 일반적이다. 이런 표현 방식은 문어체 표현이다.

Were I bird I could fly to you. 내가 새라면 너한테 날아갈 텐데.

= *If* I *were* a bird, I could fly to you.

Had I enough money, I would buy that car. 돈이 충분하다면 저 차를 살 텐데.

= *If* I *had* enough money, I would buy that car.

2 if를 대신하는 말

if절을 쓰지 않아도 '만일 ~라면'이라는 의미를 나타낼 수 있다. 이 경우 주절의 동사가 'would, could 등+동사원형(또는 have+과거분사) 형태로 되어 있으므로 가정법이라는 것을 알 수 있다. if절 대신에 조건을 나타내는 대표적인 것으로 다음과 같은 것들이 있다.

❶ without, but for

without(but for)는 '~가 없으면(없었다면)'이라는 의미를 나타낸다. but for는 문어체 표현이다.

Without water, nothing *could grow*. 물이 없다면, 아무 것도 자랄 수 없을 것이다.

But for an unexpected emergency, I *could have paid* him a visit.
돌발사건만 없었다면, 나는 그를 방문할 수 있었을 것이다.

☞ '~가 없으면', '~가 없었다면'을 if를 써서 나타내면 다음과 같이 된다.
~가 없으면: if it were not for ~
~가 없었다면: if it had not been for ~
If it were not for water, nothing *could grow*.
If it had not been for an unexpected emergency, I *could have paid* him a visit.

❷ with

with는 without과 반대이므로 '~가 있으면(있었다면)'이라는 의미가 된다. 언제의 일인지는 주절의 동사로 판단할 수 있다.

With his assistance you *would not fail*. 그가 도와주면, 너는 실패하지 않을 텐데.

= If you *had* his assistance, you *would not fail*.

❸ otherwise

otherwise는 '그렇지 않으면(않았다면)'이라는 의미로 앞에서 말하는 내용과 반대를 가정한다.

I got up at seven; otherwise I *could not have caught* the train.
나는 7시에 일어났다. 그러지 않았으면 열차를 타지 못했을 것이다.

❹ to부정사

to부정사가 if절을 대신하기도 한다.

To hear him speak English, you *would take* him for an Englishman.(=If you heard)
그가 영어를 말하는 것을 들으면 그를 영국인이라고 생각할 것이다.

❺ 주어, 부사구

주절에 조동사의 과거형이 쓰인 경우에는 가정의 의미가 숨어 있는지 생각해야 한다.

A good boy *would not say* such a thing. 착한 학생이라면 그렇게 말하진 않을 것이다.

= A boy *would not say* such a thing if he *were* good.

A hundred years ago not a doctor *could have cured* the disease.
백 년 전이었다면, 의사 혼자서는 그 병을 치료할 수 없었을 것이다.

Review Test — 03

《해답 424쪽》

다음을 우리말로 옮기세요.

1. I wish you were back again soon.

2. He speaks as if he were an American.

3. A true friend would have acted differently.

4. It would be pleasant to swim like a fish.

5. But for your help, I might have been drowned.

Tips

가정 가정법 문장에 if를 쓰지 않고도 가정의 의미를 포함하는 다른 표현도 자주 쓰인다.
a true friend 〈주어〉 → if he *were* a true friend
to swim like a fish 〈to부정사〉 → if we *could swim* like a fish
but for your help 〈but for(without)〉 → if it *had not been for* your help

풀이 1. 〈I wish+가정법 과거〉 구문이다.
2. 〈as if+가정법 과거〉 구문이다.
3. 명사 a true friend에 if의 의미가 있다.
4. to부정사(to swim like a fish)에 if의 의미가 있다.
5. but for your help는 '~이 없다면(없었다면)'이라는 의미를 나타낸다.

05 가정법을 쓰는 관용표현

1 가정법을 쓰는 완곡한 표현

가정법의 if절이 생략되어 주절의 'would(should/might/could)+동사원형'이 완곡한 표현이나 공손함을 나타내는 표현에 쓰일 수 있다. 이것은 Chapter 3 조동사에서 이미 설명한 것이다.

Would you like to go with me? 저와 함께 가시겠어요? …〈Do you want to ~? 보다 완곡한 표현〉

Would you kindly keep this money for me? 이 돈 좀 보관해 주시겠어요? …〈Will you ~? 보다 공손한 표현〉

2 if it were not for ~, if it had not been for ~

'만약 ~가 없다면'이라는 의미로 현재 사실과 반대되는 일을 가정하는 경우에는 If it were not for ~를 쓰고, 과거의 사실과 반대되는 일을 가정하는 경우에는 If it had not been for ~를 쓴다.

If it weren't for water, we *could not live.* 물이 없다면 우리는 살 수 없을 것이다.

If it hadn't been for your help, I *could not have succeeded.* 네 도움이 없었다면 나는 성공하지 못했을 것이다.

☞ If it were not for A = without A = but for A
　If it had not been for A = without A = but for A

3 if only ~

if only는 I wish와 거의 같은 의미로 쓰인다.〈… 194쪽 참조〉

If only I *had* a room of my own. 내 방이 있으면 좋을 텐데.

If only I *had known* you then. 그때 너를 알았다면 좋았을 텐데.

4 as it were

as it were는 '소위, 말하자면'이라는 의미로 예를 들어 설명할 때 쓴다. 이 경우 were 대신에 was를 쓸 수 없다.

He is, as it were, a grown-up baby. 그는 말하자면 마마보이다.

= He is, *so to speak*, a grown-up baby.

5 가정법 현재의 특별 용법

❶ 제안·요구·주장·결정·명령을 나타내는 동사+that+주어+동사원형

미국영어에서는 제안이나 요구 등을 나타내는 동사 뒤에 오는 that절에 동사원형을 쓴다. 따라서 시제를 일치시키지 않는다. 영국영어에서는 'should+동사원형'을 쓰는 것이 일반적이다.

I suggested that she *consult* a lawyer. 나는 그녀에게 변호사와 상의하라고 제안했다.

They insisted that the articles *be delivered* in exchange for money.
그들은 현금을 받고 상품을 배달해준다고 주장했다.

☞ '동사+that+주어+동사원형' 형식을 쓰는 동사 예

suggest/propose ~을 제안하다	require/demand/ask/request ~을 요구하다
agree ~에 동의하다	decide/determine ~을 결정하다
recommend ~을 추천하다	insist ~을 주장하다

❷ It is+A(형용사)+that+주어+동사원형

미국영어에서는 natural, strange, important, necessary, desirable과 같은 주관적인 판단을 나타내는 형용사 뒤에 오는 that절의 동사는 원형을 쓴다. 영국영어에서는 'should+동사원형'을 쓰는 것이 일반적이다.

It is essential that every child *have* the same educational opportunities.
모든 아이들이 동등한 교육의 기회를 갖는 것이 중요하다.

It is necessary that this *be left* here as before.
이것은 전과 같이 여기에 둘 필요가 있다.

참고

가정법 현재

if절에 동사의 원형이 쓰이기 때문에 가정법 현재라고 부른다. 현재 또는 미래의 불확실한 일을 가정하는 가정법 현재는 지금은 거의 쓰이지 않고 대신에 직설법을 쓴다.

형태: if+주어+현재형(또는 원형) …, 주어+현재형(미래형) ~.(…하면 ~할 것이다)

If he come tomorrow, I will show him this album. 그가 내일 오면 이 앨범을 보여 주겠다.
If he comes tomorrow, I will show him this album. …(직설법)

Chapter **09**

Exercise

A 다음을 우리말로 옮기세요.

1. If we had to depend on our memory alone, we would forget many of our duties.

2. If you had left home at six, you could have caught the first train.

3. I was so much shocked that I felt as if all my blood had been lost.

4. I wish I had started English study much earlier.

Tips

1. if절에 과거형(had to)이 쓰였으므로 가정법 과거.

2. if절에 과거완료(had left)가 쓰였으므로 가정법 과거완료.

3. 〈so ~ that〉 구문. that절에 'as if+가정법 과거완료'가 쓰였다.

4. 〈I wish+가정법 과거완료〉 구문.

B 같은 의미가 되도록 빈곳에 알맞은 말을 쓰세요.

1. He could not help me, so he did not do so.

   = If he _____ _____ _____ me, he _____ _____ _____ so.

2. I am sorry I cannot buy the car.

   = I _____ I _____ buy the car.

3. I am sorry that I did not visit the show.

   = I wish I _____ _____ the show.

4. If they had taken a little care, they would not have had the accident.

   = A little care _____ _____ _____ the accident.

5. But for his help, I could not finish the work.

   = _____ his help, I could not finish the work.

1. 첫 문장이 과거이므로 가정법 과거완료로 만든다.

2. 첫 문장이 cannot(현재)으로 되어 있는 것에 주목한다.

3. 첫 문장이 did not visit(과거)로 되어 있는 것에 주목한다.

4. If ~의 내용을 주어부 a little care에 포함시켜 '조금만 주의했다면 사고를 막을 수 있었는데.'라는 문장으로 만든다.

C ( ) 안의 말을 알맞은 형태로 바꾸세요.

1. If I (can) swim, I wouldn't be afraid of the water.

2. Would you mind (show) me how to read this?

3. He wouldn't have gotten lost if he (ask) for directions.

4. His father looks as if he (be) sick.

Tips

1. 가정법 과거로 만든다.

2. Would you mind -ing?는 '~해도 괜찮겠어요?'라는 표현.

3. 가정법 과거완료로 만든다.

4. 'as if+가정법'으로 만든다.

D ( ) 안의 지시에 따라 고쳐 쓰세요.

1. As he is sick, he cannot go out. 《가정법을 써서》

2. An honest man would have acted differently. 《If he로 시작하는 문장으로》

3. If it had not been for my mother's illness, I could have accompanied you. 《밑줄 친 부분을 주어로》

1. '그가 아프지 않으면 외출할 수 있을 텐데.'로 바꾼다.

2. An honest man을 If he ~ 로 시작하는 절로 바꾼다.

3. 'A 때문에 B가 ~하지 못하다'라는 의미의 〈A prevent+B+-ing〉 구문을 이용해서 쓴다.

E 다음 문장에서 틀린 곳을 고치고 우리말로 옮기세요.

1. She is smiling as if she suspects nothing.

2. Take off your wet clothes, and you will catch cold.

3. If he knew my trouble, no doubt he would have helped me.

4. I wish somebody will lend me an umbrella.

5. I were a millionaire, I would make a tour round the world.

6. I wish I did not play truant from school yesterday.

7. If I am you, I will not go to such a place.

1. suspect(의심하다)

6. play truant from ~(학교를) 무단결석하다)

F 다음을 우리말로 옮기세요.

Many would have done as much for their beloved ones, but this man's devotion and self-sacrifice were for complete strangers, and in this he showed himself magnificently worthy of his profession.

would have done은 가정법 과거완료 이다. 이 문장에서는 if ~의 내용은 for their beloved ones(사랑하는 사람을 위해서라면)에 포함되어 있다.

10

시제 일치와 화법

시제 일치

주절과 종속절로 이루어진 문장 즉 복문에서 주절에 있는 동사의 시제에 따라 종속절의 동사가 결정되는 것을 시제의 일치(Sequence of Tenses)라고 한다.

1 시제 일치의 원칙

❶ 주절의 동사가 현재, 현재완료, 미래시제인 경우 종속절의 동사는 모든 시제를 다 쓸 수 있다.

I *know* that she is busy. 나는 그녀가 바쁘다는 것을 안다. …〈현재〉
<small>현재</small>

            that she was busy 나는 그녀가 바빴다는 것을 안다. …〈과거〉

            that she will be busy. 나는 그녀가 바쁠 거라는 것을 안다. …〈미래〉

❷ 주절의 동사가 과거시제인 경우에는 종속절의 동사는 과거 또는 과거완료시제만 가능하다.

	주절의 동사의 시제가 현재인 경우 종속절 동사의 시제			주절의 동사의 시제가 과거로 되는 경우 종속절 동사의 시제
I *know*	that he does it. 〈현재〉	→	I *knew*	that he did it. 〈과거〉
	that he is doing it.	→		that he was doing it.
	that he has done it.	→		that he had done it.
	that he has been doing it.	→		that he had been doing it.
	that he did it. 〈과거〉	→		that he had done it. 〈과거완료〉
	that he was doing it.	→		that he had been doing it.
	that he had done it.	→		that he had done it.
	that he had been doing it.	→		that he had been doing it.
	that he will do it. 〈미래〉	→		that he would do it. 〈과거에서 본 미래〉
	that will be doing it.	→		that would be doing it.
	that he will have done it.	→		that he would have done it.
	that he will have been doing it.	→		that he would have been doing it.

주절의 동사의 시제가 과거가 되면 종속절의 동사는 그 영향을 받아 현재는 과거로, 과거는 과거완료로 시제가 변한다.

I *knew* that she was busy. 나는 그녀가 바쁘다는 것을 알았다.
<small>과거</small>

           that she had been busy. 나는 그녀가 바빴다는 것을 알았다.

           that she would be busy. 나는 그녀가 바쁠 것이라는 걸 알았다.

조동사 will, can, may 등은 주절의 시제가 과거로 되면 would, could, might를 쓰지만, must, ought to, need, had better, used to 등은 과거형이 없으므로 그대로 쓴다. 다만 must가 의무를 나타내는 경우에는 had to를 쓸 수도 있다.

She *says* she can swim across the river. 그녀는 그 강을 헤엄쳐 건널 수 있다고 말한다.

She *said* she could swim across the river. 그녀는 그 강을 헤엄쳐 건널 수 있다고 말했다.

I *think* he must be Tom. 그는 톰이 틀림없는 것 같다.

I *thought* he must be Tom. 그는 톰이 틀림없는 것 같았다.

He *knew* that he must(had to) find the key. 그는 열쇠를 찾아야 한다는 것을 알았다.

2 시제 일치의 예외

다음과 같은 경우에는 시제 일치를 하지 않는다.

❶ 종속절이 불변의 진리를 나타내는 경우

불변의 진리나 일반적인 사실은 항상 현재시제로 나타낸다.

The teacher *told* us that the earth is round.
선생님은 지구는 둥글다고 하셨다.

He *said* that accidents will happen.
그는 사고는 일어나기 마련이라고 말했다.

❷ 종속절이 현재의 사실이나 습관을 나타내는 경우

현재의 사실이나 습관도 항상 현재시제로 나타낸다.

He *said* that he goes to bed at ten every night.
그는 매일 밤 10시에 잔다고 말했다.

❸ 종속절이 역사적 사실을 나타내는 경우

역사상의 사실은 항상 과거시제로 나타낸다.

We *learned* that America was discovered in 1492.
아메리카는 1492년에 발견되었다고 배웠다.

❹ 종속절이 가정법인 경우

가정법은 현재와는 관계없는 상상을 나타내므로 시제를 일치시키지 않고 가정법의 시제를 그대로 쓴다.

He *says* he would climb Mt. Everest if he were young. 그는 젊다면 에베레스트를 등반할 거라고 한다.

He *said* he would climb Mt. Everest if he were young. 그는 젊다면 에베레스트를 등반할 거라고 했다.

❺ 종속절이 비교를 나타내는 부사절인 경우

비교를 나타내는 부사절은 주절의 시제에 관계없이 실제의 시간과 맞춘다.

It *was* warmer yesterday than it is today.

어제는 오늘보다 따뜻했다.

☞ 과거에서 본 미래가 현재도 미래인 경우에는 현재시제 또는 미래시제를 쓴다.

This morning he *said* that he is coming tomorrow.

오늘 아침에 그는 내일 오겠다고 했다.

《해답 424쪽》

Review Test — 01

필요한 경우 밑줄 친 말을 알맞은 형태로 바꾸고 우리말로 옮기세요.

1. The old man thought a storm will come up.

2. Jane said that she has been to the lighthouse.

3. Bob didn't know the earth goes round the sun.

4. I found that the boat is made of plastics.

5. He told me that he usually gets up before six.

개념 주절의 동사가 모두 과거시제이므로 원칙적으로 시제 일치를 받지만, 진리라든가 습관 등을 나타내는 경우에는 예외이다.

풀이 시제 일치에 따라 해석할 때는 과거나 과거완료는 각각 현재, 현재완료, 과거로 되돌려 해석할 것.

  1, 2, 4는 시제 일치를 받지만, 3.은 진리, 5.는 현재의 습관을 나타내므로 시제 일치를 받지 않는다.

Section 2

화법

다른 사람의 말을 전달하는 표현 방법을 화법(Narration)이라고 한다.

화법에는 다른 사람이 한 말을 그대로 전달하는 직접화법(Direct Narration)과 다른 사람의 말을 전달하는 사람의 입장에서 그 내용만 전달하는 간접화법(Indirect Narration)이 있다.

01 화법의 종류와 화법의 전환

1 직접화법과 간접화법

다른 사람이 한 말의 내용을 인용부호(Quotation Marks)를 써서 그대로 전달하는 화법을 직접화법이라고 한다. 반면에 전달하는 사람 입장에서 그 내용만 전달하는 화법을 간접화법이라고 한다.

Mary *said*, "I am happy." 메리는 '나는 행복해.'라고 말했다. …〈직접화법〉
　　 전달동사　　전달하는 내용(피전달문)

Mary *said* that she was happy. 메리는 행복하다고 말했다. …〈간접화법〉
　　 전달동사　　　전달하는 내용(피전달문)

주절의 술어동사 said와 같이 다른 사람이 한 말을 전달하는 동사를 전달동사라고 하며, 직접화법의 인용부호 부분과 간접화법의 that 이하의 전달하는 내용을 피전달문이라고 한다.

2 화법 전환의 기본

직접화법을 간접화법으로 바꿀 때는 항상 다음과 같은 점에 주의해야 한다.

She *said to* me, "I *went* to the movie *yesterday*."
　　①　　　 ②③　　　④　　　　　　　⑤
She told me (that) she had gone to the movie the day before.
　　　③

① 전달동사 say, said는 그대로 사용하고 say to(+사람) → tell(+사람), said to(+사람) → told(+사람)로 바꾼다.

② 콤마와 인용부호를 없애고 that절로 고친다. 이 that은 생략할 수 있다.

③ 전달하는 내용(피전달문)의 인칭대명사를 전달하는 사람의 입장에서 적절하게 바꾼다.

④ 전달동사가 과거인 경우에는 시제를 일치시켜야 한다.

⑤ 부사를 문맥에 맞게 바꾼다.

10

시제 일치와 화법

3 피전달문에서 바꿔 써야 하는 것

❶ 인칭대명사

피전달문의 1인칭 대명사는 전달문의 주어와 일치시키고, 2인칭 대명사는 전달문의 목적어와 일치시킨다. 3인칭 대명사는 바꾸지 않는다.

피전달문 속의 인칭대명사를 말을 전달하는 사람의 입장에서 적당히 바꾼다.

He *says,* "*I prefer* swimming."
He says (that) he prefers swimming. 그는 수영을 좋아한다고 한다.

☞ He = I이므로 간접화법에서는 I는 he로 된다.

He *said to* Nancy, "*I love you.*"
He told Nancy (that) he loved her. 그는 낸시에게 그녀를 사랑한다고 했다.

☞ He = I, Nancy = you이므로 간접화법에서는 I는 he로, you는 her로 바꾼다.

주의 같은 사람이 같은 상대에게 말할 때는 인칭에는 변화가 없다.

I *said to* you, "*You* are strong."
I told you (that) you were strong. 나는 네가 힘이 세다고 했다.

❷ 시제

전달동사가 과거인 경우 피전달문의 동사는 시제 일치의 법칙에 따라 적절하게 바꾼다. 이 경우 시제를 일치시킬 필요가 없는 경우도 있다는 점에 주의한다.⟨··· 205쪽 참조⟩

전달동사	피전달문의 동사
과거	현재 → 과거 현재진행 → 과거진행 현재완료 · 과거 · 과거완료 → 과거완료 현재완료진행 · 과거진행 · 과거완료진행 → 과거완료진행 조동사 → 조동사의 과거형

She *said to* me, "*I made* a pretty doll."
She told me (that) she had made a pretty doll. 그녀는 예쁜 인형을 만들었다고 나에게 말했다.

I *said to* him, "*You may play* in the garden."
I told him (that) he might play in the garden. 나는 정원에서 놀아도 된다고 그에게 말했다.

He *said,* "Necessity *is* the mother of invention."
He said (that) necessity is the mother of invention. 그는 필요는 발명의 어머니라고 말했다.

주의 불변의 진리이므로 시제 일치의 법칙을 따르지 않는다.

❸ 지시어·부사

전달동사가 과거시제인 경우 피전달문에 있는 지시어나 시간·장소를 나타내는 부사는 상황에 맞도록 적절하게 바꿔야 한다.

He *said*, "I painted *this* picture three years *ago*."
He said (that) he had painted that picture three years before. 그는 그 그림을 3년 전에 그렸다고 했다.

He *said*, "I will be *here* again *tomorrow*."
He said (that) he would be there again the next day. 그는 다음 날 다시 거기 있겠다고 했다.

☞ 시간·장소를 나타내는 부사의 변화

this → that; these → those   here → there
now → then   ago → before
today(오늘) → that day(그 날)   tomorrow → the next day, the following day(그 다음날)
yesterday → the day before, the previous day(그 전날)
last night → the night before, the previous night(지난 밤)
last week(month, year) → the week(month, year) before, the previous week(month, year)(그 전 주)
next week(month, year) → the next week(month, year), the following week(month, year)(그 다음 주)

주의 문맥에 따라 바꾸지 말아야 하는 경우도 있다. 첫 번째 예문에서 말하는 사람이 그림을 손에 들고 있거나 그가 말한 그날 전달하는 경우에는 this, ago를 that, before로 바꿀 필요 없다.
두 번째 문장도 here라고 말한 같은 장소에서 전달하거나 그날 중에 전달하는 경우에는 here, tomorrow를 there, the next day로 바꿀 필요 없다.

Review Test - 02

《해답 424쪽》

다음 문장을 간접화법으로 바꾸세요.

1. She said, "I will finish the work by myself."

2. He said to me, "Your brother is as old as I."

3. He said, "It has been raining since yesterday."

4. Father said, "World War I broke out in 1914."

5. He said to us, "You should be kind to your friends."

6. She said, "I planted this tree last year."

가념 화법 전환의 기본
① say to → tell   ② 전달하는 내용을 that절로 바꾼다.
③ 시제는 시제 일치의 법칙에 따라 바꾼다.   ④ 인칭대명사, 부사, 지시대명사는 적절하게 바꾼다.

풀이 1. myself → herself   2. your → my   I → he
     3. has been raining → had been raining   yesterday → the day before
     4. 역사적 사실은 시제 일치의 적용을 받지 않는다.
     5. you → we   your → our   should는 그대로 두어도 좋다.
     6. I → she   this → that   last year → the year before

문장의 종류에 따른 화법 전환

직접화법에서 간접화법으로 바꾸는 경우 전달하는 문장의 종류에 따라 전환 방법이 다르다. 평서문, 의문문, 명령문 등 문장의 종류에 따른 화법의 전환 방법을 알아보자.

1 평서문의 화법 전환

① 전달동사: say to → tell

　say to를 그대로 써도 되지만, tell을 쓰는 것이 일반적이다. say가 단독으로 쓰인 경우에는 그대로 쓴다.

② 콤마와 인용부호를 없애고 that절로 고친다. 이 that은 생략할 수 있다.

She *said to* me, "*I am* busy *now*."
She told me (that) she was busy then. 그는 그때 바빴다고 했다.

He *said,* "*I'm* disappointed with the exam result."
He said (that) he was disappointed with the exam result. 그는 시험성적에 실망했다고 말했다.

☞ He thought, "I can do it."이나 He wrote, "I am very well."의 thought, wrote와 같이 전달동사가 say(said) 이외인 경우는 그것을 그대로 전달동사로 써서 He thought that he could do it.나 He wrote that he was very well.로 한다.

2 의문문의 화법 전환

❶ 의문사가 없는 의문문

① 전달동사: say to → ask
② 전달하는 내용은 if(whether)+S+V 어순의 간접의문문 형식으로 한다.
　전달하는 내용이 or를 포함하는 선택의문문인 경우에는 whether ... or ~ 형식으로 한다.

He *said to* me, "*Are you* happy?"
He asked me if(whether) I was happy. 그는 나에게 행복한지 물었다.

She *said to* me, "*Are you* married *or* single?"
She asked me whether I was married or single. 그녀는 나에게 기혼인지 미혼인지 물었다.

❷ 의문사가 있는 의문문

> ① 전달동사: say to → ask
> ② 전달하는 내용은 의문사를 그대로 써서 의문사+S+V 어순의 간접의문문 형식으로 한다.

He *said to* me, "*Who* are you?"

He asked me who I was. 그는 나에게 누구냐고 물었다.

I *said to* her, "*What* did you buy?"

I asked her what she had bought. 나는 그녀에게 뭘 샀는지 물었다.

He *said to* me, "*When* will your father be back?"

He asked me when my father would be back. 그는 나에게 아버지가 언제 오는지 물었다.

의문대명사가 주어인 경우 '의문대명사+동사' 어순 그대로 쓴다.

He said to me, "Who has opened the window?"

He asked me who had opened the window. 그는 나에게 누가 창문을 열었는지 물었다.

3 명령문의 화법 전환

> ① 전달동사: say to → tell, order 〈명령인 경우〉
> → ask 〈요청인 경우〉
> → advise 〈충고인 경우〉
> ② 명령문을 to부정사로 바꾼다. 부정명령문인 경우에는 not이나 never를 to부정사 앞에 쓴다.
> ③ please 등을 써서 상대방에게 요청하는 명령문인 경우 please는 생략한다.
> ④ 부르는 말은 전달동사의 간접목적어로 쓴다.

He *said to* me, "*Open* the window."

He told me to open the window. 그는 나에게 창을 열라고 했다.

She *said to* me, "*Please* shut the door."

She asked me to shut the door. 그녀는 나에게 창문을 닫아달라고 부탁했다.

The doctor *said to* him, "*Don't smoke* too much."

The doctor advised him not to smoke too much. 의사는 그에게 담배를 많이 피우지 말라고 조언했다.

He *said*, "*Driver, please drop* me at that corner."

He asked the driver to drop him at that corner. 그는 운전기사에게 저 모퉁이에서 내려달라고 했다.

전달하는 내용이 Let's ~ / Shall we ~? 등의 제안을 나타내는 문장인 경우 간접화법으로 할 때는 'suggest (to A) that S+(should)+동사원형' 형식으로 한다.

She *said to* me, "*Let's* go swimming in the river."
She suggested that we should **go swimming in the river.** 그녀는 강으로 수영하러 가자고 제안했다.

4 감탄문의 화법 전환

특별한 정해진 형식은 없지만 대개 다음의 요령으로 감탄문의 내용을 바꾸어 표현한다.

> ① 전달동사: say to → cry (out), exclaim
> ② 감탄사는 with delight, with regret, with a sigh, with anger 등의 부사구를 써서 나타낸다.
> ③ What이나 How를 쓴 감탄문은 어순은 바꾸지 않고 그대로 명사절로 쓸 수 있지만, What이나 How를 very로 바꿔서 평서문 어순으로 바꿔 that으로 연결해도 된다.
> ④ 감탄부호를 생략한다.

They *said*, "*Hurrah!* We have won!"
They exclaimed with delight that **they had won.** 그들은 이겼다고 기뻐서 외쳤다.

He *said*, "*How* cold it is!"
He said that it was very **cold.** / He cried how cold it was. 그는 정말 춥다고 소리쳤다.

5 and나 but으로 연결된 문장의 화법 전환

피전달문이 and나 but으로 연결된 중문일 때는 and나 but 다음에 that을 쓴다. for 다음에는 that을 쓸 필요는 없다.

He said, "It is raining, *but* I have to go."
He said (that) it was raining, but that he had to go. 그는 비가 오지만 가야 한다고 했다.

He said, "I want to have a rest, *for* I am tired."
He said (that) he wanted to have a rest, for he was tired. 그는 피곤해서 좀 쉬고 싶다고 했다.

☞ '명령문+and(or)'인 경우 and, or를 그대로 쓰든가, if(unless)를 써서 복문으로 바꿔 간접화법으로 만든다.
   He *said to* me, "*Be* careful, *or* you'll fall down."
   → He told me to be careful or I would fall down.
   → He told me that I would fall down unless I was careful. 그는 나에게 조심하지 않으면 넘어진다고 말했다.

6 종속절이 있는 문장의 화법 전환

전달하는 내용이 주절과 종속절로 이루어진 복문은 평서문, 의문문, 명령문의 화법 전환 방법과 같다고 생각하면 된다.

He *said to* me, "I don't know *when* Jane *will come*."

He told me that he didn't know when Jane would come. 그는 제인이 언제 오는지 모른다고 나에게 말했다.

7 종류가 다른 둘 이상의 문장이 있는 경우의 화법 전환

전달하는 내용에 '평서문+의문문'처럼 종류가 다른 둘 이상의 문장이 있는 경우 각 문장의 화법을 적절한 동사를 써서 바꾸고 and 나 but 등의 접속사로 연결하면 된다.

She *said to* me, "*You have* a nice sweater on. *Where* did you buy it?"

She told me (that) I had a nice sweater on, and asked me where I had bought it."
그녀는 나에게 멋진 스웨터를 입고 있다고 하며, 스웨터를 어디서 샀는지 물었다.

《해답 424쪽》

다음 문장을 간접화법으로 바꾸세요.

1. He said to me, "Can you swim faster than I?"

2. I said to Rose, "Did you write the letter?"

3. I said to him, "How long will you stay here?"

4. He said to me, "Why was your sister crying?"

5. He said to me, "Who is using my guitar?"

가분 의문문의 화법 전환
① say to → ask로 바꾼다.
② 의문문을 if절로 바꾼다.
   의문사가 있을 때는 그 의문사를 이용한다. 이 경우 어순을 '주어+동사'로 바꾸는 것을 잊지 말 것

풀이 1, 2 의문문을 if로 연결한다. if 뒤에는 반드시 '주어+동사' 어순으로 쓰고 did는 쓰지 않는다.
3. How long을 그대로 쓴다.
4. why를 그대로 쓴다.
5. who를 그대로 쓴다. who는 주어이므로 어순은 변하지 않는다.

Chapter 10
Exercise

A 다음 문장의 밑줄 친 동사를 과거시제로 고쳐 문장을 다시 쓰세요.

1. I <u>think</u> that Tom is playing in the park.

2. We all <u>hope</u> that everything will be all right.

3. It <u>seems</u> that we took the wrong train.

4. We <u>know</u> that air is lighter than water.

5. Mr. Smith <u>speaks</u> as if he were a millionaire.

B 다음 문장을 지시에 따라 다시 쓰세요.

1. I said to Tom, "Can I help you?" 《간접화법으로》

2. He asked me if I could swim. 《직접화법으로》

3. The director said to them, "Stay here. Do not leave your post." 《간접화법으로》

4. Father told me not to be afraid. 《직접화법으로》

5. Tom said to me, "What are you thinking about?" 《간접화법으로》

6. Peter asked me what I wanted him to do. 《직접화법으로》

7. He said. "What a beautiful mountain it is!" 《간접화법으로》

Tips

시제 일치에 따라 종속절의 시제도 바꾸어야 한다.

1. is playing은 과거진행시제로 고친다.
2. will은 과거형 would로 고친다.
3. took은 과거완료시제로 고친다.
4. 종속절의 내용이 불변의 진리이므로 시제 일치의 적용을 받지 않는다.
5. 가정법이므로 시제 일치의 적용을 받지 않는다.

1인칭, 2인칭 대명사를 적절하게 바꾸고 동사를 시제 일치에 따라 바꿀 것.

1. 의문사가 없는 의문문은 if를 써서 바꾼다.
2. if가 있으므로 의문문으로 쓴다.
3. 명령문은 부정사로 고친다. 부정명령문은 not to부정사로 쓴다.
4. not to는 부정명령문으로 쓴다.
5, 6. 의문사 의문문인 경우 what을 그대로 써주면 된다. '주어+동사 ∼' ⇄ '동사+주어 ∼' 어순에 주의한다.
7. 감탄문인 경우 what을 그대로 써도 된다.

C 다음을 읽고 밑줄 친 (1), (2), (3)의 화법을 바꾸세요.

A woman saw a tortoise in a shop one day. She wanted to buy and keep it in her garden.

(1) So she said to the shopkeeper, "I want to keep this tortoise in my garden. Can it live long?"

(2) "I am sure it can," said the shopkeeper. "Don't you know a tortoise lives ten thousand years?"

The woman took the tortoise home, but the next day it died. She got very angry with the shopkeeper, and went back to his shop.

(3) She said to the shopkeeper, "You told me a lie yesterday. The tortoise died today."

"Then I suppose," said the shopkeeper calmly, "it became just ten thousand years old today."

Tips

1. 전달하는 내용이 종류가 다른 문장이다. 평서문은 told와 that, 의문문은 asked와 if를 써서 고친다.
3. yesterday → the day before
   today → that day

D 다음 문장을 직접화법과 간접화법으로 영어로 쓰세요.

1. 그는 나에게 "나하고 같이 가야만 해."라고 말했다.
2. 나는 그에게 "네 여동생이 우리 어머니를 못 만났니?"라고 물었다.
3. 그는 나에게 "이것과 저것 중에 어느 것이 더 낫니?"라고 물었다.
4. 아버지는 나에게 "빨리 나가. 다시는 돌아오지 마."라고 말했다.

must는 시제 일치의 적용을 받지 않는다.

E 다음 문장을 우리말로 옮기세요.

Sam and I were in the back seat of the car, and Roy sat in front with a shotgun beside him. Sam asked him why he had brought that. He said he wanted to kill pigeons.

종속절의 과거완료, 과거시제의 해석에 주의할 것. 시제 일치가 보일 경우 과거완료는 과거(또는 과거완료)로, 과거는 현재로 해석한다.

10
시제 일치와 화법

11

명사와 관사

명사

사람, 동물·식물, 사물의 이름을 나타내는 말을 명사(Noun)라고 한다. 명사에는 수·격·성에 따른 어형 변화가 있다. 명사는 보통 관사를 붙여 쓰므로 항상 관사와의 관계를 염두에 두고 학습할 필요가 있다.

01 명사의 종류와 용법

명사는 의미에 따라 보통명사, 집합명사, 고유명사, 물질명사, 추상명사의 다섯 가지로 나눌 수 있고, 형태에 따라 셀 수 있는 명사와 셀 수 없는 명사로 나눌 수 있다.

셀 수 있는 명사 (Countable Noun)	관사 a나 an을 붙일 수 있고, 단수형·복수형이 있다.	보통명사, 집합명사
셀 수 없는 명사 (Uncountable Noun)	원칙적으로 관사 a나 an을 붙일 수 없고, 복수형도 없다.	고유명사, 물질명사, 추상명사

☞ 이러한 분류는 편의적인 것으로 물질명사나 추상명사가 보통명사로도 쓰일 수도 있다.

This bridge is made of stone. 이 다리는 돌로 되어 있다. …〈물질명사〉

A rolling stone **gathers no moss.** 구르는 돌에는 이끼가 끼지 않는다. …〈보통명사〉

Beauty is only skin deep. 아름다움은 단지 껍데기에 불과한 것이다. …〈추상명사〉

She is a beauty. 그녀는 미인이다. …〈보통명사〉

1 보통명사

같은 종류의 사람이나 일정한 형태가 있는 사물에 공통하는 이름을 보통명사(Common Noun)라고 한다. 단수에는 앞에 정관사나 부정관사를 붙이고 복수형이 있다.

Just under *the* seat there was *a* box hanging by *a* string. 의자 바로 밑에 끈에 매달린 상자가 하나 있었다.

Rising behind *the* town, *the* mountains looked like giant walls.
마을 뒤에 솟아오른 그 산들은 거대한 벽처럼 보였다.

☞ 보통명사는 위 예문의 seat, box, string, town, mountains, walls처럼 보통 구체적인 형태가 있지만, day처럼 그렇지 않은 보통명사도 있다.

2 집합명사

둘 이상의 사람이나 사물이 모인 집합체를 나타내는 family(가족), crowd(군중), army(군대)와 같은 명사를 집합명사(Collective Noun)라고 한다.

집합명사는 전체를 하나로 생각해서 보통명사처럼 취급한다. 따라서 부정관사를 붙일 수 있고 복수형도 있다.

He has *a* large family. 그의 가족은 대가족이다.

Fifty families lost their houses. 50가구가 그들의 집을 잃었다.

집합체를 구성하는 각각의 구성원에 중점을 둘 경우에는 형태는 단수여도 복수로 취급한다.

My family *are* early risers. 우리 가족은 일찍 일어난다.

참고

다음 두 용법을 비교해 보자.

The public *is* against the war. 대중은 전쟁에 반대한다.

The public *are* not admitted. 일반인은 입장할 수 없다.

The English are *a* polite people. 영국인은 친절한 국민이다.

Today people *are* happy. 오늘날 사람들은 행복하다.

'두 사람'이면 two people이지만, a people은 '국민, 민족'의 의미가 된다. 즉 two people(두 사람)과 two peoples(두 민족)의 차이가 있는 것이다.

---

3 고유명사

세상에 하나뿐인 사람, 사물, 장소 등에 붙인 고유한 이름을 고유명사(Proper Noun)라고 한다. 고유명사는 첫 글자를 대문자로 쓰고 일반적으로 관사를 붙이지 않고 복수형도 없다.

Kate walked down Bridge Street to save time. 케이트는 시간을 벌려고 브리지 스트리트로 걸어갔다.

Paris is the capital of France. 파리는 프랑스의 수도이다.

고유명사에는 원칙적으로 관사를 붙이지 않지만, 관사를 붙일 수 있는 것도 있다.

❶ 복수형 국가명, 산맥

> 예 the United States of America(미합중국), the Netherlands(네덜란드), the Philippines(필리핀), the United Nations(국제연합), the Himalayas(히말라야 산맥), the Alps(알프스 산맥)

❷ 바다, 호수, 하천, 반도 등

> **예** the Pacific Ocean(태평양), the Amazon(아마존 강), the English Channel(영국해협), the Kamchatka(캄차카 반도)

❸ 공공건물, 시설, 노선, 열차 등

> **예** the British Museum(대영박물관), the White House(백악관), the Eiffel Tower(에펠탑), the Gyeongbu Expressway(경부고속도로), the KTX-Sancheon(케이티엑스 산천호)
>
> 공원, 역, 다리, 항구, 거리, 대학 이름에는 보통 정관사 the를 붙이지 않는다.
> Hyde Park(하이드파크), London Bridge(런던 브리지), Seoul University(서울대학교), Incheon Airport(인천공항), Wall Street(월가)

❹ 신문, 잡지명 등

> **예** the New York Times(뉴욕타임즈), the Life(라이프지), the Bible(성경)

참고

1. 고유명사가 형용사에 의해 수식을 받는 경우 the가 붙는다.
the *late* Dr. Einstein(고 아인슈타인 박사), the *new* China(새로운 중국)

2. 고유명사 앞에 부정관사를 붙이거나 복수형으로 써서 보통명사처럼 쓰기도 한다. 이 경우 '~라는 사람', '~과 같은 사람·물건' '~의 작품' 등의 뜻을 나타낸다.
He wishes to be *an* Edison in the future. 그는 장래 에디슨 같은 과학자가 되고 싶어 한다.
A Mr. Smith appeared next. 다음에 스미스라는 사람이 나타났다.
Here is *a* Webster. 여기 웹스터 사전이 있다.
There are *three* Whites on this list. 이 명단에는 화이트라는 사람이 세 명 있다.

4 물질명사

air(공기), water(물), stone(돌)과 같이 일정한 형태가 없는 물질의 이름을 물질명사(Material Noun)라고 한다. 물질명사는 부정관사를 붙일 수 없고 복수형도 없는 것이 원칙이다.

Oil is lighter than water. 기름은 물보다 가볍다.
Milk is made into butter and cheese. 우유로 버터나 치즈를 만든다.

물질명사는 셀 수 없으므로 수량을 나타내기 위해서는 별도의 형용사나 용기·단위·형태 등을 나타내는 말을 이용해서 센다.

❶ 막연한 수량을 나타내는 경우: much, some, little+물질명사

There is *much* milk in the bottle. 병에 우유가 많이 들어 있다.

Give me *some* bread. 빵을 좀 주세요.

❷ 일정한 수량을 나타내는 경우: 수사+단위 명사+of+물질명사

용기	*a cup of* tea 차 한 잔 → *two cups of* tea 차 두 잔 *a glass of* water 물 한 잔 → *three glasses of* water 물 세 잔 *a bottle of* wine 와인 한 병 → *four bottles of* wine 와인 네 병
단위	*a pound of* meat 고기 1파운드 → *five pounds of* meat 고기 5파운드 *a liter of* beer 맥주 1리터 → *three liters of* beer 맥주 5리터 *a spoon(spoonful) of* sugar 설탕 한 스푼 → *two spoons(spoonfuls) of* sugar 설탕 두 스푼
형태	*a sheet of* paper 종이 한 장 → *seven sheets of* paper 종이 일곱 장 *a cake of* soap 비누 한 개 → *two cakes of* soap 비누 두 개 *a loaf of* bread 빵 한 덩이 → *five loaves of* bread 빵 다섯 덩이

참고

물질명사가 그 물질의 종류나 제품을 나타내는 경우 보통명사처럼 쓰여 부정관사를 붙이기도 하고 복수형으로 쓸 수도 있다.
a glass(컵), an iron(다리미), papers(서류) 등.

 **01**

《해답 425쪽》

다음을 영어로 쓰세요.

1. 야심가인 나폴레옹은 러시아로 쳐들어갔다.

2. 1812년에 영국 국민은 미국 국민과 싸웠다.

3. 그는 나에게 빵 세 조각과 약간의 버터를 주었다.

4. 반 학생 모두 선생님 말씀을 열심히 듣고 있었다.

기본 명사의 용법에는 관사를 붙이는지, 복수형이 있는지에 핵심이 있다.
　① 고유명사: 무관사가 원칙이지만, the를 붙이거나 복수형으로 할 수 있는 것도 있다.
　② 물질명사: 복수형으로 할 수 없다. 단위를 이용해서 수를 나타낸다.
　③ 집합명사: 단수형이지만, 복수 취급하는 것이 있다.

풀이 1. 야심가인(ambitious)이 있으므로 Napoleon에 the를 붙인다. '~에 쳐들어가다' → advance into ~
　2. 국민을 총칭해서 말하는 경우 the를 붙인다. '~와 싸우다' → fight against ~
　3. '한 조각의' → a slice of　'약간의' → some
　4. class는 여기서는 복수 취급한다.

5 추상명사

형태가 없고 추상적인 개념을 나타내는 명사를 추상명사(Abstract Noun)라고 한다. 추상명사는 원칙적으로 부정관사를 붙일 수 없고 복수형도 없다.

Love is best thing in the world. 사랑이 세상에서 가장 좋은 것이다.

Technology developed in the 20th century. 20세기에는 과학기술이 발전했다.

'of+추상명사'는 형용사구, '전치사+추상명사'는 부사구가 된다.

❶ of+추상명사 = 형용사구

This is a proposal of great importance. 이건 매우 중요한 제안이다.

> **예** of importance(중요한), of use(유용한), a man of ability(=an able man)(유능한 사람)

❷ 전치사+추상명사 = 부사구

He answered the question with ease. 그는 쉽게 그 문제를 풀었다.

> **예** with ease(=easily)(쉽게), with care(=carefully)(신중하게), on purpose(=purposefully)(일부러)
> by accident(=accidentally)(우연히), in anger(=angerly)(화가 나서)

추상명사가 구체적인 종류나 행위의 실례를 나타내는 경우 보통명사로도 쓰일 수 있다. 이때는 부정관사나 수사로 수식되거나 복수형으로도 할 수 있다.

The computer is *a* marvelous invention. 컴퓨터는 멋진 발명품이다.

All the teachers praised his civilities. 선생님들은 모두 그의 태도를 칭찬했다.

추상명사도 물질명사처럼 그 자체로는 셀 수 없지만, a piece of ~ 등의 말을 써서 셀 수 있다. 양·정도를 나타낼 경우에는 much, (a) little, a lot of, some, any, no 등을 이용한다.

Even *a piece of* advice will be helpful to me. 한 마디 충고라도 나에게는 도움이 될 것이다.

He has *some* experience. 그는 경험이 좀 있다.

질문 있어요!!

> **Q** '우유 한 잔'은 a cup of milk라고 해야 하나요, a glass of milk라고 해야 하나요?

> **A** 서양에서는 차가운 것은 컵으로, 뜨거운 것은 잔으로 먹는 것이 일반적입니다. 한국에서는 우유를 따뜻하게 해서 먹는 경우도 있지만, 서양에서는 차가운 것 그대로 먹는 것이 보통이므로 a glass of milk로 합니다. 또한 '물 한 잔'은 a glass of water, '커피 한 잔'은 a cup of coffee라고 합니다.

02 명사의 수

영어에서는 '한 명의 소년'은 a boy, '두 명의 소년'은 two boys가 되어 '하나'를 나타낼 때와 '둘 이상'을 나타낼 때 명사의 어형이 변한다. 이것을 수(Number)하고 하며 하나를 나타낼 때를 단수(Singular Number), 둘 이상을 나타낼 때를 복수(Plural Number)라고 한다.

명사의 복수형을 만드는 방법에는 규칙적인 것과 불규칙적인 것이 있다.

1 규칙변화

규칙변화 명사는 단수형 어미에 -s 또는 -es를 붙여 복수형을 만든다. 대부분의 명사는 -s를 붙인다.

명사 단수형 어미	복수형	예
대부분의 명사	-s를 붙인다.	books　　cats　　girls　　boys　　caps
-s, -ch, -sh, -x, '자음+o'로 끝나는 명사	-es를 붙인다.	buses　　classes　　churches　　benches dishes　　bushes　　boxes　　foxes potatoes　　heroes 〈예외〉 pianos, photos
'자음+y'로 끝나는 명사	y를 i로 고치고 -es를 붙인다.	baby → babies　　　　city → cities lady → ladies 단, '모음+y'인 명사는 그대로 -s를 붙인다. day → days　　　　boy → boys monkey → monkeys
-f, -fe로 끝나는 명사	f, fe를 v로 고치고 -es를 붙인다.	leaf → leaves　　wolf → wolves　　knife → knives 〈예외〉 roof → roofs　　handkerchief → handkerchiefs

복수형 어미의 발음은 [z], [s], [iz] 세 가지가 있다. 3인칭단수 현재시제일 때 동사의 어미 발음과 같은 규칙이다.

유성음 [b, d, g, l, m, n, 모음] 뒤	[z]로 발음한다.	pens[pénz] pools[pú:lz]	cows[káuz]
무성음 [p, f, k, t] 뒤	[s]로 발음한다.	roofs[rú:fs] caps[kǽps]	books[búks] bats[bǽts]
[s, z, ʃ, tʃ, dʒ] 뒤	[iz]로 발음한다.	classes[klǽsiz] dishes[díʃiz] garages[gərá:dʒiz]	roses[róuziz] watches[wátʃiz] cages[kéidʒiz]

11

명사와 관사

2 불규칙변화

명사의 단수형 어미에 -s나 -es를 붙이지 않는 복수형을 불규칙변화라고 한다. 보통 불규칙변화를 하는 명사는 다음과 같이 구분할 수 있다.

모음이 변하는 명사	man[mæn] → men[men] tooth[tu:θ] → teeth[ti:θ] goose[gu:s] → geese[gi:s]	woman[wúmən] → women[wímin] foot[fut] → feet[fi:t]
어미에 -en을 붙이는 명사	child → children	ox → oxen
단수형과 복수형이 같은 명사	동물·어류, 국민이름 등에 많다. deer(사슴)　　sheep(양)　　carp(잉어)　　fish(물고기) salmon(연어)　　Japanese(일본인)　　Swiss(스위스인)	

3 특수한 복수

영어의 복수에는 이외에 여러 가지 주의해야 할 복수와 복수형을 만드는 방법이 있다.

❶ 복합명사의 복수형

보통 중요한 것을 복수로 한다.

예　passer-by(통행인) → passers-by　　　fountain pen(만년필) → fountain pens

college student(대학생) → college students

☞　man이나 woman이 있는 경우 양쪽을 모두 복수형으로 한다.

woman astronaut(여성 우주비행사) → women astronauts

❷ 항상 복수형으로 쓰는 명사

짝을 이루는 도구나 의복 등의 명사는 복수형으로 쓴다.

예　scissors(가위)　　　　　　glasses(안경)

contact lenses(콘택트렌즈)　　trousers(바지)

❸ 학문을 나타내는 명사

학문을 나타내는 명사로 어미가 -ics인 것은 단수 취급한다.

예　economics(경제학)　　　physics(물리학)

mathematics(수학)　　　politics(정치학)

❹ 복수형으로 쓰면 의미가 달라지는 명사

> **예** air(공기) → airs(태도)   arm(팔) → arms(무기)
> custom(습관) → customs(세관, 관세)   force(힘) → forces(군대)

❺ 용법에 따라 복수형이 달라지는 명사

fish, fruit 등은 종류 전체를 말할 때는 복수형과 단수형이 같지만, 그 종류에 중점을 두거나 다른
종류를 강조하는 경우 fishes, fruits로 복수형으로 한다.

There are a dozen fruit in the box. 상자에 12개의 과일이 있다.

What fruits are in season now? 지금 어떤 과일이 제철인가요?

참고

'수사+명사'가 형용사로 쓰일 때는 복수로 쓰지 않는다.

I bought a *ten* dollar hat. 나는 10달러 하는 모자를 샀다.

cf. **I have *ten* dollars.** 나는 10달러를 갖고 있다.

Review Test 02
《해답 425쪽》

다음 명사의 복수형을 쓰세요.

1. church   2. fox   3. wife   4. toy   5. tomato

6. story   7. louse   8. step-son   9. woman-writer

> **가분** 규칙변화 하는 명사도 어미가 변하는 것에 주의한다. 1~6은 규칙변화, 7은 불규칙변화 한다.
>
> **풀이** 3. fe로 끝나는 말.
> 6. '자음+y'로 끝나는 말.
> 8, 9는 복합명사.
> 9. 양쪽을 모두 복수로 한다.

03 명사의 성

영어에는 문법상의 성이 있고 다음의 네 가지로 구분할 수 있다. 문법상의 성은 보통 자연의 성과 일치한다.

남성	남성을 나타내는 명사	man(남성) father(아버지) son(아들) boy(소년)
		☞ 대명사로 받을 때는 he를 쓴다.
여성	여성을 나타내는 명사	woman(여성) mother(어머니) daughter(딸)
		☞ 대명사로 받을 때는 she를 쓴다.
통성	남성·여성에 공통으로 쓰이는 명사	child(아이) parent(부모) reader(독자)
		☞ 대명사로 받을 때는 he 또는 she를 쓴다.
중성	성의 구별이 없는 명사	star(별) snow(눈) house(집) tree(나무)
		☞ 대명사로 받을 때는 it을 쓴다.

1 남성과 여성을 나타내는 방법

남성과 여성은 다른 말을 이용하거나 어형을 변화시켜 나타낼 수 있다.

❶ 남성·여성에 다른 말을 쓰는 것

> 예 brother(형제) – sister(자매)   nephew(조카) – niece(조카딸)
> king(왕) – queen(여왕)   uncle(삼촌) – aunt(숙모)
> bull(황소) – cow(암소)   rooster(cock)(수탉) – hen(암탉)

❷ 남성명사의 어미에 -ess를 붙여 여성명사를 만드는 것

> 예 actor(배우) – actress   god(신) – goddess
> host(주인) – hostess   poet(시인) – poetess
> prince(왕자) – princess   waiter(웨이터) – waitress

❸ 성을 나타내는 말을 붙이는 것

> 예 he-goat(숫염소) – she-goat(암염소)   man-servant(남자 하인) – maid-servant(하녀)
> boy friend(남자친구) – girl friend(여자친구)   male cousin(남자 사촌) – female cousin(여자 사촌)

2 주의해야 할 명사의 성

명사를 대명사로 받는 경우 남성은 he, 여성은 she, 중성은 it을 쓰는 것이 원칙이다. 하지만 성을 구별할 수 없는 중성명사도 인격이 있는 것으로 의인화 되면 대명사 he 또는 she로 받을 수 있다. 이것은 문학적인 표현이므로 객관적인 서술이 필요한 문장에서는 it로 받는 것이 보통이다.

❶ 남성으로 취급을 하는 중성명사

the sun(태양), war(전쟁), winter(겨울) 등 강한 남성적인 느낌을 주는 명사는 he로 받는다.

The sun shines all over the world with his light. 태양은 그 빛으로 온 세상을 비춘다.

That year winter raged in all his fury. 그 해는 겨울이 맹위를 떨쳤다.

❷ 여성으로 취급하는 중성명사

the moon(달), the earth(지구), peace(평화), spring(봄), nature(자연) 등 아름답거나 부드러운 느낌을 주는 명사는 she로 받는다.

Nature holds all the human beings in her bosom. 자연은 모든 인간을 품에 안는다.

The moon hid her face behind the cloud. 달은 자신의 얼굴을 구름 속에 감추었다.

질문 있어요!!

Q dog, cat, baby, child 등은 실제로는 성이 있으므로 it이 아니라 he, she로 받아야 하는 거죠?

A 통성명사는 it으로 받는 게 원칙이지만, 성을 알 때에는 he나 she로 받습니다. 고양이는 보통 she로 받습니다.
Nero came back with a bone in his mouth. 네로(개 이름)는 입에 뼈다귀를 입에 물고 돌아왔다.
My baby moves her mouth when she is hungry. 우리 아기는 배가 고프면 입을 움직인다.

《해답 425쪽》

Review Test 03

다음의 여성명사를 쓰세요.

1. husband   2. steward   3. hero   4. lord

5. emperor   6. bridegroom   7. Englishman

기본 여성명사에는 다음의 두 가지 형식이 자주 쓰인다.
 ① 다른 말을 이용한다. boy → girl
 ② -ess 등으로 어미를 고친다. poet → poetess
풀이 1, 4는 다른 말을 이용한다.

04 명사의 격

명사나 대명사가 문장에서 다른 말과 갖는 문법적인 관계를 나타내는 어형을 격(Case)이라고 한다.

1 격의 종류

격에는 주격(~은(가)), 소유격(~의), 목적격(~을(를))이 있다. 명사의 주격과 목적격은 형태가 같으므로 형태를 구별할 있는 것은 소유격뿐이다.

❶ 주격

문장에서 주어, 주격보어, 부르는 말로 쓰인다.

Jim sat down. 짐은 앉았다. …〈주어〉

This is Jim. 이 사람은 짐이다. …〈주격보어〉

Sit down, Jim. 짐, 앉아. …〈부르는 말〉

❷ 소유격

명사 앞에 써서 소유자, 행위자, 용도 등을 나타낸다.

This is Jim's cap. 이것은 짐의 모자다.

❸ 목적격

동사와 전치사의 목적어, 목적보어로 쓰인다.

I met Jim. 나는 짐을 만났다. …〈동사의 목적어〉

I called on Jim. 나는 짐을 방문했다. …〈전치사의 목적어〉

We call the boy Jim. 우리는 그 소년을 짐이라고 부른다. …〈목적격보어〉

명사가 주격인지 목적격인지는 문장에서의 역할에 따라 결정된다. 대명사의 경우 주격과 목적격의 형태가 다르다.

2 소유격을 만드는 방법

원칙적으로 명사의 소유격은 생물(사람·동물)인 경우는 어미에 -'s(apostrophe s)를 붙여 만들고, 무생물인 경우에는 of를 이용한다.

❶ 생물의 소유격

1. 사람·동물인 경우 원칙적으로 -'s를 붙인다.

    예 a boy's book(소년의 책)   a children's magazine(아동 잡지)

2. 복수명사에는 '만 붙인다.

    예 a girls' school(여학교)

3. 복합명사는 마지막 말에 's를 붙인다.

    예 the commender-in-chief's order(최고사령관의 명령)

    someone else's umbrella(누구 다른 사람의 우산)

❷ 무생물의 소유격

무생물의 소유격은 'of+명사'로 나타내는 것이 원칙이다.

예 the legs of the desk(책상의 다리)   the wall of the bedroom(침실의 벽)

参고

무생물도 's를 써서 소유격을 만드는 경우가 있다.

1. 시간·거리·무게·금액 등을 나타내는 명사:
   a minute's recess(1분간의 휴식)   an hour's walk(걸어서 1시간 거리)
   five hundred won's worth of sugar(5백 원 어치 설탕)

2. 의인화한 명사
   the sun's ray(태양 광선)   Nature's law(자연 법칙)
   This discovery is one of history's most famous accidents. 이 발견은 역사상 가장 유명한 사건 중 하나다.
   I have not read today's paper yet. 나는 아직 오늘 신문을 못 읽었다.

3. for God's sake(제발), to one's heart's content(마음껏), the New Year's day 등과 같은 관용구에도 's를 붙인다.

3 소유격이 나타내는 의미

소유격은 소유를 나타내는 외에 다음과 같은 의미를 나타낸다.

❶ 일반적으로 소유, 소속을 나타낸다.

He knows our teacher's name.(=the name of our teacher) 그는 우리 선생님의 이름을 알고 있다.

❷ 저자, 발명자, 발견자 등을 나타낸다.

I cannot understand Boyle's law. 나는 보일의 법칙을 이해할 수 없다.

❸ 사물의 용도·목적을 나타낸다.

He was sent to a children's hospital. 그는 아동병원으로 보내졌다.

　　☞ 이 경우 '소유격+명사'를 전치사 for를 써서 바꿔 쓸 수 있다.
　　　　a children's hospital=a hospital for children

❹ 주격 관계를 나타낸다.

소유격이 명사의 주어가 된다.

We were delighted by Tom's success. 우리는 톰이 성공한 것을 매우 기뻐했다.

❺ 목적격 관계를 나타낸다.

소유격이 명사의 목적어가 된다.

I have to save a lot of money for my daughter's education.
나는 딸을 교육하기 위해 많은 돈을 저축해야 한다.

[참고]

My father's picture hangs on the wall.의 의미.

'① 아버지 소유의 그림, ② 아버지가 그린 그림, ③ 아버지를 그린 그림' 세 가지 의미로 해석할 수 있다.

4 소유격 뒤의 명사의 생략

소유격 뒤의 명사는 다음과 같은 경우 생략할 수 있다.

❶ 명사의 반복을 피하기 위해.

This book is Tom's (book). 이 책은 톰의 것이다.

❷ 건물을 나타내는 말

house, store, shop, office 등의 건물은 문맥에서 무엇을 가리키는지 분명한 경우 생략된다.

I stayed all the summer at my uncle's (house). 나는 여름 내내 삼촌의 집에 머물렀다.

John, run to the baker's (shop) and buy some bread. 존, 빵집에 가서 빵을 좀 사와라.

5 이중소유격

원칙적으로 부정관사(a, an), 지시대명사(this, that), 부정대명사(some, no), 의문대명사(which, whose) 등과 소유격을 연달아 명사 앞에 쓸 수 없다.

이것들과 소유격을 함께 써야 할 경우에는 'a(an, this, that, some, any 등)+명사+of+소유대명사' 형태의 이중소유격을 쓴다. a my friend가 아니라 a friend of mine으로 써야 한다.

He wears *a* necktie of his father's. 그는 그의 아버지의 넥타이를 하고 있다.

I like *this* dress of Kate's. 나는 케이트의 이 옷이 마음에 든다.

That's *no* business of yours. 그건 너와는 관계없는 일이다.

《해답 425쪽》

Review Test 04

다음을 우리말로 옮기세요.

1. Mistakes can result from man's misunderstanding of man.

2. I got Shakespeare's portrait in London.

3. You'll stay at Jackson's the whole summer.

4. In the morning's rush, I lost my suitcase.

5. They feel they're getting their money's worth.

> **기본** 소유격과 그 다음에 오는 명사와의 관계를 정확히 모르면 해석할 수 없는 경우가 있다. 특히 다음의 두 가지 관계를 잘 이해해 두자.
> ① ~가 …하는 것 → 주격 관계   ② ~을 …하는 것 → 목적격 관계
>
> **풀이** 1. man's는 주격 관계를 나타내어 '사람이'라는 의미.
> 2. Shakespeare's portrait는 목적격 관계로 '셰익스피어를 그린 초상화'라는 의미.
> 3. Jackson's house를 보충해 본다.
> 5. their money's worth는 '그들이 지불하는 돈의 가치'

관사

명사 앞에서 형용사 역할을 하면서 명사를 가볍게 한정하는 말을 관사(Article)라고 한다. 관사에는 부정관사(a, an)와 정관사(the)가 있다. 관사는 명사와 밀접하게 관련되어 있으므로 명사의 용법과 연결해서 알아 두자.

01 부정관사의 용법

1 부정관사

부정관사(Indefinite Article)에는 a와 an이 있다. 발음이 자음으로 시작하는 말 앞에는 a를 쓰고, 발음이 모음으로 시작하는 말 앞에는 an을 쓴다. 즉 발음에 따라 구별해서 써야 하며 철자와는 관계없다.

[ə]   a boy   a European[jùərəpíən]

[ən]   an apple   an hour[auər]   an earnest student[ə́:rnist]

2 부정관사의 의미

❶ 약한 '한, 하나의'의 의미

화제에 처음 오르는 명사나 여럿 중에 불특정한 하나를 나타내는 약한 의미로 쓰이므로 우리말로 해석할 필요는 없다.

Waiter, there is a fly in my soup! 웨이터, 내 수프에 파리가 있어요!

❷ one(하나)의 의미

시간이나 단위를 나타내는 명사와 쓰일 경우 '하나, 한 개'라는 분명한 의미를 나타낸다.

I waited for an hour. 나는 1시간 동안 기다렸다.

Rome was not built in a day. 로마는 하루아침에 이루어지지 않았다.

❸ the same(같은)의 의미

이 용법은 많지 않으므로 관용구로 암기해두면 된다. 보통 'of a(an)+명사' 형태로 쓴다.

Birds of a feather flock together. 날개가 같은 새들이 함께 모인다.(끼리끼리 모인다.)

The girls are all of an age. 그 소녀들은 같은 나이다.

These shirts are much of a size. 이 셔츠들은 대체로 같은 크기다.

❸ per(~마다, ~당)의 의미

I meet her once a week. 나는 1주일에 한 번 그녀를 만난다.

This rope is 100 won a meter. 이 끈은 미터 당 백 원이다.

❹ a certain(어떤)의 의미

The accident happened on a fine morning. 그 사고는 어떤 화창한 날 오전에 일어났다.

In a sense, life is only a dream. 어떤 의미에서 인생은 꿈일 뿐이다.

❺ any(어떤 ~라도, ~라는 것)의 의미

그 종류 전체를 나타낸다.

A dog is a faithful animal. 개는 충직한 동물이다.

A bat is a small animal like a mouse. 박쥐는 쥐와 같은 작은 동물이다.

☞ 종류 전체는 'a+단수명사' 외에 'the+단수명사'나 복수명사로도 나타낼 수 있지만, 복수명사를 쓰는 것이 일반적이다.

Dogs are faithful animals.

Bats are small animals like mice.

고유명사에 the를 붙인 경우는 219쪽을 참조할 것.

02 정관사의 용법

1 정관사의 의미

정관사(Definite Article) the는 원래 지시형용사 that에서 온 말로, 단수·복수, 셀 수 있는 명사·셀 수 없는 명사에 관계없이 특정한 것을 가리킬 때 '그 ~'라는 뜻으로 그 명사 앞에 쓴다.

정관사 the는 자음 앞에서는 [ðə], 모음 앞에서는 [ði]로 발음한다.

[ðə]	the cat	the book	the house
[ði]	the air	the earth	the honest boy

2 정관사의 용법

❶ 이미 화제에 오른 명사 앞에 쓴다.

I keep *a dog*. The *dog* is very big. 나는 개를 기르고 있다. 그 개는 매우 크다.

You took *a photo* of me. Show the *photo* to me. 넌 내 사진을 찍었다. 그 사진 좀 보여줘.

❷ 상황이나 문맥에서 분명히 알 수 있는 명사 앞에 쓴다.

Please shut the door. 문을 닫아 줘요.

Don't leave the door open. 문을 열어두지 마라.

❸ 최상급 형용사나 서수 또는 only, same 등으로 한정되는 명사 앞에 쓴다.

He was the *first* man to come. 그가 가장 먼저 온 사람이었다.

He lives in the *fifth* house beyond the bank. 그는 은행을 지나 5번째 집에 산다.

He ate the *only* food left in his backpack. 그는 배낭에 남아 있던 유일한 음식을 먹었다.

구나 절에 의해 특정되는 명사 앞에도 정관사 the를 쓴다.

Mr. Brown is the principal *of our school*. 브라운 씨는 우리 학교의 교장이다.

This is the company *where she once served as an interpreter*.
여기가 그녀가 한때 통역사로 근무했던 회사다.

> 주의 수식어구가 있어도 특정되지 않는 경우에는 정관사를 붙이지 않는다.
> This is a company where she once served as an interpreter.
> 여기가 그녀가 한때 통역사로 근무했던 회사 중 하나다.→ 그녀가 근무한 회사는 둘 이상이다.

❹ 천체, 방위, 자연현상 등 세상에서 유일한 명사 앞에 쓴다.

The *sun* rises in the east. 태양은 동쪽에서 뜬다.

The *moon* was shining over the sea. 달이 바다를 비치고 있었다.

❺ 'the+단수 보통명사'로 써서 종류 전체를 나타낸다.

The lion is the king of beasts. 사자는 백수의 왕이다.

❻ 관용적인 용법

1. 'the+단수 보통명사'가 그 성질이나 직능을 나타내는 추상명사로 쓰이기도 한다. 극히 한정된
   명사에만 붙이는 특수한 용법이다.

   The *pen* is mightier than the *sword*. 펜(문)은 검(무)보다 강하다.

2. 'by the+단위'로 써서 '~ 단위로'이라는 의미를 나타낸다.

   They sell butter by the pound. 버터는 파운드 단위로 판다.

   We hired a sports car by the hour. 우리는 1시간 단위로 스포츠카를 임대했다.

3. '동사+사람+전치사+the+신체 부위'로 써서 사람의 신체의 일부에 행위가 가해지는 것을 나타
   낸다. the는 소유격 대신 쓰인 것으로 이 경우 원칙적으로 소유격은 쓸 수 없다.

   He caught *me* by the arm. 그는 내 팔을 잡았다.

   She struck *her son* on the head. 그녀는 아들의 머리를 때렸다.

4. 관용구에 정관사 the를 쓰는 표현이 많다.

시간을 나타내는 관용구	in the morning(아침에), in the afternoon(오후에), in the evening(저녁에), in the daytime(낮 동안에)
장소를 나타내는 관용구	in the dark(어둠 속에서), in the distance(멀리), in the shade(그늘에서), in the sun(양지에서), in the wind(바람에)
기타 관용구	in the long run(결국), on the whole(대체로), by the way(그런데), to the point(요령이 있는)

☞ 'the+고유명사'는 219쪽, 'the+형용사'는 273쪽 참조.

관사의 위치

1 원칙

명사에 관사를 붙이는 경우 다음과 같은 어순으로 쓴다.

관사+명사	The gentleman is a professor. 그 신사는 교수다.
관사+형용사+명사	The *tall* boy is a *hard* worker. 그 키가 큰 소년은 부지런한 사람이다.
관사+부사+형용사+명사	The *fairly old* woman is a *very famous* pianist. 꽤 나이들어 보이는 여성은 아주 유명한 피아니스트다.

2 예외

관사는 명사나 그 명사의 수식어 앞에 쓰는 것이 원칙이지만, 다음의 경우 어순이 바뀌어 관사를 수식어 뒤에 쓰기도 한다.

❶ all(both, double, half)+the+명사

all, both, double, half 등이 명사를 수식하는 경우 정관사 앞에 쓴다.

I know *all* the boys. 나는 그 소년들을 모두 안다.

Both the parents are alive. 부모님은 두 분 모두 생존해 계시다.

> 주의 '반시간'은 영국영어에서는 half an hour이지만, 미국영어에서는 a half hour라고도 한다.

❷ what(such)+a(an)+(형용사)+명사

what이나 such가 명사를 수식하는 경우 부정관사 앞에 쓴다.

What a fine day it is today! 오늘은 날씨가 참 좋다!

I want to talk with *such* a beautiful girl. 저런 예쁜 소녀와 얘기하고 싶다.

❸ so(how, as, too)+형용사+a(an)+명사

so, how, as, too 등이 명사를 수식하는 경우에는 형용사와 함께 부정관사 앞에 쓴다.

He did it in *so* short a time. 그는 그렇게 짧은 시간에 그 일을 해냈다.

We had *so* good a time. 우리들은 아주 즐거운 시간을 보냈다.

관사의 생략과 반복

1 관사의 생략

일반적으로 셀 수 있는 명사 앞에는 관사를 붙여 쓰지만, 다음의 경우에는 생략한다.

❶ 호칭인 경우

Waiter, come here. 웨이터, 이리로 와보세요.

How is my mother, doctor? 선생님, 제 어머니는 어떠신가요?

❷ 자신의 가족이나 친족을 나타내는 경우

이 경우 고유명사로 취급하여 첫 글자를 대문자로 쓸 수 있다.

Mother is sick. 어머니는 아프시다.

Father is now taking a nap. 아버지는 지금 낮잠을 주무신다.

❸ 시설이나 건물이 본래의 목적으로 쓰이는 경우

건물 자체를 나타낼 때는 보통 관사를 쓴다.

My brother goes to school every day. 동생은 매일 학교에 다닌다. …〈수업〉

I went to the *school* to see the principal. 나는 교장을 만나러 학교에 갔다. …〈건물 자체〉

☞ 같은 표현으로 go to market(장을 보러 가다), go to hospital(입원하다), go to sea(선원이 되다), go to bed(잠자리에 들다) 등이 있다.

❹ 관직이나 신분을 나타내는 말인 경우

관직이나 신분을 나타내는 말이 보어 또는 다른 명사와 동격으로 쓰이는 경우이다.

He was appointed President of the university. 그는 그 대학 총장에 임명되었다.

Do you know *Tom Brown*, captain of the team? 팀의 주장인 톰 브라운을 아니?

❺ 교통·통신 수단을 나타내는 경우

Few people came to the wedding *by* bus. 버스로 결혼식에 온 사람은 거의 없었다.

We will notify you the result *by* mail. 결과를 우편으로 통지해 드릴 겁니다.

☞ 같은 표현으로 by train(열차로), by ship(배로), on foot(걸어서), by phone(전화로), on horseback(말을 타고) 등이 있다.

❻ 식사·스포츠 이름을 나타내는 경우

We invited him for dinner. 우리는 그를 저녁식사에 초대했다.

He is too young to play baseball. 그는 야구를 하기엔 너무 어리다.

☞ 수식어가 붙어 특정한 의미를 나타낼 때는 관사를 붙인다.
　　a *light* lunch(가벼운 점심식사)

❼ 명사 둘이 대구를 이루는 경우

같은 명사나 의미상 관련된 명사가 접속사나 전치사로 대구를 이루는 경우이다.

Man *and* woman must respect each other. 남녀는 서로 존중해야 한다.

The girls came dancing arm *in* arm. 소녀들이 팔짱을 끼고 춤추며 왔다.

☞ husband and wife(부부), young and old(노소), day and night(밤낮), mother and child(모자)
　　side by side(나란히), day by day(매일), little by little(조금씩), face to face(얼굴을 맞대고)

❽ a kind of ~, a sort of ~(일종의 ~) 다음에 오는 명사의 경우

He has *a new kind of* razor. 그는 새로운 종류의 면도기를 갖고 있다.

He is not *the sort of* man to do such a thing. 그는 그런 일을 할 사람이 아니다.

❾ 관용적으로 관사를 생략하는 경우

I found my lost watch by chance. 우연히 나는 잃어버린 시계를 찾았다.

I know him by name, but not by sight. 그 남자의 얼굴은 모르지만, 이름은 알고 있다.

☞ by accident(우연히), by mistake(실수로), at hand(가까이에), take place(일어나다), at first(처음에는), at last(마침내)

2 관사의 반복

두 개의 명사를 and로 연결할 때 '동일한 것'이면 첫 번째 명사에만 관사를 붙이지만, '다른 것'이면 둘다에 관사를 붙이는 것이 원칙이다.

```
관사+명사+and+명사 →      1개
관사+명사+and+관사+명사 → 2개
```

He saw a *white and black cat*. 그는 얼룩고양이를 보았다.

He saw a *white and a black cat*. 그는 흰 고양이와 검은 고양이를 보았다.

The *actor and singer* speaks English well. 그 배우이자 가수는 영어를 잘 한다.

The *actor and* the *singer* speak English well. 그 배우와 그 가수는 영어를 잘 한다.

Q ① He is a poet and novelist. ② He is a poet and a novelist. ③ They are a poet and a novelist. 이 세 문장이 어떻게 다른지 설명해 주세요.

A ①는 '그는 시인이자 소설가다' ②는 '그는 시인이고 또한 소설가다' ③는 '그들은 시인과 소설가다'라는 뜻입니다. 명사가 and나 or로 연결되어 있는 경우 같은 인물일 때는 ①처럼 첫 번째 명사에만 관사를 붙이지만, 같은 인물이라도 특별히 강조하는 경우에는 ②처럼 관사를 반복합니다. 두 명사가 다른 인물일 때는 ③와 같이 각각에 관사를 붙입니다.

《해답 425쪽》

Review Test 05

( ) 안에 알맞은 관사를 넣으세요.(관사가 필요 없으면 ×표 하세요).

1. (   ) owl can see well in (   ) dark.

2. He works from (   ) morning till (   ) night.

3. (   ) sun was shining and (   ) fresh breeze was blowing.

4. I go to (   ) movies twice (   ) month.

5. (   ) Seoul is (   ) capital of (   ) Korea.

Tips

가본 관사를 써야 하는지 또는 부정관사와 정관사 중 어느 것을 써야 하는지 결정하기 위해 다음의 사항들을 생각해 본다.
① 명사가 셀 수 있는 명사인지 셀 수 없는 명사인지 판단한다.
② 명사가 나타내는 것이 특정한 것인지 불특정한 것인지 판단한다.

풀이 1. ( ) owl은 종류 전체를 나타낸다.
2. 대구를 이루는 것은 관사를 생략하기도 한다.
3. sun은 세상에 하나뿐인 것이다.
4. 뒤의 ( )에는 앞에 twice라는 횟수를 나타내는 말이 있다.
5. Seoul, Korea는 고유명사, capital은 of ~로 한정되어 있다.

《해답 426쪽》

Chapter 11

Exercise

A 다음의 의미를 나타내는 집합명사를 쓰세요.

1. a number of trees planted close together
2. a collection of books
3. a large group of people gathered in the street
4. the people listening to a play or concert
5. a group of playing a game against a group of opponents

Tips

B 밑줄 친 곳을 바르게 고치세요.

1. Two <u>soaps</u> were gnawed by rats.
2. I got <u>a few informations</u> about my opponent.
3. She put <u>three sugars</u> into her coffee.
4. Fetch me <u>three chalks</u>, please.
5. She has <u>seven shoes</u>.
6. I ordered <u>three furnitures</u> from the shop.
7. She bought <u>two breads</u> at the baker's.

1. gnaw(갉아먹다)
2. opponent(경쟁상대)
4. fetch(가지고 오다)
6. order A from B(A를 B에 주문하다)

C 각 문장을 의미의 차이에 주의해서 우리말로 옮기세요.

1. (a) His family is small.

   (b) His family are all small.

2. (a) A picture of my father's is missing.

   (b) A picture of my father is missing.

3. (a) Tom's and Jack's baseball bat are broken in two.

   (b) Tom and Jack's baseball bat is broken in two.

4. (a) Her father has grey hair.

   (b) Her father has some grey hairs.

2. missing(없어진)
3. break ~ in two(둘로 쪼개지다)

D ( ) 안에 a, an, the 중 알맞은 것을 쓰세요. 필요 없는 경우 ×표 하세요.

1. ( ) new Korea is ( ) democratic country.

2. People living in ( ) country can enjoy ( ) fresh air.

3. There are ( ) three Walkers in this class. ( ) Paul Walker is ( ) most diligent of ( ) three.

4. "( ) honesty is ( ) best policy" is ( ) old proverb.

5. A: What book is this?
   B: It is ( ) book on ( ) economics.

1. 고유명사 Korea 앞에 형용사(new)가 있다.

2. in ( ) country는 '시골에서'라는 의미이다.

3. Walkers는 '워커라는 성을 쓰는 사람'이라는 의미이다.

4. honesty(정직)는 추상명사이다.

5. 여기서 book은 특정한 책을 가리키는 게 아니다. economics(경제학)

E 다음을 우리말로 옮기세요.

1. The boy touched me on the cheek.

2. The hero did his best to save the poor.

3. Don't take what she says to the letter.

4. She was away from her hometown for a while.

5. It has been raining six hours on end.

1. '동사+사람+전치사+the+신체 부위'는 신체 부위에 가해지는 행위를 표현한다.

4. for a while(잠시)

5. on end(계속해서)

Chapter

12

대명사

명사를 대신하여 쓰는 말을 대명사(Pronoun)라고 한다. 대명사에는 다음과 같은 것들이 있다.

1️⃣ 인칭대명사(Personal Pronoun) … I, you 등.

2️⃣ 지시대명사(Demonstrative Pronoun) … this, that 등.

3️⃣ 부정대명사(Indefinite Pronoun) … some, any 등

4️⃣ 의문대명사(Interrogative Pronoun) … who, what 등.

5️⃣ 관계대명사(Relative Pronoun) …⟨··→ 320쪽 참조⟩

01 인칭대명사

I, we, you, he, she, it, they 등 아래의 표에 있는 대명사를 인칭대명사라고 한다. 인칭대명사는 인칭·성·수에 따른 구별이 있고, 주격·소유격·목적격의 구별이 있다. 또한 소유대명사와 재귀대명사도 인칭대명사에 포함된다.

1인칭은 말하는 사람, 2인칭은 듣는 상대방, 3인칭은 그 외의 화제에 오른 제3자를 가리킨다.

1 인칭대명사의 격 변화

명사와는 다르게 인칭대명사는 문장에서의 역할에 따라 형태가 달라진다. 이것을 인칭대명사의 격 변화라고 하며 인칭과 수에 따라 다음과 같은 격 변화가 있다.

인칭	수·성		주격	소유격	목적격
1인칭	단수		I	my	me
	복수		we	our	us
2인칭	단수		you	your	you
	복수				
3인칭	단수	남성	he	his	him
		여성	she	her	her
		중성	it	its	it
	복수		they	their	them

❶ 주격

문장에서 주어로 쓰는 형태를 주격이라고 한다.

I play tennis in the afternoon. 나는 오후에 테니스를 한다.

He couldn't answer the question. 그는 질문에 대답할 수 없었다.

❷ 소유격

명사 앞에 쓰여 '~의'라는 의미를 나타내는 형태를 소유격이라고 한다. 대명사의 소유격은 단독으로 쓸 수 없고 항상 명사 앞에 쓴다.

This is my **car.** 이것이 내 자동차다.

He carved his **initials on the desk.** 그는 책상 위에 그의 이름의 머리글자를 새겼다.

❸ 목적격

문장에서 동사나 전치사의 목적어로 쓰는 형태를 목적격이라고 한다. 전치사의 목적어로 쓰일 경우 부사구나 형용사구가 된다.

I can see him **again soon.** 나는 곧 그를 만날 수 있다.

Look at the girl *behind* me. 내 뒤에 있는 소녀를 봐라. …〈전치사의 목적어; 형용사구〉

I took my sister to the zoo *with* me. 나는 여동생을 동물원에 데려갔다. …〈전치사의 목적어; 부사구〉

   ☞ 원래는 주격 대명사를 써야 하지만, 목적격을 쓰는 경우도 있다.
      A: Who is it?(누구세요?) − B: It's me.(나야.)
      A: I will go.(나 갈게.) − B: Me, too.(나도.)

2 we, you, they의 특별용법

we, you, they가 특정한 사람들이 아닌 일반적인 사람을 가리켜 '사람들(people)'의 의미로 쓰이는 것이다. 우리말로 '사람은'이라고 해석하지 않아도 될 때가 많다.

> we … 말하는 사람을 포함한 일반적인 사람들
> you … 말하는 사람과 상대방을 포함한 일반적인 사람들
> they … 말하는 사람이나 상대방을 포함하지 않은 일반적인 사람들

We have three meals a day. 사람은 하루 세 번 식사를 한다.

You should be kind to others. 다른 사람들에게 친절해야 한다.

They speak English in Australia. 호주에서는 영어를 쓴다.

They say that he is rich.(=It is said) 그는 부자라고 한다.

   ☞ They say that ~은 '~이라고들 한다.'라는 의미.

3 it의 특별용법

it은 '그것'이라는 뜻으로 'the+단수명사' 대신 쓰는 용법 외에 다음과 같은 용법이 있다. 이 경우 '그것'이라고 해석하지 않는다.

❶ 비인칭주어 it

날씨, 시간, 거리, 명암, 계절, 상황 등을 나타내는 표현에서 it을 주어로 쓰는 용법이다. 이 it을 비인칭주어라고 하며 별다른 의미 없이 단순히 문장에서 주어 역할만 한다. 이것은 주어가 없으면 문장이 성립하지 않는 영어의 특징 때문이다.

It is fine today. 오늘은 좋은 날씨다. …〈날씨〉

It is just ten o'clock. 정확히 10시다. 〈시간〉

How far is it from here to Suwon? 여기서 수원까지 거리가 얼마나 되니? …〈거리〉

It was dark in the room. 방 안은 어두웠다. …〈명암〉

It is spring now. 지금 봄이다. …〈계절〉

A: Who is it? – B: It's me. 누구시죠? – 나야. …〈상황〉

❷ 가주어·가목적어의 it

주어나 목적어로 to부정사구, 동명사구, 명사절을 쓰는 경우 길이가 길어지는 것을 피하려고 주어나 목적어를 뒤로 보내고 그 자리에 it을 써서 형식적인 주어나 목적어 역할을 하게 하는 용법이다.

It is wrong *to tell a lie.* 거짓말 하는 것은 나쁘다. …〈가주어〉
　　　　　　진주어

It is certain *that he will come.* 그가 오는 것은 확실하다. …〈가주어〉
　　　　　　　진주어

I think it necessary *to wait for him.* 그를 기다릴 필요가 있는 것 같다. …〈가목적어〉
　　　　　　　　　　진목적어

He found it very dangerous *crossing the railway bridge.* …〈가목적어〉
　　　　　　　　　　　　　　진목적어
그는 철교를 건너는 것이 매우 위험하다는 것을 알았다.

❸ 강조 구문의 it

문장의 일부를 강조하기 위해 'It is(was) … that ~.(~한 것은 바로 …이다.)' 형식을 쓸 수 있다. … 부분에 강조하는 말을 ~ 부분에는 나머지 말을 쓴다. 이런 형식을 강조구문이라고 한다.^(→ 392쪽 참조)

It was *a kite* that I made yesterday. 내가 어제 만든 것은 연이었다.

It is *after school* that they play baseball. 그들이 야구를 하는 건 방과후다.

❹ 앞에 나온 구나 절의 내용을 가리키는 it 〈⋯ 252, 329쪽 참조〉

I tried *to rise*, but found it impossible. 일어나려고 했지만 그럴 수 없다는 것을 알았다.

He had died three years before; I did not know it. 그는 3년 전에 죽었는데, 나는 그것을 알지 못했다.

소유대명사

소유대명사는 '~의 것'이란 의미로 '인칭대명사의 소유격+명사'를 하나의 대명사로 나타낸 것이다.
소유대명사는 인칭·수·성에 따른 변화가 있다.

1 소유대명사의 형태

인칭	수·성		인칭대명사			소유대명사
			주격	소유격	목적격	
1인칭	단수		I	my	me	mine
	복수		we	our	us	ours
2인칭	단수		you	your	you	yours
	복수					
3인칭	단수	남성	he	his	him	his
		여성	she	her	her	hers
		중성	it	its	it	-
	복수		they	their	them	theirs

☞ mine을 제외하면 소유격에 -s를 붙인 형태이다. his는 소유격과 소유대명사의 형태가 같다.

2 소유대명사의 용법

❶ 소유대명사 = 인칭대명사의 소유격+명사

소유대명사는 '인칭대명사의 소유격+명사'와 같으므로 문장의 전후관계에서 어떤 명사가 소유격
다음에 오는지 분명히 알 수 있는 경우에 소유대명사가 쓰인다.

This book is mine.(=my book) 이 책은 내 것이다.

Your teacher is here. Where is ours?(=our teacher) 너희 선생님은 여기 계셔. 우리 선생님은 어디 계시니?

❷ 인칭대명사의 소유격과 소유대명사 비교

인칭대명사의 소유격은 반드시 뒤에 명사를 동반하지만, 소유대명사는 단독으로 쓰인다.

This is my *dictionary*. 이것은 내 사전이다. …⟨소유격⟩

This dictionary is mine. 이 사전은 내 것이다. …⟨소유대명사⟩

❸ 이중소유격

소유격 앞에 관사(a, an)나 지시사(this/that) 또는 no, any, some 등을 쓸 수 없으므로 소유격 대신

'명사+of+소유대명사' 형태의 이중소유격을 쓴다. 예를 들면 '내 친구들 중 하나'라고 할 때 a my friend 또는 my a friend라고 할 수 없고, a friend of mine이라고 해야 한다.

This is *an evening dress of* hers. 이 드레스는 그녀의 이브닝드레스 중 하나이다.

I dislike *that friend of* yours. 나는 네 저 친구가 싫다.

> ☞ 의미의 차이를 알아두자.
> a friend of mine(=one of my friends) … 내 친구 중 하나
> my friend … 내 단 한 명의 친구 또는 친구 중 특정한 한 명
> my friends(=all the friends that I have) … 내 친구 모두

❹ **소유대명사는 단수·복수의 구별이 없다.**

소유대명사는 그것이 포함하는 명사의 의미에 따라 같은 형태로 단수로도 복수로도 쓰인다.

Your book is interesting, but mine *is* not so. 네 책은 재미있지만, 내 책은 그렇지 않다. …〈단수〉

Your ears are well-shaped, but mine *are* not so. 네 귀는 잘 생겼지만, 내 귀는 그렇지 않다. …〈복수〉

03 재귀대명사

인칭대명사의 소유격 또는 목적격에 -self 또는 -selves를 붙인 것을 재귀대명사라고 하며 '~자신'이라는 의미를 나타낸다. 재귀대명사는 인칭·수·성에 따른 변화가 있다.

1 재귀대명사의 형태

인칭	수·성		인칭대명사			소유대명사	재귀대명사
			주격	소유격	목적격		
1인칭	단수		I	my	me	mine	myself
	복수		we	our	us	ours	ourselves
2인칭	단수		you	your	you	yours	yourself
	복수						yourselves
3인칭	단수	남성	he	his	him	his	himself
		여성	she	her	her	hers	herself
		중성	it	its	it	hers	itself
	복수		they	their	them	theirs	themselves

2 재귀대명사의 용법

❶ 재귀 용법

타동사나 전치사의 목적어로 쓰여 주어의 동작이 주어 자신에게 다시 돌아오는 용법이다. 주어와 목적어가 같은 사람(사물)인 경우 목적어를 재귀대명사로 쓴다.

The thief killed himself. 도둑은 자살했다. ···〈동사의 목적어〉

She looked *at* herself **in the mirror.** 그녀는 거울에 비친 자신을 바라보았다. ···〈전치사의 목적어〉

❷ 강조 용법

명사나 대명사를 강조하기 위해 그 명사(대명사) 뒤나 문장 끝에 재귀대명사를 쓴다.

I **did it** myself. 나 자신이 그 일을 했다. ···〈주어를 강조〉

I trust *you* yourself. 나는 너 자신을 믿는다. ···〈목적어를 강조〉

He is *kindness* itself. 그는 친절 그 자체다. ···〈보어를 강조〉

참고

인칭대명사의 소유격 뒤에 형용사 own을 써서 강조할 수도 있다. '~자신'이란 의미이다.

She paints a picture in *her* **own way.** 그녀는 자신의 방식으로 그림을 그린다.

❸ 관용적 용법

재귀대명사는 '전치사+재귀대명사' 형식으로 관용구를 만든다.

He completed the work *for* himself. 그는 혼자서 그 일을 끝냈다.

Take good care *of* yourself. 몸조리 잘 하세요.

☞ for oneself(자기 힘으로), by oneself(=alone)(혼자서), of itself(저절로), in itself(본래), beside oneself(제정신이 아닌), say to oneself(혼잣말을 하다), come to oneself(의식을 회복하다)

Review Test 01

《해답 426쪽》

다음을 영어로 쓰세요.

1. 올해는 눈이 많이 왔다.
2. 여기서 옆 마을까지는 걷기에 먼 거리다.
3. A: 오늘 몇 월 며칠이니?
   B: 5월 1일이이야.
4. 그녀는 몇 몇 친구들에게 편지를 쓰고 있다.
5. 기차역은 인생 그 자체와 닮았다.

Tips

가본 막연한 일반 사람을 가리키는 we, you, they나 시간·거리를 나타내는 it은 우리말에는 없지만, 영어에서는 주어로 써야 한다.

풀이 1. this year를 주어로 쓸 수 없으므로 '우리는 올해 많은 눈을 가졌다.'라고 생각해서 We를 주어로 쓴다.
2. 거리를 나타내는 it을 주어로 쓴다. '걷기에 먼 거리' → a long walk.
3. 시간을 나타내는 it을 주어로 쓴다. '몇 월 며칠' → What day of the month
4. '몇 명의 그녀의 친구'는 some her friends라고 할 수 없다. some과 her를 나란히 쓸 수 없으므로 some friends of hers로 해야 한다.
5. '~ 그 자체'는 강조 용법의 재귀대명사를 쓴다.

04 지시대명사

this, these, that, those 등과 같이 특정한 사람이나 사물을 가리키는 대명사를 지시대명사라고 한다. 지시대명사가 명사 앞에 쓰여 그 명사를 수식하는 형용사 역할을 하는 경우에는 지시형용사라고 한다.

1 this / these, that / those의 용법

this의 복수는 these, that의 복수는 those이다.

❶ 일반적인 용법

this는 시간적·공간적으로 가까운 것, that은 시간적·공간적으로 먼 것을 가리킨다.

This is a desk and that is a table. 이것은 책상이고 저것은 테이블이다.

These *books* are mine; those *ones* are Tom's. 이 책들은 내 것이고, 저 책들은 톰의 것이다. …〈지시형용사〉

> **주의** 문장에서 this가 거리적으로 가까운 쪽 즉 후자, that이 먼 쪽 즉 전자를 나타내기도 한다.
>
> Work and play are both necessary to health; this gives us rest, and that gives us energy.
> 일과 놀이는 모두 건강에 필수적이다. 후자(놀이)는 우리에게 휴식을 주고, 전자(일)는 우리에게 활력을 준다.

❷ 명사의 반복을 피하기 위한 용법

앞에 나온 명사의 반복을 피하기 위해 'the+명사'를 that으로 대신하는 용법이다. 받는 명사가 복수일 경우에는 those를 쓴다.

The voice of woman is softer than that of man.(that=the voice)
여성의 목소리는 남성의 목소리보다 부드럽다.

Their clothes are quite like those of our ancestors.(those=the clothes)
그들의 옷은 우리 선조들의 옷과 꽤 유사하다.

❸ 이미 나온 구나 절을 가리키는 용법

He didn't keep his word. This irritated his father. 그는 약속을 지키지 않았다. 그 일로 그의 아버지는 화가 났다.

He is full of ambition; that I know. 그는 야심으로 가득 차 있다. 나는 그것을 알고 있다.

> ☞ That is (the reason) why ~도 같은 용법이다.
> I got up too late. That is why I missed the train. 나는 늦잠을 잤다. 그래서 그 열차를 타지 못했다.

❹ 다음 문장의 내용을 가리키는 this

this는 앞에서 언급한 것을 가리키는 것이 일반적이지만, 앞으로 말하는 내용에 주의를 끌기 위해 쓰이기도 한다. that에는 이 용법이 없다.

The question is this that we have no money to buy it with.
문제는 이것이다. 즉 우리는 그걸 살 돈이 없다는 것이다.

참고

those who(whose/whom) ~형태로 '~하는 사람들'이란 의미를 나타낸다. 이 경우 those는 일반적인 사람을 나타내며 관계대명사의 선행사로 쓰인 것이다.

Those *who wish to smoke* must go outside. 담배를 피우고 싶은 사람은 밖으로 나가야 한다.

또한 those present(참석자), those concerned(관계자), those around us(주변사람)처럼 관계대명사절 외에 형용사(구)를 쓸 수도 있다.

Those *present* were all surprised at this. 참석한 사람들은 모두 이것을 보고 놀랐다.

---

2 such의 용법

❶ 대명사로서의 용법

대명사 such는 '그와 같은 것(사람)'이라는 의미로 단수·복수에 관계없이 쓸 수 있다.

1. 이미 언급한 특정한 명사를 가리키는 경우

   Those who have left parcels can recover such on application.(=the parcels that they have left)
   소포를 두고 간 사람은 신청하면 그 소포를 돌려받을 수 있다.

2. be동사의 보어로 쓰여 앞 문장의 내용을 가리키는 경우

   보통 'Such+be동사+주어' 어순으로 쓸 때가 많다.

   Mother is ill in bed. Such *being the case*, I am sorry to say that I cannot attend the meeting.
   어머니가 편찮으세요. 죄송하지만, 그런 사정으로 회의에 참석할 수 없어요.

❷ 형용사로서의 용법

1. '그와 같은 ~'라는 의미를 나타낸다.

   such 뒤에 단수명사를 쓸 때는 'such a(an)+명사'로 쓴다.

   I have never seen such *a beautiful sight*. 나는 그런 아름다운 경치를 본 적이 없다.

   Such *men* are trusted. 그런 사람들이 신뢰를 받는다.

2. '형용사+명사'를 동반하여 '매우 ~한'이라는 의미의 강조를 나타낸다.

He is such *a tall boy.* 그는 매우 키가 큰 소년이다.

☞ 구어에서는 형용사 없이 '굉장한' '지독한' 등의 의미를 나타낸다.
She is such *a beauty.* 그녀는 정말 예쁘다.

3. such A as B: B와 같은 A 〈⋯→ 333쪽 참조〉

such는 'such A as B' 또는 'A, such as B' 형태로 A의 구체적인 예를 B로 나타내는 경우에 쓴다.

Such languages as French, Italian and Spanish come from Latin.
프랑스어, 이탈리아어, 스페인어와 같은 언어는 라틴어에서 나왔다.

There were just basic tools, such as modelling clay and chalkboards in the classrooms.
교실에는 점토와 칠판과 같은 기본적인 도구들만 있었다.

> **참고**
> ────────────────────────────
> 'such A as to+동사원형'의 형태로 '~할 정도(만큼)의 사람(사물)'이라는 의미를 나타내는 용법도 알아두자.
> I am not such a fool as to believe every word he says. 나는 그가 하는 말을 모두 믿을 정도로 바보는 아니다.
> ────────────────────────────

4. such+(형용사+)명사+that ~: 매우 …해서 ~

She had such a fright that she fainted. 그녀는 너무 놀라서 기절했다.

This is such a light stone that everybody can lift it. 이 돌은 매우 가벼워서 누구나 들 수 있다.

3 same의 용법

same은 대명사 외에 형용사, 부사로도 쓰인다.

❶ the same 형태로 '동일한 것(사람)'이란 의미의 대명사로 쓰이는 경우

A: I'd like a salad and a cup of coffee. 샐러드하고 커피 한 잔 주세요.
B: I'll have the same. 나도 같은 걸로 할게요.

He whistled twice and his friend did the same. 그는 두 번 호루라기를 불었고 그의 친구도 같은 일을 했다.

❷ the same ~ as ... / the same ~ that ...

the same은 형용사로도 쓰이므로 'the same+명사'는 '동일한 ~'라는 의미가 된다. 무엇과 같은지를 나타내기 위해 뒤에 as ...를 붙여 쓰며 as 뒤에는 절, 명사, 대명사가 온다. 〈⋯→ 333쪽 참조〉

He is the same *age* as his wife (is). 그는 내 아내와 같은 나이다.

He has the same *fountain pen* that I have lost. 그는 내가 잃어버린 것과 같은 만년필을 갖고 있다.

주의 the same ~ as...는 '같은 종류'를 나타내고, the same ~ that...은 '동일물'을 나타낸다고 하지만, 실제에서는 구별 없이 쓰인

다. 따라서 문맥으로 판단해야 한다.

I attend the same *school* as(that) **he does.** 나는 그와 같은 학교에 다닌다.

참고

much the same은 almost the same(거의 마찬가지)의 의미로 보어로 쓰일 수 있다.

The prices are much the same. 값은 비슷비슷하다.

이 외에도 about the same, just the same, exactly the same도 같은 의미로 쓰인다.

《해답 426쪽》

Review Test - 02

다음을 우리말로 옮기세요.

1. He expressed his own grief and that of millions of others in one of his famous poems.

2. I tried to persuade him, but that was not easy.

3. She is not happy, only she seems such.

4. I paid him 50 dollars, and I will pay you the same.

 Tips

가본 명사의 반복을 피하기 위해 that(those) of ~를 쓸 수 있다. 이 that(those)은 명사로 바꿔 해석해야 한다. that, such, same 이 무엇을 가리키는지 파악한다.

풀이 1. that = the grief   grief(슬픔)
2. that = to persuade him   persuade(설득하다)
3. such = happy
4. the same = 50 dollars   paid<pay(지불하다)

05 부정대명사

특정한 것을 가리키지 않고 막연한 사람이나 사물 또는 수량을 나타내는 대명사를 부정대명사라고 한다. 부정대명사에는 one, none, some, any, other, another, each, every, both, all, either, neither 등이 있다. 이것들은 형용사로 쓰일 때도 있으며 형용사로 쓰인 부정대명사를 대명형용사라고 한다. some, any, every, no는 -thing, -body, -one 등과 결합하여 부정대명사가 된다.

1 one

부정대명사 one은 수사 one에서 온 것이어서 항상 셀 수 있는 명사에 쓰인다. 주격과 목적격은 one, 소유격은 one's, 복수형은 ones, 재귀대명사는 oneself이다.
one은 일반 사람을 가리키거나 명사 대신 쓰인다.

❶ **일반 사람을 나타낸다.**

we, you, they와 같이 일반 사람을 나타낸다. 이 경우 복수형 ones는 쓸 수 없다.

One must take care of oneself. 사람은 몸을 소중히 해야 한다.

It gives one useful information. 그것은 사람들에게 유용한 정보를 준다.

일단 one을 쓰기 시작했으면 끝까지 one을 쓰는 게 원칙이지만, 미국영어에서는 he로 받을 때가 많다.

One has to take care of *himself* and *his* family if *he* can. 사람은 가능한 한 자신과 가족을 돌봐야 한다.

❷ **'a(an)+단수명사' 대신 쓰인다.**

이미 화제에 오른 같은 종류의 불특정한 명사를 가리키는 경우 'a(an)+단수명사' 대신 one을 쓴다.

As I have lost my pen, I must buy one.(=a pen) 펜을 잃어버려서 하나 사야 한다.

I don't like this hat. Show me a better one.(=a hat) 이 모자는 마음에 들지 않아요. 더 좋은 모자를 보여 주세요.

❸ **one은 관사를 붙이거나 복수형으로 쓸 수 있다.**

one에는 관사나 형용사 같은 수식어를 붙이거나 복수형으로 쓸 수 있다.

This story is *a long* one. 이 소설은 장편소설이다.

These stories are *long* ones. 이 소설들은 장편소설이다.

☞ one에 the를 붙이면 특정한 것을 나타낼 수 있다.

These pictures are better than the ones I took last week.(=pictures) 이 사진들은 지난 주에 찍은 사진보다 좋다.

❹ one을 쓸 수 없는 경우

one은 셀 수 없는 명사를 대신할 수 없다. 또한 형용사가 있는 경우 생략된다.

I like red wine better than white. 나는 화이트와인보다는 레드와인을 좋아한다.

소유격 뒤에는 one을 쓸 수 없다.

(○) **This desk is mine.** 이 책상은 내 것이다.

(×) **This desk is my one.**

참고

one과 it의 차이

one은 이미 화제에 오른 불특정한 명사(a/an+단수명사)를 대신하고, it은 이미 화제에 오른 특정한 명사(the+단수명사) 대신한다.

A: Do you have the knife? – B: Yes, I have it.(=the knife) …〈특정한 나이프〉
A: Do you have a knife? – B: Yes, I have one.(=a knife) …〈불특정한 나이프〉

---

2 other, another

other와 another는 대명사 외에 형용사로도 쓰인다. other는 '다른 사람(것)'이란 의미이고, 복수는 others, 소유격은 other's이다. 특정한 것을 나타낼 때는 the other나 the others를 쓴다.

another는 '또 하나의 다른 사람(것)'이란 의미이다. 원래 'one+other'이므로 항상 단수 취급하며 소유격은 another's다.

This box is too small; give me the other (one). 이 상자는 너무 작아. 다른 상자 하나 줘.
I don't like this one, show me another. 이건 마음에 안 드니까 다른 것을 보여 줘요.
I have some other *things* to do. 해야 할 다른 일이 있다. …〈형용사〉
That's another *story*. 그건 다른 얘기다. …〈형용사〉

other나 another를 쓰는 관용 표현에는 다음과 같은 것들이 있다.

❶ one ~ the other …: (둘 중에) 하나는 ~, 나머지 하나는 …

one은 특정하지 않은 하나, the other는 둘 중 나머지 하나를 나타낸다.

There were two books; one was thick and the other was thin.
책이 두 권 있었다. 하나는 두꺼웠고 다른 하나는 얇았다.

☞ 셋 중에서 하나, 다른 하나, 나머지 하나는 one – another – the other(the third)로 나타내고, 넷 중에서 하나, 다른 하나, 또 다른 하나, 나머지 하나는 one – another – a third – the other(the fourth)로 나타낸다.

② one ~ the others ...: (여럿 중에) 하나는 ~이고, 나머지 전부는 …

some ~ the others ...: (여럿 중에) 어떤 것들은 ~ 나머지 전부는 …

one과 some은 특정하지 않은 것이고 그것들을 제외한 나머지 전부는 특정이 되므로 others에 the 를 붙인다.

I have three cats; one is black and the others (are) brown.
나는 고양이 세 마리를 기른다. 한 마리는 검은색이고 나머지 두 마리는 갈색이다.

Three of the club members came on time, but the others were all late.
회원 중 셋은 제시간에 왔지만, 나머지 회원들은 모두 늦었다.

③ some ~ others ...: ~하는 것도 있고, …하는 것도 있다

여러 집단이 있고 그 중 특정하지 않은 집단 둘을 나타내는 표현이다. 이것은 one ~ another ...를 복수로 한 형태이다.

Some people drink coffee after dinner while others drink green tea.
저녁식사 후에 커피를 마시는 사람도 있고 녹차를 마시는 사람도 있다.

One of the three sisters likes music and another likes literature.
세 자매 중에는 음악을 좋아하는 이도 있고 문학을 좋아하는 이도 있다. …〈나머지 한 명은 무엇을 좋아하는지 알 수 없다.〉

④ the one ~ the other ...: 전자는 ~, 후자는 …

There are men and women in the world. The one must protect the other. (the one=men, the other=women)
세상에는 남성과 여성이 있다. 전자는 후자를 보호해야 한다.

⑤ on the one hand ~ on the other (hand): 한편은 ~ 다른 한편은 …

On the one hand I have to study, on the other hand I have a lot of visitors to see.
한편으로는 일을 해야 하고, 한편으로는 만나야 할 손님이 많다.

☞ on the one hand 없이 on the other hand만 단독으로 쓰이는 경우가 많다.

⑥ A is one thing ~ B is another (thing): A와 B는 별개다.

Saying is one thing, and doing is another. 말과 행동은 별개다. → 언행은 일치하지 않는다.

⑦ each other, one another: 서로

each other는 둘 사이에, one another는 셋 이상의 경우에 쓰일 때가 많지만 절대적인 것은 아니다.

They love each other. 그들은 서로 사랑하고 있다.

We looked at one another. 우리는 서로 얼굴을 바라보았다.

We know each other's weak points. 우리는 서로 상대의 약점을 알고 있다.

❽ one after the other: (둘이) 교대로

one after another: (셋 이상이) 차례대로

They took a rest one after the other. 그들은 교대로 휴식을 취했다.

The boys came in one after another. 소년들은 차례대로 들어왔다.

3 some, any

some과 any는 '약간, 다소'라는 의미로 대명사와 형용사로 쓰이며, 단수·복수에 모두 쓸 수 있다.

❶ some과 any는 수를 나타낼 때는 복수 취급하고, 양을 나타낼 때는 단수 취급한다.

Some of the members *were* tired. 회원 중 몇 명은 지쳐 있었다.

Are **any of the students present?** 그 학생들 중 몇 명이나 출석했니?

Some of the butter *has* melt. 버터가 좀 녹았다.

Is **any of her beauty lost?** 그녀는 미모를 좀 잃었나요?

❷ 원칙적으로 some은 긍정문에, any는 부정문, 의문문, 조건절에 쓴다.

I have some **money.** 나는 돈이 좀 있다. ···〈긍정문〉

I don't have any **suspicion.** 나는 아무 의심도 없다. ···〈부정문〉

Do you have any **good idea?** 좋은 생각 좀 없니? ···〈의문문〉

If you need any **bread, you can buy** some **at the bakery.** 빵이 필요하면 빵집에서 살 수 있다. ···〈조건절〉

☞ 의문문에 some을 쓰는 경우는 긍정의 대답을 기대하거나 권유할 때이다.
  Would you like some **more coffee?** 커피 좀 줄까?
  Can you lend me some **money?** 돈 좀 빌려줄 수 있니?

  긍정문에 any를 쓰면 '어떤 ~라도'라는 강조의 의미를 나타낸다. 이 경우 'any+단수명사' 형태로 쓸 때가 많다.
  Any *child* **can do it.** 어떤 아이도 그 일을 할 수 있다.
  Take any *card* **you like.** 어느 카드든 마음에 드는 걸 뽑아라.

❺ some+수사(=about): 약

some+단수보통명사(=a certain): 어떤

It happened some *ten* **years ago.** 그 일은 약 10년 전에 일어났다.

Some *girl* **said so.** 어떤 소녀가 그렇게 말했다.

❻ 부사로 쓰이는 any

주로 비교급 앞에 쓰여 부정문에서는 '조금도', 의문문·조건절에서는 '얼마간'이라는 의미로 쓰인다.

I can't bear it any *longer.* 더는 참을 수 없다.

Are you any *better* today? 오늘은 기분이 좀 좋아졌니?

참고

관용적으로 some과 any를 쓰는 표현에는 다음과 같은 것들이 있다.

some day(언젠가)   at any cost(무슨 일이 있어도)

if any(설사 있다손 치더라도)   at any rate(어쨌든)

---

4 all, none

❶ all

all은 '모두, 전부'라는 의미로 대명사와 형용사로 쓰이며 사람을 나타내는 경우에는 복수 취급하고, 사물을 나타내는 경우에는 단수 취급한다.

All *were* silent.(=All the people) 모든 사람이 침묵했다.

All *was* silent.(=Everything) 주위는 조용했다.

All the children are at school in the morning. 오전에는 모든 아이들이 수업중이다. …〈형용사〉

주의 all이 형용사로 쓰이는 경우 all+the(소유격/these/those)' 어순으로 쓴다.

❷ none

none은 셋 이상의 사람이나 사물에 관해 '아무도(하나도) ~않다(없다)'라는 no보다 강한 부정의 의미를 나타낸다. none of 뒤에 복수명사나 대명사가 오는 경우에는 단수·복수 양쪽으로 취급할 수 있지만, of 뒤에 셀 수 없는 명사가 오는 경우에는 단수 취급한다.

None of my classmates *is(are)* going to the meeting. 우리 반 아이들 아무도 그 모임에 가지 않는다.

None of the information *is* useful to me. 그 정보는 내게는 하나도 쓸모가 없다.

none은 대명사로만 쓰이며, 형용사로는 쓰이지 않는다. '어떤 …도 ~않다(아니다)'라는 의미를 나타낼 때는 no 또는 not ... any를 이용한다.

No boy answered the question. 어떤 소년도 그 질문에 대답할 수 없었다.

I don't want any of these flowers. 이 꽃들은 아무 것도 갖고 싶지 않다.

none는 다음과 같이 단독으로 쓸 수 있다.

None are completely happy. 완벽하게 행복한 사람은 없다.

주의 주로 문장체에 쓰이며 구어에서는 보통 nothing, no one, nobody를 쓴다.

5 each, every

each는 복수의 사람이나 사물을 가리켜 '각자, 각각'이라는 의미의 대명사와 형용사로 쓰인다. 형용사로 쓸 경우 'each+단수명사' 또는 'each of+the+복수명사' 형태로 쓰고 단수 취급한다.

Each *has* his own desk. 각자 자기 방이 있다. …〈대명사; 단수 취급〉

Each student *has* his own desk. 학생들은 각자 자기 책상이 있다. …〈형용사; 단수 취급〉

Each of the students *has* his own desk. 학생들은 각자 자기 책상이 있다. …〈형용사; 단수 취급〉

each는 주어에 대해 '(주어)는 각각 ~'라는 의미로 쓰이기도 하며 복수 취급한다. 이 경우 일반동사 앞, be동사·조동사 뒤에 each를 쓰는 것이 원칙이지만, 금액이나 수량을 나타내는 경우에는 문장 끝에 쓰이기도 한다.

We each *have* our own car. 우리는 각자 자기 차가 있다.

We *are* each right. 우리는 각자가 옳다.

We received *five dollars* each. 우리는 각자 5달러씩 받았다.

every는 '모든 ~'라는 의미로 'every+단수명사' 형태의 형용사로만 쓰이며, 대명사로 단독으로 쓸 수 없다. every도 단수 취급한다.

Every *boy* in my class likes Susie. 우리 반 남학생들은 모두 수지를 좋아한다.

every 뒤에는 단수명사를 쓰는 것이 원칙이지만, every two weeks(2주마다)처럼 '~마다'라는 의미로 every를 쓰는 경우 'every+수사+복수명사' 형태로 쓸 수 있다.

The festival was held every two years. 그 축제는 2년 마다 열린다.

They get together every fourth Friday. 그들은 넷째 주 금요일에 모임을 갖는다.

참고

1. each와 every의 차이

   each는 둘 이상, every는 셋 이상에서 쓰인다. 둘에 관하여 말할 때 every는 쓸 수 없다.

   She put candles on each side of the table. 그녀는 테이블 양쪽 끝에 초를 놓았다. …〈every는 쓸 수 없다.〉

2. every와 all의 차이

   every는 각각에 중점을 두므로 단수 취급하고, all은 '모두'라는 의미로 복수 취급한다.

   Every dog *has* his day. 누구나 다 한세상은 있는 법이다. …〈속담〉

   All the players *were* shocked by referee's decision. 선수들은 모두 그 심판의 판정에 충격을 받았다.

---

6 both, either, neither

both는 '둘 다', either는 '둘 중 하나', neither는 both의 부정으로 '둘 다 ~아니다'라는 의미로 모두 대명사와 형용사로 쓸 수 있다.

❶ both

'both of+복수명사' 또는 'both+복수명사' 형태로 쓰여 '둘 다'라는 의미를 나타내며 복수 취급한다.

Both of the twins *are* diligent. 쌍둥이는 둘 다 부지런하다. ···〈대명사〉

Both my parents *are* from Seoul. 부모님은 두 분 모두 서울 출신이다. ···〈형용사〉

both는 일반동사 앞, be동사·조동사 뒤에 쓰여 주어에 대해 '둘 다 모두'라는 의미로 쓸 수 있다.

They both *liked* to solve puzzles at their school days. 학창시절에 그들은 둘 다 퍼즐 푸는 걸 좋아했다.

Mother and child *are* both doing well. 모자는 둘 다 건강하다.

❷ either

either는 'either of+복수명사' 또는 'either+단수명사' 형태로 써서 '둘 중 하나'라는 뜻을 나타낸다. either는 기본적으로 어느 하나를 의미하므로 단수 취급한다.

Either of you *is* in the wrong. 너희 둘 중 하나가 잘못이다. ···〈대명사〉

Either hotel *is* OK. 어느 호텔이든 괜찮다. ···〈형용사〉

either가 부정문에 쓰이면 '(둘 중) 어느 쪽도 ~아니다(않다)'라는 의미가 된다.

I *don't* know either of your parents. 나는 네 부모님을 둘 다 모른다.

'~도 또한'이라는 의미로 긍정문에서는 too를, 부정문에서는 either를 쓴다.

If you do *not* go, I'll not go, either. 네가 안 가면 나도 안 가겠다.

If you go, I'll go, too. 네가 가면 나도 간다.

참고

either는 end나 side와 함께 쓰이면, '양쪽'이라는 의미가 된다.

There are shops on either *side* of the street. 길 양쪽에 상점들이 있다.

He fixed either *end* of a rope to the trees. 그는 밧줄의 양쪽 끝을 나무에 묶었다.

---

❸ neither

neither는 'neither of+복수명사' 또는 'neither+단수명사' 형태로 써서 '둘 다 ~아니다(않다)'라는 의미로 쓰인다.

Neither of us is a stranger here. 우리 둘 다 여기 처음 온 건 아니다.

Neither *(boy)* went to school. 둘 다 학교에 가지 않았다.

neither는 either처럼 단수 취급하지만, 의미상 복수를 나타내는 문장에서는 복수 취급하는 경우도 있다.

They passed two supermarkets, but neither of them were(was) open.

그들은 두 군데 슈퍼마켓을 지나왔지만, 둘 다 열지 않았다.

참고

either와 neither는 either A or B(A나 B 둘 중 하나), neither A nor B(A, B 둘 다 ~아니다) 형태로 쓸 때가 많다.(→ 375쪽 참조)

Tom is now either *in New York* or *in Washington*. 톰은 지금 뉴욕이나 워싱턴 중 한 곳에 있다.

Neither *Jane* nor *Sarah* has completed her reports. 제인과 사라 둘 다 보고서를 끝내지 못했다.

《해답 426쪽》

Review Test 03

우리말과 같은 의미가 되도록 ( ) 안에 알맞은 말을 넣으세요.

1. (   ) who doesn't know a foreign language doesn't know (   ) own.
   외국어를 모르는 사람은 자국어도 모른다.

2. I don't have a knife. Will you lend me (   )?
   칼이 없어. 칼 좀 빌려 줄래?

3. Many letters were received, but (   ) were answered.
   많은 편지를 받았지만, 답장은 전혀 없었다.

4. Give me (   ) cheese; (   ) kind will do.
   치즈 좀 줘. 어느 것이든 괜찮아.

5. On Sunday (   ) are busy, and (   ) are free.
   일요일에 바쁜 사람도 있고, 한가한 사람도 있다.

개념 one과 it의 차이에 주의한다. one은 특정하지 않은 하나를 가리키고, it은 특정한 것을 가리킨다. <one ~ the other ...>, <some ~ others ...>와 같은 표현에도 주의해야 한다. 또한 <some ~ others ...>는 '어떤 것은 ~ 어떤 것은 ...'라고 해석하는 외에 '~도 있고, ...도 있다'라고 해석할 때가 많다.

풀이 1. '~인 사람' → one who ~
2. a knife는 특정한 칼이 아니므로 it은 쓸 수 없다.
3. 동사 were가 복수라는 점에 주의한다.
4. '치즈' → '약간의 치즈'라고 보충해서 생각한다. 두 번째 ( )에는 '어떤 ~이든'을 나타내는 말을 쓴다.

⁊ something, everyone 등

some, every, any, no에 -one, -body, -thing을 붙인 형태의 대명사도 있다. no one만 한 단어로 쓰지 않는다.

-one, -body는 모두 사람을(구어에서는 -body를 쓴다.), -thing은 사물을 나타내며 모두 단수 취급한다. 이들 대명사에 형용사를 붙일 때는 형용사를 뒤에 쓴다.

I want somebody to correct my composition. 누가 내 작문을 고쳐주면 좋겠다.

If anybody comes in my absence, tell him to wait for a while.
내가 없는 동안에 누가 오면 잠깐 기다리라고 하세요.

Nobody wants to be my friend. 아무도 나하고 친구 되기를 원하지 않는다.

I have something to tell you. 너에게 말하고 싶은 게 있다.

Is there anything interesting in today's paper? 오늘 신문에 무슨 재미있는 게 있어요?

She kept everything secret that she knew about the matter. 그녀는 그 일에 관해 아는 것을 모두 비밀로 했다.

I have seen nothing of him lately. 요즘 그를 통 못 봤다.

⑧ 부분부정

'둘 다/전부/완전히/반드시 ~인 것은 아니다'라는 의미를 나타내는 부정을 부분부정이라고 한다. all, both, every 등을 not과 함께 쓰면 부분부정이 된다.

All of my friends were *not* kind to me. 친구들이 모두 나에게 친절한 건 아니었다. ···〈부분부정〉

None of my friends were kind to me. 친구들은 누구나 나에게 친절하지 않았다. ···〈전체부정〉

I *cannot* answer both of your questions. 네 질문 둘 다에 대답할 수 없는 건 아니다. ···〈부분부정〉

I can answer neither of your questions. 네 질문 둘 다에 대답할 수 없다. ···〈전체부정〉

Every student did *not* join the demonstration. 학생이 모두 시위에 참가한 건 아니다. ···〈부분부정〉

No student joined the demonstration. 학생들은 아무도 시위에 참가하지 않았다. ···〈전체부정〉

참고

not always(항상 ~인 것은 아니다), not necessarily(반드시 ~인 것은 아니다), not altogether(전부~인 것은 아니다)도 부분 부정이다.

She does not always agree with me. 그녀가 항상 나에게 동의하는 건 아니다.

다음을 ① 부분부정, ② 전체부정 문장으로 고쳐 쓰세요.

1. All of us know the fact.

2. I like everyone of the girls.

3. Both of his sisters can sing well.

가본 all, every, both를 사용한 문장은 not을 붙이면 부분부정이 된다. 전체부정으로 고칠 때는 다른 말을 이용해야 한다.

풀이 1. 전체부정은 none을 이용한다.
2. 전체부정은 not ~ any 형식으로 한다.
3. 전체부정은 neither를 이용한다.

06 의문대명사

의문을 나타내는 대명사를 의문대명사라고 한다. 의문대명사에는 who, what, which가 있으며 수나 인칭에 따른 변화는 없다. 의문대명사는 단수·복수에 다 쓰이지만, who만은 격에 따른 어형 변화가 있다.

1 의문대명사의 종류와 격

인칭	주격	소유격	목적격
사람	who(누구, 누가)	whose(누구의)	whom(누구를, 누구에게)
사람·사물	what(무엇, 무엇이)		what(무엇을, 무엇에게)
사람·사물	which(어느 것, 어느 것이)		which(어느 것을, 어느 것에게)

☞ 의문사에는 의문대명사 외에 의문부사(when, where, why, how)가 있다.^(··· 289쪽 참조)

2 의문대명사의 용법

의문대명사는 보통 의문문의 맨 앞에서 문장의 주어·보어·목적어로 쓰인다. 단, 간접의문문인 경우에는 문장 안에 쓰인다.^(··· 40쪽 참조)

Who told you that? 누가 너에게 그런 말을 했니? …〈주어〉

Who are you? 넌 누구니? …〈보어〉

Whom(Who) do you mean? 누굴 말하는 거니? …〈목적어〉

Whom(Who) is she angry with? 그녀는 누구에게 화는 내는 거니? …〈전치사의 목적어〉

☞ whom 대신 who를 쓰는 경우와 '전치사+의문대명사'는 40쪽 참조.

3 의문형용사

의문대명사 what과 which는 명사 앞에서 명사를 수식하는 형용사로 쓰이기도 한다. 이것을 의문형용사라고 한다.

What *bird* is this? 이것은 어떤 새니?

Which *book* is yours? 어느 책이 네 것이니?

4 의문대명사의 특별용법

❶ 의문대명사가 간접의문문을 이끄는 경우 ⟨⋯ 40쪽 참조⟩

Whom(Who) does she love? 그녀는 누굴 사랑하니?

→ Tell me whom(who) she loves? 그녀가 누굴 사랑하는지 말해 줘.

❷ '의문대명사+to부정사'는 명사구가 되는 경우 ⟨⋯ 139쪽 참조⟩

I don't know what *to do* next. 다음에 무엇을 해야 할지 모르겠다.

She was at a loss which way *to go*. 그녀는 어느 길로 가야할지 어찌할 바를 몰랐다.

Review Test - 05

《해답 426쪽》

( ) 안에 들어갈 알맞은 의문대명사를 쓰세요.

1. ( ) did your mother say of my dress?

2. ( ) plan do you think better?

3. ( ) did your mother give the dress to?

가본 who는 사람, what은 사물에 쓴다. which는 사람과 사물에 쓰이지만, 선택의 범위가 정해져 있는 경우에 쓴다.

풀이 1. '뭐라고 하셨니?'라고 묻는 것.
2. 뒤에 명사가 왔다. better가 있으므로 비교하는 두 개의 것이 정해져 있다.
3. 문장 끝에 있는 전치사 to의 목적어가 되는 의문대명사를 쓴다.

Chapter **12**
Exercise

A ( ) 안에 들어갈 말을 보기에서 골라 쓰고 우리말로 옮기세요.

1. Three of the fifteen competitors won prizes; ( ) got nothing.

2. In ( ) two hours, he will be home again.

3. She doesn't care what ( ) people think of her.

4. The town with its cathedral and ancient buildings attracts more tourists than ( ) place in the country.

5. ( ) day, there was a road accident just in front of the office.

6. Some people are fond of going out to the movies; ( ) prefer staying indoors to watch TV.

> **보기**
> ① another   ② any other   ③ other
> ④ others   ⑤ the other   ⑥ the others

Tips

1. competitor(경쟁자)
4. cathedral(대성당)
   ancient(아주 오래된)

B ( ) 안에서 알맞은 말을 하나 고르세요.

1. I've lost the watch you gave me. I have to buy (it, one, another).

2. She dressed (her, herself, hers) for the party.

3. His behavior is not (that, one, this) of a gentleman.

4. There was a handrail at (both, either, all) side.

5. Welcome to you all! You may use (anything, everything) in this room.

6. She looks best in that pink dress of (her, hers).

7. Why did he take my bicycle? Hasn't he got one of his (own, possession, self)?

1. 같은 종류의 시계를 말하므로 it을 고르면 안 된다.
4. side는 단수형이다.
5. '어떤 것이든'의 의미이다.

C 다음을 읽고 물음에 답하세요.

We will get along much faster if we can manage to get rid of the mysterious idea of "perfect English." There just isn't any (a) such thing. (b) Even our best speakers do not all use the language in the same way.

Fifty years ago there was a general, though vague, belief that (c) it was the duty of grammarians to lay down rules for the correct use of the language, and the duty of everybody else to obey them. (d) This belief has not entirely disappeared, but it is no longer respectable. Linguists now generally agree that "grammar is based on usage." (e) The laws of grammar are like those of any other science, simply generalized statements about what does happen, not directions about what should – and (f) they are subject to change as soon as any new evidence comes in.

1. (a) such thing이 가리키는 것을 찾아 본문에 있는 영어로 쓰세요.

2. 밑줄 친 (b)를 참고해서 다음을 영작하세요.
   ⑴ 우리가 모두 부자는 아니다.
   ⑵ 우리 중 누구도 같은 방식으로 언어를 사용하지 않는다.

3. 밑줄 친 (c)를 우리말로 옮기세요.

4. 밑줄 친 (d)를 not entirely에 주의해서 우리말로 옮기세요.

5. 밑줄 친 (e)를 우리말로 옮기세요.

6. (f) they가 가리키는 것을 찾아 본문에 있는 영어로 쓰세요.

Tips

2. 밑줄 친 문장 (b)는 '최고 웅변가라고 해도 모두 같은 방식으로 언어를 사용하는 것은 아니다'라는 부분부정이다. ⑵는 none를 써서 전체부정으로 고친다.
3. it은 뒤의 부정사를 받는다.

get rid of ~(~을 제거하다)
grammarians(문법학자)
lay down(규칙 등을 만들다)
respectable(존경할 만한)

Chapter

13

형용사와 부사

형용사

명사의 성질이나 상태 등을 설명하는 말을 형용사(Adjective)라고 한다. 형용사는 수식어나 보어로 쓰이는 외에 대명사로 쓰이는 것도 있다.

01 형용사의 용법

형용사에는 명사를 직접 수식하는 한정용법과 주격보어·목적격 보어 역할을 하는 서술용법이 있다. 대부분의 형용사는 한정용법과 서술용법으로 쓰인다.

1 한정용법

형용사가 명사 앞이나 뒤에서 직접 그 명사를 수식하는 용법을 말한다.

This is a good *book.* 이것은 좋은 책이다.

She is a beautiful young Korean *girl.* 그녀는 예쁘고 젊은 한국 소녀다.

☞ 한정용법으로만 쓰이는 형용사

live/living(살아있는), elder(연상의), former(전임의, 이전의), latter(나중의), wooden(목제의), golden(귀중한), lone(혼자의), main(주된), mere(단지 ~에 불과한, 단순한), daily(매일의), only(유일한, 단 하나의)

2 서술용법

형용사가 동사 또는 목적어를 보충해서 설명하는 주격보어나 목적격보어로 쓰이는 용법을 말한다. 주격보어일 때는 주어를, 목적격보어일 때는 목적어를 보충해서 설명한다.⟨→ 21쪽 참조⟩

This book **is** good. 이 책은 유용하다. …⟨주격보어⟩

She keeps *the room* clean. 그녀는 방을 깨끗이 해 둔다. …⟨목적격보어⟩

☞ 서술용법으로만 쓰이는 형용사

alone(혼자의, 고독한), afraid(걱정하는), alike(서로 닮은), alive(살아 있는), ashamed(부끄러워하는), asleep(잠든), awake(깨어 있는), aware(알아차린), unable(할 수 없는), well(건강한)

3 용법에 따라 의미가 달라지는 형용사

able	한정용법	an able secretary 유능한 비서
	서술용법	She is able to solve the problem. 그녀는 그 문제를 풀 수 있다.
certain	한정용법	a certain charm 어떤 매력
	서술용법	I am certain that she has lost her way. 그녀는 길을 잃었다고 확신한다.
ill	한정용법	ill weather 나쁜 날씨
	서술용법	He is ill in bed. 그는 아파서 누워 있다.
late	한정용법	the late fashion 최신 유행
	서술용법	He is late for train. 그는 열차를 놓쳤다.
present	한정용법	the present government 현 정부
	서술용법	A lot of students were present at the lecture. 강의에 많은 학생이 출석했다.
right	한정용법	the right hand 오른손
	서술용법	She was right. 그녀가 옳았다.

4 형용사의 주의해야 할 용법

❶ 사물을 주어로 쓰는 형용사

형용사 중에는 사람을 주어로 쓸 수 없는 것들이 있다.

Is it convenient for you to come by three o'clock? 두 시까지 오는 게 편하겠니?

It will be (im)possible for him to come. 그는 올 수 있을(없을) 것이다.

☞ necessary도 사람을 주어로 쓸 수 없다.

❷ 사람을 주어로 써야 하는 형용사

able(~할 수 있는), sorry(유감인), glad(기뻐하는), happy(만족스러운)는 사물을 주어로 하여 쓸 수 없다.

He was not able to come the next day. 그는 그 다음날 올 수 없었다.

I am sorry that he has given up the business. 그가 사업을 그만 둔 것은 유감이다.

❸ the+형용사 = 형용사+people

'the+형용사'는 '~인 사람들'이라는 의미로 보통 사람을 나타내는 복수 보통명사가 된다.

The rich **are not always happier than** the poor.(The rich=Rich people, the poor=poor people)
부자가 항상 가난한 사람들보다 행복한 것은 아니다.

The curious **assembled and crowded round.**(=Curious people)
호기심 많은 사람들이 주위에 떼 지어 모여들었다.

☞ the sick=sick people(환자들), the young=young people(젊은이들)

'the+분사'도 사람을 나타내는 복수 보통명사가 된다.

The field **was covered with** the wounded **and** dying.(the wounded=wounded people, dying=dying people)
들판은 부상자와 죽어가는 사람들로 뒤덮여 있었다.

❹ the+형용사=추상명사

'the+형용사'가 '~인 것'이라는 의미의 추상명사가 된다. 이 경우는 단수 취급한다.

The beautiful **is higher than** *the* true. 미(美)는 진(眞)보다 높다.

The magician makes *the* impossible **possible.** 마술사는 불가능한 것을 가능하게 한다.

02 형용사의 위치

1 한정용법에서의 형용사의 위치

둘 이상의 형용사가 동시에 하나의 명사를 수식하는 경우 '대명형용사(관사 포함)+수량형용사+성질형용사+명사'의 순서로 쓴다.

the two red **carnations** 빨간 카네이션 두 송이

his three diligent **sons.** 그의 부지런한 세 아들

those many useful **birds** 저 많은 유익한 새들

성질형용사를 여러 개 쓸 경우에는 '대소+형상+성질·상태+색깔+나이+재료·국적' 순서로 쓴다.

the soft black new woolen **textiles** 그 부드럽고 검은 새 모직물

a small round **table** 작은 원형 테이블

that gentle old English **artist** 저 친절한 늙은 영국의 예술가

2 형용사를 명사 바로 뒤에 쓰는 경우

형용사는 수식하는 명사 앞에 쓰는 것이 원칙이지만, 수식하는 명사 뒤에 쓰는 경우가 있다.

❶ 형용사에 다른 수식어가 붙어 길어지는 경우

He saved *the money* necessary to buy the car. 그는 차를 사기 위해 필요한 돈을 저축했다.

There are many *stars* too small to be seen with the naked eyes.
너무 작아서 육안으로는 볼 수 없는 별이 많다.

❷ 형용사가 -thing, -body로 끝나는 부정대명사를 수식하는 경우

You have *something* white on your nose. 네 코에 하얀 뭔가가 붙어 있어.

We give chocolates to *somebody* special on that day. 그날 특별한 사람에게 초콜릿을 준다.

❸ -able, -ible로 끝나는 형용사가 all, every, no나 형용사의 최상급과 함께 쓰이는 경우

We tired *every* means possible. 우리는 가능한 모든 방법을 시도했다.

You did it in the *most* difficult way imaginable. 너는 상상할 수 있는 가장 어려운 방법으로 그 일을 했다.

❹ '수사+단위명사+형용사'가 하나의 형용사구 쓰인 경우

She tried to climb a *fence* two meters high. 그녀는 2미터 높이의 담장을 오르려 했다.

☞ ten years old(10살), ten feet high(10피트 높이), two inches deep(2인치 깊이), six miles long(6마일 거리)

이 경우 하이픈을 이용해서 a ten-year-old boy(10살 소년)처럼 한 단어의 형용사로 쓸 때가 많다. year를 단수로 쓰는 점에 주의한다.

Review Test 01

《해답 427쪽》

다음을 영어로 쓰세요.

1. 이것은 새 자동차다.

2. 열어보니까 그 상자는 비어 있었다.

3. 찬 마실 걸 좀 줘.

4. 그 소녀는 꽃이 가득 든 바구니를 들고 있다.

> **개념** -thing을 수식하는 형용사나 형용사가 길어지면 (대)명사 뒤에 쓴다.
>
> **풀이** 2. '나는 그 상자가 비어 있는 것을 발견했다.'로 생각해서 서술용법(목적격보어)의 형용사로 한다.
> 3. '마실 것'→ something to drink. cold의 위치는 something의 뒤.
> 4. basket 뒤에 full of ~를 붙인 형태로 한다.

03 형용사의 종류

형용사는 내용에 따라 성질·상태 등을 나타내는 성질형용사, 수·양·정도 등을 나타내는 수량형용사, 대명형용사로 구분할 수 있다. 수를 나타내는 수사는 수량형용사의 일종이다.

1 성질형용사

사람이나 사물의 성질·상태 등을 나타내는 형용사로 대부분의 형용사가 성질형용사이다. 성질형용사는 성격에 따라 본래 형용사인 것, 물질명사에서 온 것, 분사에서 온 것으로 구분할 수 있다.

❶ 본래 형용사인 것

다른 품사에서 온 것이 아니라 본래 형용사인 것이다.

The new boss is kind. 새로 온 상사는 친절하다.

❷ 물질형용사

물질명사를 그대로 형용사로 쓰는 것이다. 이 경우 '~제품의'라는 의미를 나타낼 때가 많다.

Our house has an iron gate. 우리 집에는 철문이 있다.

☞ '물질명사+-en' 형태로 형용사로 쓰는 것도 있다. 이렇게 물질명사의 어형을 바꿔 만든 형용사는 의미가 달라질 때가 많다.
a golden hair(금발)   *cf.* a gold coin(금화)
a silken voice(부드러운 목소리)   *cf.* a silk thread(명주 실)

❸ 분사형용사

현재분사·과거분사를 형용사로 쓰는 것이다.

This is a moving story. 이건 감동적인 이야기다.

That may be a lost child. 저 아이는 미아일지도 모른다.

☞ an exciting film(재미있는 영화)   a boiled egg(삶은 계란)

❹ 고유형용사

고유명사에서 온 형용사이다. 고유형용사는 고유명사와 마찬가지로 항상 첫 글자를 대문자로 쓴다. 보통 나라 이름에 -an, -ish, -ese 등을 붙여 만들며 국어나 국민 또는 개인을 나타낸다.

She studies Korean literature. 그녀는 한국문학을 공부한다.

나라 이름	형용사·국민	개인	국민(집합적)
America	American	an American	the Americans
China	Chinese	a Chinese	the Chinese
England	English	an Englishman	the English
Finland	Finnish	a Finn	the Finns
France	French	a Frenchman	the French
Germany	German	a German	the Germans
Holland	Dutch	a Dutchman	the Dutch
Italy	Italian	an Italian	the Italians
Korea	Korean	a Korean	the Korean
Japan	Japanese	a Japanese	the Japanese
Norway	Norwegian	a Norwegian	the Norwegians
Portugal	Portuguese	a Portuguese	the Portuguese
Russia	Russian	a Russian	the Russians
Spain	Spanish	a Spaniard	the Spanish
Sweden	Swedish	a Swede	the Swedish

2 대명형용사

대명사가 바로 뒤에 오는 명사를 수식하는 형용사 역할을 하는 경우가 있다. 이것을 대명형용사라고
하며 다음과 같은 5종류가 있다.

My *brother* is friends with your *sister*. 우리 형은 네 여동생과 친하다. …〈인칭형용사; 인칭대명사의 소유격〉

This *bag* will not do. Show me that *one*. 이 가방은 안 되겠어요. 저 가방을 보여줘요. …〈지시형용사〉

Which *subject* do you like the most? 어느 과목을 가장 좋아하니? …〈의문형용사〉

How about another *cup* of coffee? 커피 한 잔 더 줄까? …〈부정형용사〉

She has sold what *books* she had. 그녀는 가지고 있던 책을 모두 팔았다. …〈관계형용사〉

☞ 대명형용사에 관해서는 256쪽 참조. 지시형용사에 관해서는 252쪽 참조. 의문형용사에 관해서는 40쪽 참조.

3 부정수량형용사

부정수량형용사란 막연한 수·양·정도 등을 나타내는 형용사로 세 종류가 있다.

수만 나타내는 것	항상 셀 수 있는 명사 복수 앞에 쓴다. 예 many(다수의), few(소수의), several(몇 개의)
양이나 정도만 나타내는 것	항상 셀 수 없는 명사 단수 앞에 쓴다. 예 much(다량의), little(소량의)

수·양·정도에 다 쓸 수 있는 것	경우에 따라 셀 수 있는 명사 복수 앞이나 셀 수 없는 명사 단수 앞에 쓴다. 예 some, any, all, enough, no

no 이외의 부정수량형용사는 명사나 대명사로도 쓰인다. 대명사로 쓰이는 경우 부정대명사가 된다.

Many of the stories are based on rumour. 그 이야기의 대부분은 소문에 근거한다.

She had **enough** to do. 그녀에게는 할 일이 잔뜩 있었다.

☞ some, any에 관해서는 259쪽, all에 관해서는 260쪽 참조할 것.

❶ many와 much의 용법

> many+셀 수 있는 명사(복수): (수가) 많은
> much+셀 수 없는 명사: (양·정도가) 많은

많음을 나타내는 형용사로는 many와 much가 있다. many는 수가 많음을 나타내며 셀 수 있는 명사(복수) 앞에 쓴다. much는 양이나 정도가 많음을 나타내며 셀 수 없는 명사 앞에 쓴다.

many와 much는 주로 부정문·의문문·조건문에 쓰인다.

Are there **many** eggs in the box? 상자 안에 계란이 많니?

Did you get **much** sleep last night? 어젯밤에 푹 잤니?

There is not **much** hope. 별로 희망이 없다.

many가 주어를 수식하는 경우 긍정문에도 쓰인다.

Many *girls* wear colored lenses these days. 요즘 많은 소녀들이 컬러렌즈를 착용한다.

as, so, too, how 바로 뒤에 쓰이는 경우 many와 much는 긍정문에도 쓸 수 있다.

They spend *so* **much** time in front of the television set. 그들은 텔레비전 앞에서 보내는 시간이 너무 많다.

There are *so* **many** people in the pool. 풀장에 사람들이 너무 많다.

보통 긍정문에는 many, much와 같은 의미를 나타내는 다음과 같은 말을 쓴다.

many 대신 쓸 수 있는 말	a lot of, lots of, plenty of, a large number of, a good(great) many
much 대신 쓸 수 있는 말	a lot of, lots of, plenty of, a large amount of, a great deal of

☞ a lot of, lots of, plenty of는 수와 양에 모두 쓸 수 있다.

Did you read **many** books during the summer vacation? 여름방학 동안 책을 많이 읽었니? …〈의문문〉

I read **a lot of** books during the summer vacation. 나는 여름방학 동안 책을 많이 읽었다. …〈긍정문〉

❷ few와 little의 용법

적음을 나타내는 형용사로는 few와 little이 있다. few는 수가 적음을 나타내며 셀 수 있는 복수명사 앞에 쓴다. little은 양이 적음을 나타내며 셀 수 없는 명사 앞에 쓴다.

few와 little을 단독으로 쓰면 '거의(조금밖에) 없다'라는 부정적인 의미가 된다. a few와 a little처럼 a를 붙이면 '조금은 있다, 약간 있다'라는 긍정적인 의미가 된다.

> a few+셀 수 있는 명사(복수): (수가) 약간 있는 〈긍정적 의미〉
> few+셀 수 있는 명사(복수): (수가) 거의 없는 〈부정적 의미〉

I went out with a few boys. 나는 몇 명의 소년과 외출했다.

There were few people in the classroom. 교실에는 사람들이 거의 없었다.

> a little+셀 수 없는 명사(단수): (양·정도가) 약간 있는 〈긍정적 의미〉
> little+셀 수 없는 명사(단수): (양·정도가) 거의 없는 〈부정적 의미〉

Add a little salt to it. 소금을 조금 넣어라.

We have had little rain since last month. 지난달부터 비가 거의 오지 않았다.

질문 있어요!!

> Q few, little과 a few, a little를 사용하는 수의 기준이 있나요?

> A 객관적인 기준은 없습니다. 예를 들면 1000원을 가진 사람이 매우 적다고 느끼면 I have little money.라고 할 겁니다. '조금은 있다'라고 느끼면 I have a little money.라고 할 것이고요. 즉 그 기준은 주관적입니다.

❸ several과 enough

several은 '몇몇의'라는 의미로 복수명사 앞에 쓴다. several은 a few보다 많고, many보다 적은 수를 나타낸다. enough는 '충분한'이란 의미로 형용사로 쓰이는 경우 명사 앞이나 뒤에 쓸 수 있지만, 명사 앞에 쓰면 의미가 강해진다.

> several+복수명사: 몇몇의
> enough+단수(복수)명사: 충분한

She changed jobs several weeks ago. 그녀는 몇 주 전에 직업을 바꾸었다.

We felt several shocks of the earthquake. 우리는 몇 차례 지진의 진동을 느꼈다.

There is enough *food* for ten people. 열 사람이 먹을 수 있는 충분한 음식이 있다.

= There is *food* enough for ten people.

Prepare enough *lunches* **for us all.** 우리가 모두 먹을 수 있을 만큼의 충분한 도시락을 준비하라.
= Prepare *lunches* enough **for us all.**

several은 대명사로도 쓰인다.
Several (of them) made the same complaint of it. 그 일에 관해 몇 사람이 같은 불평을 했다.

부사 enough는 항상 수식하는 형용사·부사·동사 뒤에 쓴다.
The room isn't *large* **enough to have a party.** 그 방은 파티를 할 수 있을 만큼 넓지 않다.
She explained it *clearly* **enough.** 그녀는 그것을 충분히 분명하게 설명했다.

> 주의 enough는 '충분한 수·양, 실컷'이란 의미의 명사로도 쓰인다.
> **They have had** enough **of everything.** 그들은 실컷 먹었다.

❹ no

no는 수·양·정도를 나타내며 단수명사, 복수명사, 셀 수 없는 명사 앞에 쓸 수 있다.
단수명사 앞에서는 not a 또는 not any, 복수명사 앞에서는 not any의 의미를 나타낸다.

> **no+단수(복수)명사:** 하나도 ~없는, 결코 ~아닌

There is no **park in front of the station.**(=not a) 역 앞에 공원은 없다.
She has no **brothers.**(=not any) 그녀에게는 남자형제가 없다.
I have no **money with me.**(=not any) 돈이 한 푼도 없다.

> **참고**
>
> no는 be동사의 보어로 쓰인 명사 앞이나 다른 형용사에 앞에 쓰여 강한 부정을 나타낸다.
> **He is** no **fool.** 그는 결코 바보가 아니다. → 영리하다
> **He is** no **ordinary student.** 그는 절대 평범한 학생이 아니다. → 똑똑한 학생이다.

Review Test 02

〈해답 427쪽〉

우리말과 같은 의미가 되도록 ( ) 안에 알맞은 말을 넣으세요.

1. You see a ( ) ( ) ( ) gentleman over there. 저기 키가 큰 영국인 노신사가 보인다.

2. ( ) ( ) pine trees were planted there. 거기에 몇 그루의 소나무가 심어졌다.

3. He has ( ) ( ) of it. 그는 그것에 관해 거의 모른다.

> 기본 few, little은 부정적인 의미, a few, a little은 긍정적인 의미이다.
>
> 풀이 1. 성질형용사는 '대소+나이+재료·국적' 순서로 쓴다.   2. 긍정적 의미이다.
> 　　 3. 부정적 의미이다.

04 수사

일정한 수를 나타내는 말을 수사(Numeral)라고 하며 수사는 형용사·대명사로 쓰인다. 수사에는 기수, 서수와 배수가 있다.

1 기수와 서수

1, 2, 3 …과 같이 개수를 나타내는 수를 기수라고 한다. 보통 six, sixteen, sixty처럼 규칙적이지만 철자에 주의할 것이 있다.

첫째, 둘째, 셋째 …와 같이 순서를 나타내는 수를 서수라고 한다. first, second, third 외에는 기수에 -th를 붙여 만든다. 서수 앞에는 보통 정관사 the를 쓴다.

	기수	서수		기수	서수
1	one	first(1st)	16	sixteen	sixteenth(16th)
2	two	second(2nd)	17	seventeen	seventeenth(17th)
3	three	third(3rd)	18	eighteen	eighteenth(18th)
4	four	fourth(4th)	19	nineteen	nineteenth(19th)
5	five	fifth(5th)	20	twenty	twentieth(20th)
6	six	sixth(6th)	21	twenty-one	twenty-first(21st)〖기수+서수〗
7	seven	seventh(7th)	22	twenty-two	twenty-second
8	eight	eighth(8th)	23	twenty-three	twenty-third
9	nine	ninth(9th)	30	thirty	thirtieth(30th)
10	ten	tenth(10th)	40	forty	fortieth(40th)
11	eleven	eleventh(11th)	50	fifty	fiftieth(50th)
12	twelve	twelfth(12th)	60	sixty	sixtieth(60th)
13	thirteen	thirteenth(13th)	100	one hundred	hundredth(100th)
	〖이하 -teen을 붙인다.〗		101	one hundred and one	hundred and first(101st)
			1000	one thousand	thousandth (1000th)
14	fourteen	fourteenth(14th)	2006	two thousand and six	two thousand and sixth(2006th)
15	fifteen	fifteenth(15th)	2018	two thousand and eighteen	two thousand and eighteenth(2018th)

☞ 1. 20~90까지는 twenty, thirty, forty, fifty, sixty, seventy, eighty, ninety로 어미는 -ty이다.
2. 21~99까지는 twenty-one, thirty-four처럼 10자리와 1자리 사이에 하이픈을 쓴다.
3. 101부터는 hundred 다음에 and를 써서 one(a) hundred (and) one, two hundred (and) fifty-six로 쓰지만, 미국영어에서는 생략하는 것이 일반적이다.
4. 1,000 단위의 수를 쓸 때는 두 가지 방법이 있다.
   1,687 one thousand six hundred (and) eight-seven / sixteen hundred (and) eight-seven

2 배수사

배수를 나타내는 말을 배수사라고 한다. 배수사는 보통 부사로 쓰인다. half, twice 외에는 보통 times 앞에 기수를 써서 배수를 나타낸다.

He is twice **my age.** 그의 나이는 내 나이의 두 배다.

I brush my teeth three times **a day.** 나는 하루에 세 번 이를 닦는다.

배수사는 다음과 같은 구문으로 쓸 때가 많다. 이 경우 배수사는 부사이다.

> A is ... times as+원급+as B: A는 B보다 …배 ~하다(이다)
>
> A is ... times+비교급+than B: A는 B의 …배 ~하다(이다)

This box is three times *as big as* **that one.** 이 상자는 저 상자의 세 배 크기다.

He works twice *harder than* **others do.** 그는 다른 사람보다 두 배나 일한다.

3 수를 읽는 방법

❶ 큰 수는 세 자리씩 끊어 읽는다.

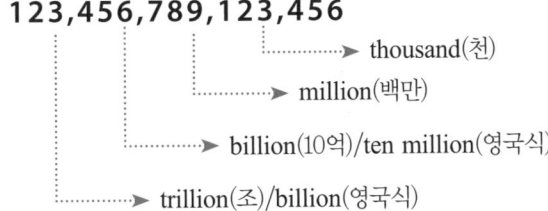

123,456,789,123,456

········▶ thousand(천)

········▶ million(백만)

▶ billion(10억)/ten million(영국식)

▶ trillion(조)/billion(영국식)

one hundred twenty-three trillion, four hundred fifty-six billion, seven hundred eighty-nine million, one hundred twenty-three thousand, four hundred fifty-six

❷ 소수

소수는 소수점을 point로 읽고, 소수점 이하는 한 자리씩 읽는다. 0은 zero나 oh[ou]로 읽는다.

11.205 = eleven point two oh five   0.45 = zero point four five

❸ 분수

분수는 분자를 먼저 기수로 읽고, 이어서 분모를 서수로 읽는다. 분자가 2이상이면 분모를 복수로 한다. 단 다르게 읽을 수도 있다.

$\frac{1}{8}$ = a(one) eighth

$\frac{3}{4}$ = three quarters / three-fourths

$\frac{2}{7}$ = two sevenths

$5\frac{5}{8}$ = five and five eighths

13

형용사와 부사

❹ 연도

보통 숫자를 두 자리 씩 끊어서 기수로 읽는다.

825 = eight (hundred and) twenty-five   1807 = eighteen seven / eighteen hundred (and) seven

1967 = nineteen sixty-seven   2000 = two thousand / twenty hundred

2018 = two thousand (and) eighteen

❺ 날짜

미국과 영국에서 읽는 방법이 다르다.

April 10 = April (the) tenth 〈미국식〉   10th April = the tenth of April 〈영국식〉

❻ 시간

7:05 = seven five / five (minutes) past seven / five (minutes) after seven

7:30 = seven thirty / half past seven

7:45 = seven forty-five / a quarter to eight / a quarter before eight

☞ 구어에서는 past나 before는 쓰지 않고 시와 분 순서로 말하는 것이 일반적이다.

❼ 전화번호

전화번호는 숫자를 하나씩 읽는다. 같은 숫자 둘이 나란히 있는 경우에는 double을 쓸 수 있다.

269-4201= two six nine, four two 0[ou] one

338-6648 = double three eight double six four eight

❽ 금액, 온도

$5.60 = five dollars (and) sixty cents   £1.2s. 6d. = one pound, two shillings, (and) six pence

₩ 5,000 = five thousand won   32℃ = thirty-two degrees centigrade(Celsius)

97°F = ninety-seven degrees Fahrenheit

❾ 기타

No. 5 = number five   p. 10 = page ten

Elizabeth II = Elizabeth the second   World War II = World War two / the second World War

4 수사를 쓰는 표현

① hundred, thousand에는 복수의 -s를 붙이지 않지만, '수백의, 수천의'처럼 막연한 수를 나타내는 경우에는 복수로 쓴다.

Over three hundred people use the library each day. 매일 300명 이상이 그 도서관을 이용한다.

The country was a colony hundreds of years ago. 그 나라는 수백 년 전에 식민지였다.

② in one's twenties(20대에)

He was unhappy in his thirties. 그는 30대일 때 불행했다.

She is an attractive woman in her early twenties. 그녀는 20대 초반의 매력적인 여성이다.

☞ mid thirties(30대 중반), late sixties(60대 후반)

③ in the nineteen-nineties(1990년대에)

The movie industry went into the depression in the 1990's(1990s).
영화산업은 1990년대에 불황에 빠졌다.

Some of the novelists were born in the thirties. 그 작가 중 몇 명은 1930년대에 태어났다.

④ 수사+복수명사

시간, 거리, 금액, 무게 등의 단위를 나타내는 말의 복수는 전체를 하나로 간주하여 단수 취급한다. 단, 시간의 경과를 나타내는 경우에는 복수 취급한다.

Five miles *is* a suitable distance for a picnic. 10마일은 피크닉 하기 적당한 거리다.

Ten years *have* passed since he stopped smoking. 그는 금연한지 10년 된다.

Review Test 03

《해답 427쪽》

다음을 영어로 쓰세요.

1. (1) $\dfrac{5}{6}$ (2) $3\dfrac{4}{5}$ (3) 34.609   (4) 38th

2. (1) 1492 〈연도〉   (2) July 22, 2019 〈월일〉

3. (1) 11:50 〈시간〉   (2) the 10:25 a.m. train 〈시간〉

> **기본** 분수의 분모와 월일의 날짜는 서수로 읽는다.
>
> **풀이** 1. 3과 5분의 4는 and로 연결한다.
>   2. 연도는 두 자리씩 끊어 읽는다. 날짜 앞의 the는 생략할 수 있다.

부사

부사(Adverb)는 주로 동사, 형용사, 부사, 문장 전체를 수식하는 말이다.

01 부사의 형태

부사는 '형용사+-ly' 형태로 된 것이 대부분이지만, 명사나 형용사와 같은 형태를 한 부사도 있다.

1 '형용사+-ly' 형태의 부사

형용사에 -ly를 붙이는 경우에는 다음과 같은 점에 주의해야 한다.

-y로 끝나는 형용사	y를 i로 고치고 -ly를 붙인다. 예 happy(행복한) → happily(행복하게)　　ease(쉬운) → easily(쉽게)
-le로 끝나는 형용사	le를 -ly로 고친다. 예 gentle(다정한) → gently(다정하게)　　probable(있을 것 같은) → probably(아마)
-ue로 끝나는 형용사	e를 없애고 -ly를 붙인다. 예 true(사실인) → truly(정말로)　　due(예정된) → duly(예상대로)
-ll로 끝나는 형용사	-y를 붙인다. 예 full(가득한) → fully(충분히)　　dull(둔한) → dully(둔하게)

주의 '명사+-ly'는 형용사가 되므로 -ly가 붙은 말의 품사를 고려하여 형용사인지 부사인지를 판단한다.

　　body(신체) → bodily(신체의)　　heaven(천국) → heavenly(천국의)

2 혼동하기 쉬운 부사

1 형용사와 형태가 같은 부사

early	형 이른 부 일찍	pretty	형 예쁜 부 매우
enough	형 충분한 부 충분히	hard	형 단단한, 근면한 부 단단히, 열심히
well	형 건강한 부 잘	last	형 최후의 부 최후로
deep	형 깊은 부 깊게	long	형 긴 부 길게
fast	형 빠른 부 빨리	far	형 먼 부 멀리

She is an early riser. 그녀는 아침 일찍 일어나는 사람이다. …〈형용사〉

She gets up early. 그녀는 아침 일찍 일어난다. …〈부사〉

☞ 이외에 near(가까운; 가까이), high(높은; 높이), low(낮은; 낮게), short(짧은; 짧게), slow(느린; 느리게), right(바른; 바르게), daily(매일의; 매일), weekly(매주의; 매주), monthly(매달의; 매달), yearly(매년의; 매년) 등이 있다.

2 형용사와 같은 형태의 부사에 -ly를 붙이면 다른 의미가 되는 부사

late(늦게) lately(최근에)	He came home late last night. 그는 어젯밤 늦게 들어왔다. He has come home lately. 그는 최근에 귀국했다.
hard(열심히) hardly(거의 ~않다)	She always works hard. 그녀는 항상 열심히 일한다. I hardly know her. 나는 그녀를 거의 모른다.
most(가장) mostly(주로)	Which interested you most? 어느 것에 가장 관심이 있니? They mostly live in rural areas. 그들은 주로 시골지역에 산다.
near(가까이) nearly(거의)	He was killed near to his house. 그는 그의 집 근처에서 살해됐다. He nearly fell into the river. 그는 거의 강에 빠질 뻔 했다.

☞ 이외에 pretty(매우); prettily(예쁘게), high(높게); highly(매우), sharp(정각); sharply(급격히), just(정확히); justly(당연히), cheap(싸게); cheaply(쉽게), dear(비싸게); dearly(큰 희생을 치루고), clear(완전히); clearly(알기 쉽게) 등이 있다.

부사는 그 용법에 따라 다음의 세 가지로 구분할 수 있다.

❶ 단순부사(Simple Adverb): 시간, 장소, 방향, 빈도, 방법, 부정 등을 나타내는 부사.

❷ 의문부사(Interrogative Adverb): 의문을 나타내는 부사로 의문문을 만든다.

❸ 관계부사(Relative Adverb): '접속사+부사'의 역할을 한다.^(→ 336쪽 참조)

1️⃣ 단순부사

시간을 나타내는 부사	now(지금), then(그때), today(오늘), yesterday(어제), soon(곧), ago(전에), before(전에), already(이미), lately(최근) 등
	I watched the game on television yesterday. 어제 텔레비전으로 그 경기 봤다.
장소를 나타내는 부사	here(여기에), there(거기에), near(가까이에), far(멀리), home(집에), somewhere(어딘가에), everywhere(어디에나), nowhere(어디에도), out(밖에), away(떨어져), up(위에), down(아래에), above(위쪽에), below(아래쪽에)
	You can park your car here. 여기에 차를 주차해도 된다.
빈도를 나타내는 부사	often(자주), sometimes(가끔), again(다시), once(한 번), twice(두 번), seldom(거의 ~않다), rarely(거의 ~않다), daily(매일), always(항상), usually(대개)
	They always go to school by bus. 그들은 항상 버스로 통학한다.
양·정도를 나타내는 부사	much(많이, 매우), little(조금), too(너무), very(매우), greatly(매우), enough(충분히), quite(상당히), hardly(거의 ~아니다), almost(거의)
	I don't quite understand question three. 3번 문제를 진짜 이해할 수 없다.
방법·상태를 나타내는 부사	well(잘), slowly(천천히), fast(빠르게), hard(열심히), so(그렇게), happily(행복하게), kindly(친절하게), wisely(현명하게)
	Andy walked slowly with his friend, Tom. 앤디는 친구 톰과 천천히 걸었다.
긍정·부정을 나타내는 부사	yes(네), no(아니오), not(~아니다), never(절대 ~아니다)
	He is not an intelligent man. 그는 영리하지 않다.

② 의문부사

의문부사는 when(언제), where(어디에서), why(왜), how(어떻게) 등 시간, 장소, 이유, 방법을 나타내는 부사를 말한다.

❶ when

'언제'라는 의미로 시간을 묻는 부사이다.

When did you come home from London? 언제 런던에서 돌아왔니?

❷ where

'어디에서, 어디로'라는 의미로 장소를 묻는 부사이다.

Where did you go yesterday? 어제 어디 갔었니?

❸ why

'왜'라는 의미로 이유를 묻는 부사이다.

Why were you late? 왜 늦었니?

❹ how

'어떻게, 어떤 상태로'라는 뜻으로 방법, 상태, 수단을 묻는 부사이다.

How do you come to your work every morning? 매일 아침 어떻게 출근하니?

How is the patient today? 오늘 환자 상태는 어떠니?

③ 관계부사

관계부사는 두 문장을 연결하는 접속사 역할을 하면서 부사를 대신하는 말이다.

the time when ~	~하는 시간	the place where ~	~하는 장소
the reason why ~	~하는 이유	the way (how) ~	~하는 방법

I remember *the day* when I first met you. 나는 너를 처음 만난 날을 기억하고 있다.

This is *the place* where I saw her a couple of days ago. 이곳이 내가 그녀를 2, 3일 전에 만난 곳이다.

Tell me *the reason* why you cannot take on the job. 네가 그 일을 맡을 수 없는 이유를 말해줘.

Show me how you did it. 그걸 한 방법을 보여줘.

03 부사의 역할

부사는 주로 동사, 형용사, 부사를 수식하지만, 명사·대명사, 부사구나 절을 수식하거나 문장 전체를 수식할 수도 있다.

동사 수식	She *sings* beautifully. 그녀는 아름답게 노래한다. He often *tells* a lie. 그는 자주 거짓말을 한다.
형용사·부사 수식	She is very *pretty*. 그녀는 매우 예쁘다. He works very *hard*. 그는 매우 열심히 일한다.
명사·대명사 수식	특정한 부사에 한정된다. Even *a child* can answer it. 어린애라도 대답할 수 있다. Is there *anything* else you would like to buy? 그밖에 더 사고 싶은 건 없니?
구·절 수식	The traffic is heavy here, especially *in the morning*. 여기는 특히 오전에 교통이 혼잡하다. He died soon *after the doctor came*. 그는 의사가 온 직후에 숨을 거두었다.
문장 전체 수식	Happily *he didn't die*. 다행스럽게도 그는 죽지 않았다. *cf.* He didn't *die* happily. 그는 행복하게 죽지 못했다.

Review Test 04

《해답 427쪽》

다음을 영어로 쓰세요.

1. 그는 매우 명석하지만, 열심히 일하지 않는다.
2. 다행히 아무도 다치지 않았다.
3. 우리 언제 어디서 점심을 먹을까?
4. 샘이 어디서 태어났는지 아니?

 Tips

가본 의문사(의문대명사·의문부사)는 두 가지 용법이 있다.
　① 의문문에서 문장 앞에 쓴다.
　② 간접의문문을 만든다.

풀이 2. '다행히(luckily)'는 문장 전체를 수식하는 부사. 문장 앞에 쓰면 된다. '다치다'는 'be hurt'라고 수동태로 나타낸다.
　3. '우리 ~할까요?'는 Shall we ~?
　4. 뒷부분을 where로 시작하는 간접의문문으로 만든다.

04 부사의 위치

문장에서 부사의 위치는 비교적 자유롭지만, 다음과 같은 원칙이 있다.

1 동사를 수식하는 부사의 위치

❶ 방법·상태를 나타내는 부사

방법·상태부사는 자동사를 수식하는 경우 그 뒤에 쓰며, 타동사를 수식하는 경우에는 목적어 뒤에 쓴다.

He *spoke* loudly. 그는 큰 소리로 말했다. ···〈동사+부사〉

He speaks *English* fluently. 그는 유창하게 영어를 한다. ···〈동사+목적어+부사〉

☞ 목적어가 긴 경우에는 부사를 동사와 목적어 사이에 쓸 수도 있고, -ly로 끝나는 부사는 동사 앞에 쓰기도 한다.
I hear faintly *the voice of her children*. 그녀 아이들 목소리가 희미하게 들린다.
He happily *took* my advice. 그는 다행히도 내 의견을 따랐다.

❷ 장소를 나타내는 부사

장소부사는 자동사를 수식하는 경우 그 뒤에 쓰며, 타동사를 수식하는 경우에는 목적어 뒤에 쓰는 것이 일반적이다.

He *died* here. 그는 여기서 죽었다. ···〈동사+부사〉

I bought *it* in New York. 나는 그것을 뉴욕에서 샀다. ···〈동사+목적어+부사〉

☞ in New York과 같은 전치사구는 문장에서 부사로 쓰인다. home(집에, 집으로), abroad(외국에, 외국으로)는 부사이므로 앞에 전치사를 쓰지 않는다.

❸ 시간을 나타내는 부사

시간부사는 문장 끝에 쓰는 것이 일반적이다. 문장 앞에 쓰는 경우 의미가 강조된다.

I met her at school yesterday. 나는 어제 학교에서 그녀를 만났다.

Yesterday I met her at school. 어제 나는 학교에서 그녀를 만났다.

☞ before, early, late, immediately는 보통 문장 앞에는 쓰지 않는다.
I watched the show several times before. 나는 전에 그 공연을 여러 번 봤다.

❹ 빈도·부정을 나타내는 부사

빈도부사나 부정부사는 일반동사 앞, be동사·조동사 뒤에 쓰는 것이 원칙이다.

He often *comes* to see me. 그는 자주 나를 보러 온다. ···〈일반동사 앞〉

He rarely *writes* to me. 그는 나에게 거의 편지하지 않는다. ···〈일반동사 앞〉

He *is* always late for school. 그는 항상 지각한다. …〈be동사 뒤〉

I *cannot* sometimes concentrate on my study. 나는 가끔 공부에 집중할 수 없다. …〈조동사 뒤〉

☞ not, never, always 등이 부정사를 수식하는 경우에는 그 앞에 쓴다.
He decided not *to sell* his car. 그는 차를 팔지 않기로 했다.

2 형용사·부사·구·절을 수식하는 부사의 위치

이 경우 부사는 수식하는 말 바로 앞에 쓴다.

Your answer is very *good*. 네 대답은 아주 훌륭하다. …〈형용사 수식〉

He speaks very *slowly*. 그는 매우 느리게 말한다. …〈부사 수식〉

His speech was much *to the point*. 그의 연설은 매우 간단명료했다. …〈구 수식〉

Father came home just *when we finished supper*. 아버지는 저녁식사를 막 끝냈을 때 돌아오셨다. …〈절 수식〉

☞ enough는 형용사·부사 뒤에 쓴다.
This bed is *large* enough to hold three people. 이 침대는 세 사람이 누울 수 있을 만큼 크다.
You do your job *well* enough. 너는 일을 아주 잘 해내고 있다.

3 명사·대명사를 수식하는 부사의 위치

명사나 대명사를 수식하는 부사는 보통 그 명사·대명사 바로 앞에 쓰지만, alone, also, else 등은 명사 바로 뒤에 쓴다. 명사 앞에 부사를 쓰는 경우 관사 등은 부사와 명사 사이에 쓴다.

He is quite *a* scholar. 그는 대단한 학자이다.

Only *he* came.(=He only) 오직 그만이 왔다.

참고

only는 동사뿐만 아니라 명사·대명사도 수식하는 특수한 부사다.

① He only answered that question.
② Only he answered that question.
③ He answered only that question.

①은 '그는 그 문제에 답만 했다.(그 이외 다른 것은 안 했다.)'의 의미이지만, only가 앞에 있는 He를 수식한다고도 말할 수 있다. 그러면 ②와 같아져서 '그만이 그 문제에 대답했다. (다른 사람은 대답하지 못했다.)'라는 의미가 된다. ③은 '그는 그 문제에만 대답했다. (다른 문제에는 대답하지 않았다.)'라는 의미이다.

이렇게 보면 ①, ②의 구별이 애매한데 회화에서는 ①문장에서 He에 강세가 놓이면 ②와 같은 의미이고, that에 강세가 놓이면 ③과 같은 의미가 된다.

4 문장 전체를 수식하는 부사의 위치

문장 수식 부사의 위치는 비교적 자유롭지만, 보통 문장 앞·일반동사 앞이나 be동사·조동사 뒤에 쓰는 게 보통이다.

Perhaps, I was mistaken. 아마 내가 오해한 것 같다.
= I was, perhaps, mistaken.
= I was mistaken, perhaps.

Fortunately, the weather was fine. 다행스럽게도 날씨가 좋았다.
= The weather was fine, fortunately.

Incidentally, he is just like you. 그건 그렇고, 그는 너를 빼닮았다.
= He is, incidentally, just like you.

5 부사가 여러 개 있는 경우의 어순

둘 이상의 부사를 연달아 쓸 경우에는 '장소부사＋상태부사＋시간부사' 순으로 쓴다.
We will send this package there tomorrow. 우리는 이 소포를 내일 그곳으로 보내겠다.
It rained here heavily yesterday. 어제 이곳에 세차게 비가 왔다.

같은 종류의 부사를 연달아 쓸 경우에는 작은 단위부터 먼저 쓴다.
He is staying at a hotel by the lake in the village. 그는 그 마을의 호수 옆 호텔에 묵고 있다. …〈장소부사〉
I am supposed to take the flight at five o'clock tomorrow. 내일 5시에 비행기를 타기로 했다. …〈시간부사〉

6 주의해야 할 부사의 위치

❶ 타동사＋부사

'타동사＋부사' 형태로 이루어진 이어동사는 목적어가 명사면 부사 앞이나 뒤에 쓸 수 있지만, 목적어가 대명사이면 반드시 '타동사＋목적어＋부사' 형태로 써야 한다.
Put on *your hat*. = Put *your hat* on. 모자를 써라.
Put *it* on. 그걸 써라.

❷ 강조를 위해 문장 앞에 쓰는 부사

의미를 강조하기 위해 부사를 문장 앞에 쓰는 경우 '동사＋주어' 형태로 도치가 일어난다. ⸢→ 389쪽 참조⸥

The ball went away **like an arrow.** 공은 화살처럼 날아갔다.

Away *went the ball* **like an arrow.**

☞ 주어가 대명사인 경우에는 '부사+주어+동사' 어순이다.

Off **went John.** 존은 떠났다.

Off **they went.** 그들은 떠났다.

《해답 427쪽》

Review Test 05

( ) 안의 부사를 문장의 알맞은 자리에 넣으세요.

1. This seems strange to us. (quite)

2. Jim is old to go to school. (enough)

3. He would sit up late. (sometimes)

4. She died after the trip. (soon)

5. I refused the offer. (foolishly)

기본 부사의 위치에 관해서는 다음의 원칙을 잘 알아두어야 한다.
① 형용사·부사 또는 구·절을 수식하는 부사는 그 앞에 쓴다.
② 빈도부사는 일반동사 앞, be동사나 조동사의 뒤에 쓴다.

풀이 1. strange를 수식한다.
2. enough는 수식하는 형용사·부사 뒤에 쓴다.
3. sometimes는 빈도부사, would는 과거의 습관을 나타내는 조동사.
4. after the trip이라는 구를 수식한다.
5. foolishly는 문장 전체를 수식하는 부사.

05 주의해야 할 부사의 용법

1 very와 much의 용법

very	형용사·부사 수식, 형용사로 쓰는 현재분사(boring, interesting)나 과거분사(tired, surprised) 수식
much	동사 수식, 과거분사 수식, 형용사·부사의 비교급 수식, 형용사의 최상급 수식

He is very *tall*. 그는 매우 키가 크다. ···〈형용사 수식〉

Today I heard a very *surprising* news. 오늘 나는 매우 놀라운 소식을 들었다. ···〈현재분사 수식〉

I am very *tired*. 나는 매우 피곤하다. ···〈과거분사 수식〉

He is much *taller* than she. 그는 그녀보다 훨씬 키가 크다. ···〈비교급 수식〉

He is much *the tallest* boy in his class. 그는 자기 반에서 단연 키가 가장 큰 학생이다. ···〈최상급 수식〉

주의 very는 비교급이나 최상급을 수식할 수 없지만, the very는 최상급을 수식할 수 있다.

He wanted the very *best* quality. 그는 단연코 최고의 품질을 원했다.

Q 형용사의 원급은 very가 수식한다고 했으니까 다음 문장은 틀렸나요?
① He was much afraid of the dog.
② The house is much different from that.

A ①은 '그는 그 개를 무척 무서워했다.' ②는 '그 집은 저 집과 무척 다르다.'라는 의미로 모두 바른 문장입니다. 원칙적으로 원급은 very가 수식하지만, afraid, alike, aware와 같은 서술적 용법으로만 쓰이는 형용사에는 much를 씁니다.

different의 경우는 very different로도 좋지만 의미상 둘 이상의 것을 비교하는 것이므로 비교급으로 취급하여 much를 쓰는 겁니다.

2 ago와 before의 용법

ago	현재를 기준으로 '지금부터 ~전에'라는 뜻으로 과거시제와 함께 쓴다.
before	과거를 기준으로 '그때보다 ~전에'라는 뜻으로 과거완료시제와 함께 쓴다.

Father *died* five years ago. 아버지는 5년 전에 돌아가셨다.

When I got to the station, I found that the express *had started* half an hour before.
역에 도착해 보니까 급행열차는 이미 30분 전에 떠나버렸다.

before가 단독으로 쓰이면 '이전에'라는 의미로 시제에 구애받지 않는다.

I have seen it before. 전에 그것을 본 적이 있다.

☞ since는 '그 후 줄곧'이라는 의미로 보통 현재완료시제와 함께 쓰지만, ago의 의미로 과거시제와 함께 쓸 수도 있다.
　I *have* never *consulted* the doctor since. 나는 그 이후로 의사의 진찰을 받은 적이 없다.
　He *died* many years since. 그는 수년 전에 죽었다.

3 already, yet, still의 용법 <small>(→ 75쪽 참조)</small>

already	긍정문에서 '이미, 벌써'라는 의미로 쓴다.
yet	부정문에서 '아직', 의문문에서는 '벌써'라는 의미로 쓰인다.
still	주로 긍정문·의문문에서 '아직도 ～하다'라는 의미로 쓰인다.

The moon has already **risen.** 달은 이미 떴다.

A: **Has he done it** yet? 그가 벌써 그걸 다 했니?

B: **No, (he has) not (done it)** yet. 아뇨, 아직 못했어.

He is still **asleep.** 그는 아직 자고 있다.

Is he still **alive?** 그는 아직 살아 있니?

☞ already가 의문문에 쓰이면 의외·놀람을 나타낸다.
　Is he back already? 그가 벌써 돌아왔니?

4 too와 either의 용법

too	긍정문에서 '～도 또한'이라는 의미로 쓰인다.
either	부정문에서 '～도 또한 (아니다)'이라는 의미로 쓰인다.

If you go there, I'll go, too. 네가 거기 가면 나도 가겠다.

If you don't go there, I'll not go, either. 네가 거기 가지 않으면 나도 가지 않겠다.

5 once와 ever의 용법

once	'이전에 한 번'이라는 의미로 긍정문에 쓰인다.
ever	'전에'라는 의미로 의문문에 쓰인다. 부정문에는 never를 쓴다.

I once lived in London. 나는 전에 런던에 산 적이 있다.

A: Have you ever been to America? 미국에 가본 적 있니?

B: No, I have never been there. 아니, 한 번도 없어.

☞ once는 '한 번'이라는 의미도 있으며 이 경우에는 주로 문장 끝에 쓰인다. '이전에'라는 의미로 쓰이는 경우에는 be동사 뒤,
동사 앞 또는 문장 앞에 쓰일 때가 많다.
He have been there once. 그는 거기에 한 번 간 적이 있다.

6 little과 a little의 용법 <small>(⋯ 280쪽 참조)</small>

little	거의 ~하지 않는 〈부정적 의미〉
a little	조금 ~하는 〈긍정적 의미〉

Last night he slept little. 어젯밤 그는 거의 못 잤다.
Last night he slept a little. 어젯밤 그는 조금 잤다.

지각이나 인식을 나타내는 동사(think, realize, know, dream, imagine, expect) 앞에 little을 쓰면 '전혀 ~
아니다(않다)'라는 강한 부정의 의미를 나타낸다.
I little *thought* that he would die so soon. 그가 그렇게 빨리 죽으리라곤 전혀 생각지 못했다.

이 경우 little을 강조하기 위해 문장 앞에 쓰면 도치가 일어난다.<small>(⋯ 389쪽 참조)</small>
Little *did I* know that you were here. 네가 여기 있을 줄 전혀 몰랐다.

7 hardly, scarcely와 seldom, rarely의 용법 <small>(⋯ 409쪽 참조)</small>

hardly, scarcely	'거의 ~않다'라는 의미로 정도나 양이 극히 적다는 것을 나타낸다.
seldom, rarely	'좀처럼 ~않다'라는 의미로 빈도가 극히 낮다는 것을 나타낸다.

He hardly sleeps when he's busy. 그는 바쁠 때는 거의 안 잔다.
I scarcely know him. 나는 그를 거의 모른다.

It rarely rains in this part of the continent. 대륙의 이 지역에는 좀처럼 비가 안 온다.
They seldom have coffee at night. 그들은 밤에 좀처럼 커피를 안 마신다.

《해답 427쪽》

다음을 영어로 쓰세요.

1. 그는 정확히 한 시간 전에 여기 있었다.

2. A: 벨이 벌써 울렸니?

   B: 그래, 이미 울렸어.

3. 내 자전거는 네 것보다 훨씬 좋다.

4. 나는 그가 실패할 줄은 꿈에도 생각하지 못했다.

5. 나는 그걸 도저히 믿을 수 없다.

가문 형태, 의미, 용법이 비슷한 부사의 용법에 주의한다.

풀이 1. '정확히' → just
3. 비교급은 much가 수식한다.
4. '꿈꾸다(dream)'를 부정할 때는 little을 사용할 수 있다.
5. '도저히 ~할 수 없다' → hardly

Chapter **13**
Exercise

A 다음을 영어로 쓰세요.

1. 지구 표면(face)의 3분의 2는 바다로 덮여 있다.

2. 1년은 365일이지만, 윤년(leap-year)은 366일이다.

3. 인생은 20대에 결정된다고 한다.

4. 매년 수만 명이 교통사고로 죽는다.

Tips

1. '~로 덮여 있다' → be covered with

3. '결정되다' → be decided

4. '수만 명' → tens of thousands of

B 문장 끝에 있는 ( ) 안의 말을 쓰려면 어디가 적당한지 번호를 쓰세요.

1. He ① called ② on ③ me during his stay in Paris. (often)

2. ① The prisoner escaped ② being killed. (luckily)

3. The father ① is ② scolding ③ his children. (always)

4. He has ① as ② many books ③ as I have. (three times)

5. I have no friends else. ① You are ② my friend. (only)

6. I had all the parts, but I couldn't put ① together ②. (them)

1. 빈도부사는 일반동사 앞, be동사·조동사 뒤에 쓴다.

2. luckily(운 좋게)는 문장 전체를 수식하는 부사.

6. put together(종합하다)가 '동사+부사' 형태인 것에 주의한다.

C 다음 영문의 틀린 곳을 고치세요.

1. The war broke out in March. About three months ago my brother had been born.

2. He got up lately this morning.

3. I am very thirsty. Give me hot something to drink.

4. There are eight hundreds pupils in our school.

5. There are times when everyone feels a little sadly.

1. ago에 주의. 과거를 기준으로 과거완료와 함께 쓰는 것은 before(그때보다 이전)이다.

   break out(일어나다)

2. lately(최근에) / late(늦게)의 의미의 차이에 주의한다.

3. hot의 위치에 주의한다.

5. feel 뒤에는 보어로 쓰일 수 있는 형용사가 와야 한다.

13
형용사와 부사

D ( ) 안에서 알맞은 말을 고르세요.

1. (A young, The young, A young man) are not necessarily wrong in doing such a thing.

2. The party was amusing (first, firstly, at first), but gradually it became boring.

3. They are all men of high position, so they should be treated (respectfully, respectively, respectably).

4. He is a little idle, while his brother is very (diligence, diligent, diligently).

5. (What, How, When) is the weather like today?

6. The Government, (much, very, about) worried with questions, withdrew the motion.

Tips

1. 동사가 복수형이다.
3. of high position(높은 지위의)
6. 뒤에 과거분사가 쓰인 것에 주의한다.

E 다음을 우리말로 옮기세요.

1. You know how people get anything in this world. They work for it. You can understand that, even if you are a girl.

2. If the Englishman has very little artistic sense, he has a very profound poetic sense. The two are by no means the same thing.

3. Indeed, it is unlikely that any human organization could either be formed or long maintained without language. Certainly, in the absence of communication, the complex structure of modern society would be utterly impossible.

1. 첫 문장은 간접의문문이다.
2. little은 부정적인 의미를 나타낸다. by no means(결코 ~아니다)
3. 문장 전체를 수식하는 부사 indeed, certainly에 주의한다. could, would에 관해서는 Chapter 9 가정법(187쪽) 참조.

Chapter

14

비교

01 원급, 비교급, 최상급

형용사나 부사는 성질, 상태, 수량 등의 정도의 차이를 나타내는 경우에 어형 변화를 한다. 이것을 비교(Comparison)라고 한다.

비교 변화에서 다른 것과 비교하지 않은 형용사·부사의 원래의 형태를 원급(Positive Degree), 둘을 비교해서 한 쪽이 다른 쪽보다 정도가 높거나 낮다는 것을 나타내는 형태를 비교급(Comparative Degree), 셋 이상의 것을 비교해서 어느 하나가 다른 것들보다 정도가 가장 높거나 가장 낮다는 것을 나타내는 형태를 최상급(Superlative Degree)이라고 한다. 형용사의 최상급에는 정관사 the를 붙인다.

① 원급: **He is** tall. 그는 키가 크다.

② 비교급: **He is** taller **than Tom.** 그는 톰보다 키가 크다.

③ 최상급: **He is the** tallest **of all.** 그는 모두 중에 키가 가장 크다.

비교급, 최상급을 만드는 경우 일정한 규칙에 의해 만들어지는 것(규칙 변화)과 그렇지 않은 것(불규칙 변화)이 있다.

1 규칙 변화

형용사·부사의 원급의 어미에 -er, -est를 붙이는 것과 원급 앞에 부사 more, most를 붙이는 것이 있다.

❶ 원급의 어미에 -er, -est를 붙이는 것

대부분의 1음절어와 -er, -le, -ly, -ow, -some 등으로 끝나는 2음절어에는 -er, -est를 붙인다.

1. 대부분은 그대로 -er, -est를 붙인다.

   long(긴, 오랜) – longer – longest   clever(영리한) – cleverer – cleverest

   narrow(좁은) – narrower – narrowest   fast(빠른, 빠르게) – faster – fastest

2. 소리 나지 않는 -e로 끝나는 말은 어미에 -r, -st를 붙인다.

   large(큰) – larger – largest   noble(고상한) – nobler – noblest

3. '단모음+단자음'으로 끝나는 말은 자음 글자를 한 번 더 쓰고 -er, -est를 붙인다.

   big(큰) – bigger – biggest

4. '자음+y'로 끝나는 말은 y를 i로 고치고 -er, -est를 붙인다.

   easy(쉬운) – easier – easiest   lovely(귀여운) – lovelier – loveliest

❷ 원급 앞에 more, most를 붙이는 것

어미가 -ful, -less, -ive, -ing, -able, -ous 등의 2음절어, 3음절 이상의 형용사, -ly로 끝나는 부사에
는 원급 앞에 more, most를 붙인다.

useful(유용한) – more useful – most useful
difficult(어려운) – more difficult – most difficult
kindly(친절하게) – more kindly – most kindly

> **주의** early(빠른, 빨리)는 earlier, earliest로 활용하므로 예외이다.

비교는 정도의 차이를 나타내므로 정도의 차이와 관계없는 only(유일한), main(주요한), perfect(완전한),
all(모든), favorite(매우 좋아하는), quite(완전히), always(항상) 등의 형용사나 부사는 비교 변화가 없다.

2 불규칙 변화

소수의 형용사·부사에 한정되므로 암기해 두는 게 좋다.

원급	비교급	최상급	원급	비교급	최상급
good(좋은) well(건강한, 잘)	better	best	many 수가 많은 much 양이 많은	more	most
bad(나쁜) badly(나쁘게, 심하게) ill(아픈)	worse	worst	little 양이 적은	less	least

3 두 가지 비교급·최상급을 가진 것

far, late, old 등은 의미의 차이에 따라 다음과 같은 두 가지 비교급·최상급이 있다.

원급	비교급	최상급	
far(먼, 멀리)	farther	farthest	〈거리〉
	further	furthest	〈정도〉
late(늦은, 늦게)	later	latest	〈시간〉
	latter	last	〈순서〉
old(늙은, 손위의)	older	oldest	〈나이〉
	elder	eldest	〈형제〉

Busan is farther from Seoul than Daegu is. 서울에서 부산의 거리는 서울에서 대구 거리보다 멀다.
I have nothing further to say. 나는 더 할 말이 없다.

My second elder brother woke up later than usual. 둘째 형은 평소보다 늦게 일어났다.
I think the latter proposal is better than the former. 후자의 제안 쪽이 전자의 제안보다 좋은 것 같다.

Father is older than Mother by five years. 아버지는 어머니보다 5살 연상이다.
Tom is my elder brother. 톰은 나의 형이다.

> **주의** elder, eldest는 한정용법으로만 쓰인다. 또한 미국영어에서는 형제자매의 나이를 비교하는 경우에도 elder, eldest 대신에 older, oldest가 많이 쓰인다.

Review Test 01

《해답 428쪽》

다음 단어의 비교급, 최상급을 쓰세요.

1. nice   2. pretty   3. bravely   4. famous

5. important   6. fat   7. easily   8. ill

> **가본** 2음절 단어에 주의한다. -er, -est를 붙이지 않는 말도 많다.
> more, most를 붙이는 말: ① -ful, -less, -ive, -ing, -able, -ous로 끝나는 말.
>   ② -ly로 끝나는 부사
>   ※ early는 예외
>
> **풀이** 2. '자음+y'로 끝나는 말.   3. -ly로 끝나는 부사.
>   4. -ous로 끝나는 말.   5. 3음절어.
>   6. '모음 글자+자음'으로 끝나는 말.   7. -ly로 끝나는 부사.
>   8. 불규칙 변화.

02 원급 비교

둘을 비교해서 둘 사이에 차이가 없는 경우에는 원급을 이용한 비교표현을 쓴다. 원급 비교는 보통 'as+원급+as' 형식으로 쓰며 동등 비교라고도 한다.

1 A ~ as+원급+as B

❶ A ~ as+원급+as B.

as를 형용사·부사의 원급 앞에 쓰고 뒤에 접속사 as를 써서 비교하는 대상을 연결하면 'A는 B만큼 ~하다(A=B)'라는 둘 사이의 정도가 같음을 나타낼 수 있다.

This is as *big* as that. 이것은 저것만큼 크다.

He has about as *many* books as I. 그는 나만큼 많은 책을 가지고 있다.

Does she study as *hard* as you? 그녀는 너만큼 열심히 공부하니?

> **주의** 'as+형용사+a(an)+명사+as A' 어순에 주의한다. 원급을 이용하는 비교 표현에서 형용사가 셀 수 있는 명사 단수형을 동반하는 경우 어순에 주의해야 한다.
>
> Tom is as *diligent a student* as Paul. 톰은 폴만큼 착실한 학생이다.
>
> 앞에 쓰인 as는 부사로 형용사를 수식하므로 형용사 diligent를 as 바로 뒤에 써야 한다.

❷ A ~ not as(so)+원급+as B.

'A as+원급+as B'의 부정문으로 'A는 B만큼 ~하지 않다(A<B)'라는 의미를 나타낸다.

Jim is not as(so) *tall* as Tom. 짐은 톰만큼 키가 크지 않다.

He cannot run as(so) *fast* as you. 그는 너만큼 빨리 달릴 수 없다.

> **주의** so는 부정문에만 쓰이지만, 구어에서는 부정문에도 as를 쓰는 것이 일반적이다.

❸ A ··· 배수사+ as ~ as B.

차이가 몇 배인지를 나타내는 표현을 배수 표현이라고 하며 as ~ as 앞에 배수나 분수를 써서 'A는 B보다 ···배 더 ~하다(A>B)'라는 의미를 나타낸다.

India is ten times as *large* as Korea 인도는 한국보다 10배 더 크다.

He earns twice as *much money* as you (do). 그는 너보다 돈을 두 배나 더 번다.

> **참고**
>
> '2분의 1'은 half as ~ as, '4분의 1'은 quarter as ~ as를 쓴다. 두 배인 경우에는 two times가 아니라 twice as ~ as를 쓰는 것이 일반적이다.
>
> I am half as *old* as my mother. 내 나이는 어머니 나이의 절반이다.

14

비교

2 원급 비교를 쓰는 중요 표현

❶ as+원급+as possible(=as+원급+as one can): 가능한 한 ~

이 구문에서 one은 주어에 맞춰 적당한 인칭대명사를 쓰며, 과거시제인 경우 can은 시제를 일치시켜 could를 쓴다.

Make the room as *dark* as possible. 가능한 한 방을 어둡게 해라.

= Make the room as *dark* as you can.

❷ as+원급+as any A(단수명사): 어느 A 못지않게 ~

원급의 이용해서 최상급과 같은 의미를 나타내는 형식이다.

She works as *hard* as any student in this class. 그녀는 이 학급에서 누구 못지않게 열심히 공부한다.

An airplane can fly over a dense forest as *easily* as anywhere else.
비행기는 밀림 위를 다른 어떤 곳 못지않게 쉽게 비행할 수 있다.

❸ as+원급+as ever: 변함없이, 여전히

He is as *poor* as ever. 그는 여전히 가난하다.

☞ ever 뒤에 동사의 과거형을 쓰면 as ~ as any와 같이 최상급의 내용을 표현할 수 있다.
He is as strong a man as ever *lived*. 지금까지 그보다 힘이 센 남자는 없었다.

❹ Nothing(No+명사)+동사+so+원급+as A.: 어떤 …도 A만큼 ~아니다(않다), A만큼 ~인 것은 없다

원급을 이용해서 최상급과 같은 의미를 나타내는 형식이다.

Nothing is so *pleasant* as traveling. 여행만큼 즐거운 것은 없다.

= Traveling is the most pleasant.

No (other) *animal* is so *large* as a whale. 고래만큼 큰 동물은 없다.

= A whale is the largest animal of all.

❺ not so much A as B: A라기보다는 B이다

He is not so much a scholar as a writer. 그는 학자라기보다는 작가다.

= He is a writer rather than a scholar.

☞ not so much as ~는 '~조차 없다(않다)'라는 의미이다.
He cannot so much as write his own name. 그는 자기 이름조차 쓸 수 없다.

❻ A as well as B: B뿐만 아니라 A도, B와 같이 A도

이 경우 A와 B는 반드시 문법상 같은 종류의 것이어야 한다. 또한 〈A as well as B〉 구문은 'not only B but also A'로 바꿔 쓸 수 있다.

He plays *tennis* as well as *pingpong*. 그는 탁구뿐만 아니라 테니스도 잘 한다.
= He plays not only *pingpong* but also *tennis*.

> **주의** A와 B가 다른 종류면 'B와 같이 잘 ~'이란 의미가 된다.
> He plays tennis as well as she. 그는 그녀만큼 테니스를 잘 한다.

《해답 428쪽》

 **02**

다음을 영어로 쓰세요.

1. 나는 뉴욕만큼 파리도 좋아한다.
2. 톰의 차는 그의 아버지 차만큼 빨리 달리지 못한다.
3. 가능한 한 빨리 집에 오거라.
4. 그는 내가 산 것보다 2배나 비싼 휴대폰 샀다.
5. 이 학급에서 어떤 소년도 톰만큼 키가 크지 않다.

> **기본** 정도가 같다는 것을 나타낼 때는 as ~ as, 같지 않다는 것을 나타낼 때는 not as(so) ~as를 쓴다.
>
> **풀이** 1. '정도가 같다'는 as much as를 쓴다.
> 2. '…만큼 ~아니다'는 not as(so) ~ as를 쓴다.
> 3. '가능한 한 ~'은 as ~ as one can(possible)을 쓴다.
> 4. '두 배'는 twice as ~ as 형식으로 쓰는 것이 일반적이다.
> 5. 'No (other)+단수명사 ~ as(so)+원급+as …' 형식으로 최상급의 내용을 표현할 수 있다.

03 비교급 비교

1 비교급의 기본 용법

둘의 차이를 비교해서 한 쪽이 다른 쪽보다 '더 ~하다(우등 비교)' 또는 '덜 ~하다(열등 비교)'라는 정도가 높거나 낮음을 나타내는 것으로 '…보다'라는 의미의 접속사 than과 함께 쓰인다.

❶ A ~+비교급+than B.: A는 B보다 더 ~하다.

Tom is younger **than Bob.** 톰은 밥보다 어리다.

The sun shines more brightly **than the moon.** 태양은 달보다 밝게 빛난다.

> 주의 than 뒤에 대명사만 쓸 경우 구어에서는 주어인 경우에도 주격이 아닌 목적격을 쓰는 경우가 많다. 그러나 대명사 뒤에 동사나 조동사가 오는 경우에는 주어가 되어야 하므로 주격을 써야 한다.

❷ A ~+less+원급+than B.: A는 B보다 덜 ~하다

열등 비교를 나타내고 문어적인 표현이다.

The heat was less *intense* **than the day before.** 더위는 전날보다 덜했다.

> ☞ 구어에서는 같은 의미를 나타내는 not as(so) ~ as …를 쓴다.
> The heat was not as(so) *intense* as the day before.

2 주의해야 할 비교급의 용법

❶ 비교급의 강조

비교의 의미를 강조할 때는 very를 쓰지 않고 much, far, by far, a little 등을 쓴다.(… 295쪽 참조)

Jane is much *taller* **than you (are).** 제인은 너보다 키가 훨씬 크다.

Will you please wait a little *longer*? 조금만 더 기다려 줄래?

> ☞ 수량을 나타내는 말을 비교급 앞에 써서 강조할 수도 있다.
> The country is ten times *larger* than ours. 그 나라는 우리나라보다 10배 더 크다.

❷ than 대신 to를 쓰는 비교급

라틴어에서 유래한 junior(연하의), senior(연상의), inferior(열등한), superior(우수한) 등 -(i)or로 끝나는 말은 비교급에서 than 대신에 전치사 to를 쓴다.

Jim is three years junior **to me.** 짐은 나보다 세 살 어리다.

He is far superior to Tom in strength. 그는 힘에서 톰보다 훨씬 낫다.

☞ 동사 prefer도 prefer A to B 형식으로 'B보다 A를 좋아한다.'라는 의미로 쓰인다.
   I prefer summer to winter. 나는 겨울보다는 여름을 좋아한다.

❸ more+A(원급)+than+B(원급)

'A라기보다 오히려 B(=rather B than A)'라는 의미로 같은 사람 또는 사물이 가진 서로 다른 성질을 비교할 때는 형용사의 음절에 관계없이 보통 'more+원급+than ~' 형식을 쓴다.

She is more *shy* than *unsociable*. 그녀는 비사교적이기보다는 부끄럼을 타는 편이다.

Washington seemed more like *a park* than *a city* to the visitors.
워싱턴은 그 방문자들에게는 도시라기보다는 공원처럼 보였다.

❹ the를 붙이는 비교급

비교급 앞에는 the를 쓰지 않지만 다음과 같은 경우에는 the를 붙인다.

1. the+비교급+of the two

   of the two가 비교급을 한정해 주는 역할을 하므로 비교급 앞에 정관사 the를 붙인다.

   This is the *heavier of the two parcels*. 그 둘 중에 이 소포가 더 무겁다.

2. the+비교급+주어+동사, the+비교급+주어+동사

   '…하면 할수록 더욱더 ~하다'라는 의미를 나타낸다. 이때의 the는 정관사가 아니고 부사로 앞의 the는 '…할수록', 뒤의 the는 '그만큼 ~'라는 의미이다. 보통 원인이나 이유를 나타내는 절(종속절)을 앞에 쓰고, 결과를 내는 절(주절)을 뒤에 쓴다.

   The more **you learn English,** the more **interesting you will find it.**
   영어를 공부하면 할수록 점점 더 재미있다는 것을 알게 될 것이다.

   The higher **we go up in the air,** the colder **it becomes.** 높이 오르면 오를수록 점점 추워진다.

   ☞ 이 구문에서는 '주어+동사'가 생략되기도 한다.
      The sooner, the better. 빠르면 빠를수록 좋다.
      The more, the better. 많으면 많을수록 좋다.

      '주절+종속절'로 쓸 수도 있다. 이 경우 'the+비교급'이 원래 위치로 돌아갈 수도 있다.
      The cooler it becomes, the higher you go up. = It becomes (the) cooler, the higher you go up.
      ___결과___   ___원인___

   '…할수록 점점 더 ~'는 as와 비교급을 이용해서 쓸 수도 있다.

   As we climbed higher, we noticed there were fewer trees.
   높이 올라갈수록 나무가 점점 적어진다는 것을 알았다.

   As you go down, the water gets colder. 아래로 내려갈수록 물은 점점 차가워진다.

3. the+비교급+원인·이유를 나타내는 구(절)

'(all) the+비교급+because절(for+명사구)'는 '…때문에 더욱더 ~하다'라는 의미를 나타낸다.

She loved her son all the more because *he was honest.*
그녀는 아들이 정직하기 때문에 더욱 사랑했다.

She got (all) happier for *her marriage* with him. 그녀는 그와 결혼했기 때문에 더욱 행복해졌다.

☞ none the+비교급+because절(for+명사구)'은 '…하다고 해서 그만큼 ~한 것은 아니다'라는 의미를 나타낸다.
He is none the happier for his wealth. 그는 재산이 많지만 그만큼 행복한 것은 아니다.
She loves him none the less because he has a lot of faults. 그에게 결점이 많지만 그래도 그녀는 그를 사랑한다.

❺ 절대 비교급

비교의 대상이 분명한 비교급을 상대 비교급이라고 하며 대부분의 비교급 용법이 여기에 속한다. 이에 비하여 특정한 비교 대상이 없이 전체 중에서 '~한 쪽'이라는 의미로 막연한 정도의 차이를 나타내는 비교급을 절대 비교급이라고 한다.

He got a chance to have higher education. 그는 고등교육을 받을 기회가 있었다.

☞ the higher(upper) classes(상류계급), the lower classes(하류계급), higher education(고등교육), the lower animals(하등동물)

Q I like him better than you.의 의미는 '① 나는 너보다 그를 더 좋아한다. ② 나는 네가 좋아하는 이상으로 그를 좋아한다.' 중 어느 쪽이 맞나요?

질문 있어요!!

A you는 주격일 수도 목적격일 수도 있으므로 둘 다 맞습니다. 어느 쪽으로 쓰였는지는 문맥으로 판단할 수밖에 없습니다. 회화에서는 him과 you를 강하게 말하면 ①의 의미로, I와 you를 강하게 말하면 ②의 의미가 됩니다. ②의 의미로 분명하게 말하고 싶으면 I like him better than you do.라고 do를 붙이면 됩니다.

《해답 428쪽》

Review Test 03

다음을 영어로 쓰세요.

1. 오늘 그녀는 건강이 어제보다 훨씬 나쁘다.
2. 내일 아침에 너는 더 일찍 와야 한다.
3. 날씨가 따뜻하기보다는 오히려 덥다.
4. 이 스포츠는 더욱 많은 사람들이 참가할 수 있어서 야구보다 낫다.

Tips

기본 무엇과 무엇을 비교할 것인지 분명히 하는 것이 중요하다. 비교 대상은 than 뒤에 쓰지만 생략할 수도 있다.

풀이 1. than 뒤에는 yesterday를 쓴다. '건강이 나쁘다'는 비교급 worse, '훨씬'은 much를 쓴다.
2. 비교 대상이 되는 것이 없으므로 than ~은 생략한다.
3. 같은 물건을 비교하는 것이므로 more를 쓴다.
4. '~보다 낫다'는 superior to를 쓴다.

3 비교급을 쓰는 중요 표현

❶ 비교급+and+비교급

같은 형용사·부사의 비교급을 and로 연결하면 '점점 더 ~'라는 정도가 점점 증가한다는 의미가 된다.

It is getting warmer and warmer. 날씨가 점점 따뜻해진다.

A thicker and thicker crowd surrounded the old man. 사람들이 점점 그 노인 주위로 몰려들었다.

☞ as(~함에 따라)와 함께 쓰일 수도 있고, 비교급을 하나만 써도 정도의 증가를 나타낼 수 있다.

The land got *farther and farther* away as the ship moved out. 배가 떠나감에 따라 육지는 점점 더 멀어졌다.

Night after night the comet grew brighter. 밤마다 그 혜성은 점점 더 밝게 빛났다.

❷ 비교급+than any other+단수명사

than 다음에 'any other+단수명사'를 쓰면 '다른 어떤 …보다 ~'라는 의미가 되므로 최상급의 의미를 나타낼 수 있다.

He is taller than any other *boy* in his class. 그는 반의 다른 어떤 학생보다 키가 크다.

= He is the tallest boy in his class.

The United States grows more oranges than any other *country* in the world.
미국은 세계의 어떤 나라보다 오렌지를 많이 재배한다.

❸ No (other)+단수명사 … +비교급+than A

'A만큼(A보다) ~인 것은 없다'라고 비교급을 이용하여 최상급의 내용을 나타낸다. (→ 306쪽 참조)

No animal is stronger than a lion. 사자보다 강한 동물은 없다.

= No animal is so strong as a lion. = A lion is the strongest of all animals.

Nothing is louder here than the sound of waves. 여기서는 파도 소리만큼 큰 소리는 없다.

❹ no more than(= only): ~에 불과한, 단지 ~

not more than(=at most): 고작, 기껏해야

He has no more than ten books. 그는 책이 겨우 10권에 불과하다.

It is not more than 100 meters to the station. 역까지는 고작 백 미터이다.

❺ no more ... than ~: …가 아닌 것과 마찬가지로 ~아니다

not more ... than ~: …만큼 ~아니다

Swimming is no more difficult than walking is. 걷는 것이 어렵지 않은 것과 마찬가지로 수영도 어렵지 않다.

= Swimming is not difficult any more than walking is.

She is not more diligent than you are. 그녀는 너만큼 부지런하지 않다.

❻ no less than(= as much as): 무려 ~

not less than(=at least): 적어도 ~

He paid no less than 100 dollars. 그는 무려 백 달러나 지불했다.

He paid not less than 100 dollars. 그는 적어도 백 달러는 지불했다.

❼ no less ~ than ...: …에 못지않게 ~한, …만큼 ~한

not less ~ than ...(=perhaps more): …보다 (나을망정) 못하지 않게 ~한

She is no less beautiful than her sister. 그녀는 동생 못지않게 예쁘다.

= She is quite as beautiful as her sister.

She is not less beautiful than her sister. 그녀는 동생 이상으로 예쁘다.

❽ longer를 쓰는 관용 표현

no longer는 '더 이상 ~아니다'라는 의미를 나타낸다.

I am no longer a child. 나는 더 이상 아이가 아니다.

☞ not ~ any longer도 같은 의미로 쓰인다.
   I cannot wait any longer. 나는 더 이상 기다릴 수 없다.

Review Test - 04

〈해답 428쪽〉

다음을 우리말로 옮기세요.

1. The more he was praised, the more enthusiastic he became.

2. As we grow older, there are more and more things to do and more habits to be formed.

3. Iron is more useful than any other metal.

4. A bat is no more a bird than a rat.

기본 모두 비교급을 쓰는 중요 표현이다.

풀이 1. The more ~, the more .... → ~하면 할수록 점점 더 …
  2. As ~ + 비교급... → ~함에 따라 더욱 …
  3. 비교급+than any other ... → 다른 어떤 …보다도 ~ 〈최상급의 내용을 나타냄.〉
  4. no more ~ than.....: 〈주어가〉 ~아닌 것과 같이 …도 ~아니다 〈no more than(=only)과의 차이에 주의〉

최상급 비교

1 기본 용법

최상급은 셋 이상의 것을 비교하여 그 중 어느 하나가 다른 것보다 정도가 가장 높거나 낮다는 것을 나타낸다. 최상급 앞에는 the를 붙이는 것이 원칙이며, 뒤에 전치사 of나 in을 동반하는 경우가 많다.

❶ A ~+최상급+of(in) ....

이 구문은 '…중에 A가 가장 ~하다.'라는 의미를 나타낸다. 보통 부사의 최상급에는 the를 붙이지 않지만 형용사의 최상급에는 the를 붙인다.

최상급 문장에서 비교되는 범위나 대상은 'in+명사(대명사)' 또는 'of+명사(대명사)' 형태로 나타낸다. in 뒤에는 장소나 집단을 나타내는 말을 쓰고, of 뒤에는 수나 복수명사, all 등을 포함하는 말을 쓴다.

Emily is the most diligent girl *in* our class. 에밀리가 우리 반에서 가장 열심이다.

Jim is the youngest *of* the three boys. 짐이 세 소년 중에서 가장 어리다.

❷ one of the 최상급+복수명사

'가장 ~ 가운데 하나'라고 할 때는 최상급 다음에 복수명사를 쓴다.

London is one of the largest cities in the world. 런던은 세계에서 가장 큰 도시 중 하나이다.

He is one of the richest men in the world. 그는 세계에서 가장 부자 중 한 명이다.

❸ the second(third)+최상급

최상급 앞에 서수를 붙여 '몇 번째로 ~'라는 의미를 나타낼 수 있다.

His English is the second best in our class. 그는 우리 반에서 영어를 두 번째로 잘 한다.

What is the third most populous city in Korea? 한국에서 세 번째로 인구가 많은 도시는 어디니?

❹ 최상급의 강조 ⟨… 295쪽 참조⟩

최상급의 의미를 강조하는 말로 much, by far, very 등이 쓰인다. very를 쓰는 경우에는 'the very+최상급+(명사)' 어순으로 써야 한다.

He is much *the cleverest* boy of them. 그들 중 그가 가장 영리한 소년이다.

This is the very *largest hospital* about here. 이 병원이 근처에서 가장 크다.

❺ 동일한 사람이나 사물의 상태를 비교하는 최상급 형용사

동일한 사람이나 사물의 상태를 비교하는 경우 최상급 앞에 the를 붙이지 않는다.

The road is widest about here. 도로는 이 부근이 가장 넓다.

　　cf. This is *the widest* road in this district. 이 도로가 이 지방에서 가장 넓다.

He is happiest when (he is) left alone. 그는 혼자 있을 때가 가장 행복하다.

② 주의해야 할 최상급 표현

❶ the+최상급+명사

'the+최상급+명사'가 even(~라도)과 같은 양보의 의미를 나타낼 경우가 있다. 문장에서 주어로 쓰이는 경우가 많지만, 문맥으로 판단해야 한다.

The largest sum of money cannot buy love. 많은 돈이 있어도 사랑은 살 수 없다.

The brightest student couldn't answer the question. 가장 똑똑한 학생도 그 질문에 대답할 수 없었다.

❷ 절대최상급

다른 것과 비교하지 않고 단순히 의미를 강조하는 최상급 즉 'very+형용사+명사'보다 약간 강한 의미를 나타내는 최상급 표현을 절대최상급이라고 한다. 이 경우 'a most+형용사+단수명사' 'most+형용사+복수명사' 형태로 쓴다.

He was a most brave man. 그는 매우 용감한 사람이었다.

They were most brave men. 그들은 매우 용감한 사람들이었다.

He was most brave. 그는 매우 용감했다.

　☞ 절대최상급에 my, this 등의 말이 붙을 수 있다.
　　Have you ever seen this most wonderful picture? 이렇게 멋진 그림을 본 적이 있니?

③ 최상급을 쓰는 중요 표현

❶ at (the) most: 많아 봐야, 기껏해야 〈부정적인 의미〉
　　at (the) least: 적어도, 최소한

He was nineteen at (the) most. 그는 기껏해야 19살이었다.

It will take at (the) least 30 minutes from here to home. 여기서 집까지 최소한 30분은 걸릴 것이다.

❷ at (the) best: 잘해야, 기껏해야 〈부정적인 의미〉
　　at one's best: 한창 때인, 가장 좋은 상태에

He is an assistant professor at (the) best. 그는 잘해야 조교수다.

The cherry blossoms are at their best. 벚꽃이 지금 한창이다.

❸ make the best(most) of: ~을 최대한 이용하다

Make the best of **your time.** 시간을 최대한 유용하게 써라.

You must make the most of **your opportunities.** 너는 기회를 최대한 활용해야 한다.

☞ make the best of는 '불리한 상황에서 손해를 입지 않도록 최선을 다하다'는 의미로 쓰이며, make the most of는 '최대의 이익을 가져오도록 이용하다'라는 의미로 쓰인다.

❹ the last ... +to부정사: 절대로 ~할 것 같지 않은

He is the last **man** to tell **a lie.** 그는 결코 거짓말할 사람이 아니다.

❺ for the most part

빈도나 비율 등에 관하여 '대부분은, 대개는'이라는 의미로 전체 중에서 적어도 과반이 넘는 비율을 차지한다는 것을 나타낸다.

Those present were, for the most part, **professional scientists.** 참석자들은 대부분 전문 과학자였다.

4 원급·비교급을 쓰는 최상급 표현

원급이나 비교급을 써서 최상급의 의미를 표현할 수 있다.

❶ No (other)+단수명사 ~ as(so)+원급+as ...

'...만큼 ~인 것은 없다'라는 의미로 원급을 써서 최상급의 의미를 나타내는 것이다. 'No (other)+단수명사' 대신에 nothing을 쓸 수도 있다.

No (other) mountain in Korea is as(so) high as **Mt. Beakdu.** 한국에서 백두산만큼 높은 산은 없다.

Nothing is as(so) pleasant as **traveling.** 여행만큼 즐거운 것은 없다.

❷ No (other)+단수명사 ~ 비교급+than ...

'...보다 ~인 것은 없다'라고 비교급을 써서 최상급의 의미를 나타내는 것이다. 'No (other)+단수명사' 대신에 nothing을 쓸 수도 있다.

No (other) mountain in Korea is higher than **Mt. Beakdu.** 한국에서 백두산보다 높은 산은 없다.

Nothing is sweeter than **the rose.** 장미보다 향이 좋은 것은 없다.

❸ A ~비교급+than any other+단수명사

'다른 어떤 …보다도 ~'라는 의미로 비교급을 써서 최상급의 의미를 나타내는 것이다.

Mt. Beakdu is higher than any other **mountain** in Korea. 한국에서 백두산은 어떤 산보다 높다.

 Review Test 05 〈해답 428쪽〉

다음을 우리말로 옮기세요.

1. These clouds make Venus the brightest of the planets.

2. The water is highest during September and lowest in June.

3. By the slightest sound the baby was awakened.

4. That is a most reasonable opinion.

 Tips

개념 최상급을 해석할 때는 다음과 같은 점에 주의한다.
① 양보의 의미를 나타내어 even(~조차도)의 의미로 해석할 때도 있다.
② a most가 a very의 의미를 나타낼 수 있다.

풀이 2. 최상급에 the가 붙지 않은 것은 동일한 사물(the water)에 관한 비교이기 때문이다.
3. even the slightest sound로 보충해서 해석한다.
4. most에 a가 붙어 있으므로 very와 같은 의미로 쓰인 것이다.

| Chapter 14 비교

Chapter 14
Exercise

A 같은 의미가 되도록 ( ) 안에 알맞은 말을 쓰세요.

1. The Amazon is the longest river in the world.
   The Amazon is (　　　) than any (　　　) river in the world.

2. He is the most reliable person I have ever met.
   I have never met (　　　) reliable a person (　　　) he.

3. There is no more need that you should learn English.
   You do not (　　　) to learn English (　　　) more.

4. She is not so fat as she was.
   She is (　　　) fat than she was.

5. He is four years older than I.
   He is four years (　　　) to (　　　).

6. He took no more than three of the apples.
   He took (　　　) three of the apples.

B 다음을 우리말로 옮기세요.

1. Our desire for adventure decreases as we grow older.

2. The more we walk, the more powerful do the muscles of our heels become.

3. As he is a miser, he will pay not more than $100.

4. The most experienced player will get excited.

Tips

1. 비교급을 써서 바꾼다.
2. 원급을 써서 바꾼다.
4. less는 부정의 의미를 나타내는 것으로 생각한다.
5. 뒤의 to에 주의한다.
6. no more than을 한 단어로 쓴다.

4. Even the most...로 보충해서 생각한다.

14
비교

C ( ) 안에 알맞은 말을 보충하세요.

1. A whale is no (   ) fish than a horse is.

2. Stop kidding him. He is no (   ) a child.

3. This purse is heavy. I guess it contains (   ) less than $1,000.

4. I like him (   ) better for his modesty.

5. She is two years junior (   ) her husband.

Tips

1. '말이 물고기가 아닌 것은 고래가 물고기가 아닌 것과 같다.'라는 의미.

4. 뒤의 for his modesty(그가 겸손해서는 이유를 나타낸다.

5. junior, senior 등의 뒤에 쓰는 전치사는 무엇인가?

D 다음 질문에 알맞은 답을 아래에서 고르세요.

There are 670 books in David's library now. Last year he bought half as many books as his collection, and then sold eighty volumes. How many books were there in his library last year?

① 250   ② 300   ③ 400   ④ 500   ⑤ 550

E 다음을 우리말로 옮기세요.

1. For my own part, I have found more pleasure from books than from anything else. But pleasure is one thing, profit is another. The wise men are not quite so certain that the printed page is the best instructor in the art of living.

2. Civilization does not make the race any better. It makes men know more: and if knowledge makes them happy, it is useful and desirable. The one purpose of every sane human being is to be happy. No one can have any other motive than that.

1. 첫 번째 문장에서는 from books와 from anything else를 비교한다.
   둘째 문장의 '~ is one thing, ... is another'는 '~와 …는 전혀 다르다.'라는 의미이다.

2. 마지막 문장의 than that의 that은 to be happy다.

Chapter

15

관계사

관계대명사

관계사는 어떤 명사를 더 구체적으로 설명하는 문장을 그 명사에 연결하기 위해 쓰는 말이다. 관계사에는 관계대명사 (Relative Pronoun)와 관계부사(Relative Adverb)가 있다.

01 관계대명사의 역할

절과 절을 연결하는 접속사 역할과 앞에 나온 명사·대명사를 대신하는 대명사 역할을 겸하는 것을 관계대명사라고 한다. 관계대명사는 형용사절을 이끌어 앞에 있는 명사·대명사(선행사)를 수식한 다. 관계대명사는 선행사의 종류에 따라 달라지고 관계대명사의 문장에서의 역할에 따라 주격, 소유 격, 목적격으로 구분된다.

1 '접속사+대명사' 역할

관계대명사는 접속사와 대명사 역할을 한다.

I ate a pear. + It was very delicious. 나는 배를 먹었다. 그 배는 아주 맛있었다.
　　　　　└─ 구체적으로 설명

I ate a pear and it was very delicious.

I ate a pear which was very delicious. ···〈관계대명사 which = and(접속사)+it(대명사)〉

2 관계대명사가 이끄는 절은 형용사절

관계대명사가 이끄는 절의 수식을 받는 명사나 대명사를 선행사라고 한다. 관계대명사가 이끄는 절 은 선행사를 수식하는 형용사절 역할을 한다.〈··· 131쪽 참조〉

　　　　　　선행사　관계대명사
He is *the boy* who showed me the way. 그가 내게 길을 가르쳐준 소년이다.
　　　　　└── 수식 ──┘　　형용사절

　　　　　　　　선행사　　관계대명사
I want to read *the book* which you recommended. 나는 네가 추천한 책을 읽고 싶다.
　　　　　　　　└── 수식 ──┘　　형용사절

관계대명사의 종류와 격변화

1 관계대명사의 종류

관계대명사에는 who, which, that, what 등이 있다. 관계대명사는 선행사의 종류에 따라 달라지고 관계대명사의 문장에서의 역할에 따라 격이 결정된다.

선행사의 종류	주격	소유격	목적격
사람	who	whose	who(m)
사물	which	whose / of which	which
사람·사물	that	–	that
선행사 포함	what	–	what

2 관계대명사의 격

관계대명사는 그것이 이끄는 절에서 주어, 목적어, 보어 등의 역할을 하므로 관계대명사의 격은 관계대명사가 어느 역할을 맡느냐에 따라 결정된다.

❶ 주격

관계대명사는 주어를 대신하므로 주격을 쓴다.

Tom is the boy. He helped me.

→ Tom is the boy who helped me. 톰이 나를 도와준 소년이다.

She made a doll. The doll had blue eyes.

→ She made a doll which had blue eyes. 그녀는 파란 눈이 있는 인형을 만들었다.

❷ 소유격

관계대명사가 명사나 대명사의 소유격을 대신할 경우에는 소유격을 쓴다.

I have a watch. Its hands are broken.

→ I have a watch whose hands are broken. 나는 시계바늘이 망가진 시계가 있다.

15

관계사

❸ 목적격

관계대명사가 목적어를 대신할 경우에는 목적격을 쓴다.

Tom is a man. We can trust him.

→ Tom is a man whom we can trust. 톰은 우리가 믿을 수 있는 사람이다.

The movie was not interesting. You recommended the movie.

→ The movie which you recommended was not interesting. 네가 추천한 영화는 재미없었다.

주의 관계대명사 다음에 오는 동사는 선행사의 인칭과 수에 일치시킨다.

Q 선행사는 항상 관계대명사 바로 앞에 쓰나요?

A 반드시 그런 건 아닙니다. 다음의 예문을 봐 주세요.

There was something in his manner which did not please her.
그의 태도에는 그녀가 마음에 들지 않는 무언가가 있었다.

in his manner는 부사구이고, which의 선행사는 something입니다.

Many people have married whose chances to do so were much inferior to Martha's.
마사보다 결혼할 기회가 훨씬 적었던 사람들이 많이 결혼했다.

이 문장에서는 whose의 선행사는 people입니다. 이 whose 이하를 선행사인 people에 연결하면 주부가 길고 술부가 짧은 문장이 되므로 그것을 피하기 위해 형용사절을 짧은 술부 뒤에 분리해서 쓴 것입니다.

관계대명사 who, who(m), whose

who는 선행사가 사람일 경우에만 쓰는 관계대명사로 주격은 who, 소유격은 whose, 목적격은 who(m)을 쓴다.

1 주격 who

Do you know the girl? + She is standing near the window.

the girl은 사람을 나타내며 두 번째 문장에서 주어 역할을 한다. 따라서 사람이고 주격을 나타내는 관계대명사 who를 쓴다.

→ Do you know *the girl* who is standing near the window? 창문 근처에 서 있는 소녀를 아니?

2 목적격 who(m)

I met the man. + You mentioned him the other day.

the man이 앞 문장에 나와 있으므로 him을 관계대명사로 바꿀 수 있다. him은 목적어로 쓰였으므로 사람이고 목적격을 나타내는 관계대명사 whom을 쓴다.

→ I met *the man* whom you mentioned the other day. 요전에 네가 말했던 남자를 만났다.

☞ 구어에서 목적격관계대명사 whom은 보통 who로 쓰거나 생략한다.
I met the man who you mentioned the other day.
I met the man you mentioned the other day.

3 소유격 whose

Tom has a friend. + His wife is a singer.
→ Tom has *a friend* whose wife is a singer. 톰에게는 아내가 가수인 친구가 있다.

his라는 소유격 대신 쓰인 것이 whose이다. whose 다음에는 관사가 없는 명사가 온다.

☞ 선행사가 사람을 나타내는 명사라도 성격·직업·지위 등을 나타낼 경우에는 who가 아니라 which나 that을 써야 한다.
She is no longer *the shy girl* that she was ten years ago. 그녀는 이제 10년 전의 소심한 소녀가 아니다.

04 관계대명사 which

which는 선행사가 사람 이외의 동물이나 사물일 경우에 쓴다. 주격과 목적격은 which이고, 소유격은 whose 또는 of which를 쓴다.

1 주격 which

The salmon is a fish. + It goes up the river to breed.

두 번째 문장의 a fish는 동물이고 주어이므로 동물과 주격을 나타내는 관계대명사 which를 쓴다.

→ The salmon is *a fish* which goes up the river to breed. 연어는 산란을 위해 강을 거슬러 오르는 물고기다.

2 목적격 which

I like the picture. + Tom painted it.

두 번째 문장의 it은 사물이고 목적어이므로 사물과 목적격을 나타내는 관계대명사 which를 쓴다. which가 목적격으로 쓰인 경우에는 생략할 수 있다.

→ I like *the picture* (which) Tom painted. 나는 톰이 그린 그림이 마음에 든다.

3 소유격 whose(of which)

❶ whose+관사 없는 명사

Tom has a friend. + His father is a policeman.
→ Tom has *a friend* whose father is a policeman. 톰에게는 아버지가 경찰관인 친구가 있다.

소유격 his 대신에 쓸 수 있는 것이 관계대명사 whose이다.

❷ the+명사+of which

소유격 whose 대신에 of which를 쓸 수도 있다. 소유격이 수식하는 명사는 whose의 경우에는 항상 그 다음에 있지만, of which의 경우 그 앞에 써도 좋고 분리해서 뒤에 써도 된다. 또한, whose 바로 뒤의 명사가 관사가 없는 데 비하여 of which가 수식하는 명사에는 반드시 the를 붙인다.

The building *the roof* of which *is* red is a post office, isn't it? 지붕이 빨간색인 건물이 우체국이지요?

The building of which *the roof* is red is a post office, isn't it?

The building whose *roof is* red is a post office, isn't it?

주의 of which를 쓰는 소유격은 문장체이며 거의 쓰이지 않는다.

관계대명사 that

that은 선행사가 사람·동물·사물, 또는 사람+동물(사물)의 어느 경우에나 쓸 수 있고, 주격과 목적격의 형태가 같고 소유격은 없다.

1 관계대명사 that의 일반적인 용법

관계대명사 that은 who, who(m), which 대신에 자주 쓰인다.

They went a place. + It had a great waterfall.
→ They went to *a place* that had a great waterfall. 그들은 큰 폭포가 있는 곳으로 갔다. …〈주격〉

Here is a question. + You have to answer it.
→ Here is *a question* that you have to answer. 여기 네가 답해야 할 질문이 있다. …〈목적격〉

2 관계대명사 that의 특별 용법

다음과 같은 경우에는 특히 that을 쓴다.

❶ 선행사에 최상급 형용사나 서수가 있는 경우

This is *the tallest* building that I have ever seen. 이 건물이 내가 본 것 중 가장 높다.
This is *the first* time that I have been here. 여기 와본 것은 이번이 처음이다.

❷ 선행사가 the only 등의 수식을 받거나 all, every, any, no 등이 선행사인 경우

이런 경우 who나 which를 써도 상관없다.
Jim is *the only* boy that can do it. 짐이 그 일을 할 수 있는 유일한 소년이다.
All that were present got excited. 참석한 모든 사람들은 흥분했다.
He borrowed *every* book that he heard of. 그는 얘기 들은 책은 모두 빌렸다.
Any man that knows English will be employed. 영어를 아는 사람은 누구든 고용될 것이다.

❸ 선행사가 의문대명사 who, which가 있는 경우

이것은 who ~ who나 which ~ which가 되면 어조가 나쁘므로 그것을 피하기 위함이다.
Who that knows her can believe that she committed such a crual crime?
그녀를 아는 사람이면 그녀가 그렇게 잔혹한 범죄를 저질렀다고 누가 믿을 수 있겠어?

***Which* is the purse** that you lost? 네가 잃어버린 지갑은 어느 것이니?

❹ 선행사가 사람+사물(동물)일 때

***A man and his dog* that** were passing by were injured. 지나가던 남자와 그의 개가 다쳤다.

I am curious about *the person and the thing* that amused you.
널 즐겁게 해준 사람과 일에 관해 알고 싶다.

ReviewTest 01

《해답 429쪽》

관계대명사를 이용해서 문장을 다시 쓰세요.

1. I know a girl.
   Her hair is very long.

2. The season is winter.
   It comes before spring.

3. The letter was written in French.
   Tom received it.

4. Look at the boy and his horse.
   They are standing under the tree.

 Tips

가본 ① 먼저 선행사를 결정하고, 거기에 맞춰 관계대명사를 고른다.
② 관계대명사는 뒤에 오는 절에 쓰는 대명사의 격에 맞춰 격 변화시킨다.

풀이 1. a girl = her. 선행사 a girl은 사람이고 her는 소유격이므로 whose를 쓴다.
2. The season = it. 선행사 the season은 사물이므로 which 또는 that을 쓴다.
3. The letter = it. 선행사 the letter는 사물이고 it은 목적격이다.
4. the boy and his horse = they. 선행사 the boy and his horse는 '사람+동물'이다.

06 관계대명사와 전치사

목적격 관계대명사 whom, which는 전치사의 목적어로 쓰이는데, 전치사를 관계대명사 앞에 쓰는 경우와 관계대명사절 끝에 쓰는 경우가 있다.

구어에서는 전치사를 관계대명사절의 끝에 쓰는 것이 일반적이다. 전치사를 관계대명사절의 끝에 쓰는 경우 관계대명사는 생략할 수 있다.

He is the man. + I spoke to him.

→ He is *the man* to whom I spoke.

→ He is *the man* (whom) I spoke to. 그는 내가 말을 건 사람이다.

This is the house. + He lives in it.

→ This is *the house* in which he lives.

→ This is *the house* (which) he lives in. 이 집이 그가 사는 곳이다.

> **주의** 관계대명사 that은 전치사 바로 뒤에 쓸 수 없으므로 전치사를 항상 문장 끝에 쓴다.
>
> Tom is the boy (that) I always play with. 톰은 내가 늘 함께 노는 아이다.
>
> Tom is the boy with that I always play.(×)

> **참고**
>
> 첫 번째 문장이 구어체이고, 순서대로 문어체 성격이 강해진다.
>
> ① She has a son she is very proud of.   ② She has a son who(that) she is very proud of.
>
> ③ She has a son whom she is very proud of.   ④ She has a son of whom she is very proud.

Review Test 02

( ) 안에 알맞은 전치사와 관계대명사를 쓰세요.

1. She has a son (　　　) (　　　) she is very proud.

2. This is the chair (　　　) he always sits (　　　).

3. The man (　　　) (　　　) you received the letter is my uncle.

> **Tips**
>
> **기본** 관계대명사가 전치사의 목적어가 되는 경우 전치사의 위치에 주의한다.
> ① 관계대명사 바로 앞에 쓰는 경우 ② 관계대명사절의 끝에 쓰는 경우가 있다.
>
> **풀이** 1. is proud ( ) a son
> 2. sits ( ) the chair
> 3. received the letter ( ) the man
> 4. the boy and his horse = they. 선행사 the boy and his horse는 '사람+동물'이다.

Section 1 관계대명사 | 327

15
관계사

07 관계대명사 what

what은 그 자체에 선행사를 포함하는 관계대명사로 사물에만 쓰이며 주격과 목적격의 형태가 같고 소유격은 없다.

관계대명사 what은 '~하는 일(것)'이라는 의미를 나타내며 what이 이끄는 절(명사절)은 문장에서 주어, 목적어, 보어로 쓰인다. 관계대명사 what은 the thing(s) which라고 생각하면 된다.

What *impressed me most* was the Egyptian mummy.(=The thing which) …〈주어〉
내가 가장 감명받은 것은 이집트의 미라였다.

This is what *he did*.(=the thing which) 이것이 그가 한 일이다. …〈보어〉

He spent what *he had earned*.(=all that) 그는 번 돈을 모두 썼다. …〈목적어〉

Give me what *you can*.(=anything that) 네가 줄 수 있는 걸 나에게 줘. …〈목적어〉

☞ 관계대명사 what과 의문대명사 what은 형태상으로는 구별할 수 없으므로 주절이 나타내는 내용으로 판단한다. 의문대명사 what의 경우 ask, tell, know 등 의문을 나타내는 말이 있는 것이 보통이다.
He gave me what I wanted. 그는 내가 원하던 것을 주었다. …〈관계대명사〉
He asked me what I wanted. 그는 나에게 무얼 원하는지를 물었다. …〈의문대명사〉

Review Test 03

〈해답 429쪽〉

다음을 영어로 쓰세요

1. 이것이 바로 내가 알고 싶은 것이다.
2. 내가 거기서 본 것은 매우 이상했다.
3. 우리는 아름다운 것을 사랑한다.

Tips

기본 '~하는 것'은 관계대명사 what을 써서 나타낼 수 있다. what이 이끄는 절은 명사처럼 문장의 주어, 보어, 목적어가 된다.

풀이 1. what이 이끄는 절을 보어로 쓴다.
2. what이 이끄는 절을 주어로 쓴다.
3. what이 이끄는 절을 목적어로 쓴다.

08 관계대명사의 용법

관계대명사 앞에 콤마가 없는 용법을 제한적 용법이라고 하고, 관계대명사 앞에 콤마가 있는 용법을 계속적 용법이라고 한다. 제한적 용법은 선행사의 의미를 특정한 것으로 제한하는 역할을 하며, 계속적 용법은 선행사를 보충 설명하는 역할을 한다.

1 관계대명사의 제한적 용법

She has *a son* who is a scientist. 그녀에게는 과학자인 아들이 하나 있다.

선행사 a son을 제한

This is *the ship* which he talked about. 이것이 그가 말한 배다.

선행사 the ship을 제한

2 관계대명사의 계속적 용법

계속적 용법으로 쓸 수 있는 것은 who, which이고, 관계대명사 that은 계속적 용법으로 쓸 수 없다.

(a) He had three sons who became doctors. 그에게는 의사가 된 아들이 셋 있었다.

(b) He had three sons, who became doctors. 그에게는 아들이 셋 있었는데, 그들은 의사가 되었다.

(a)의 who는 지금까지 설명한 관계대명사의 용법과 같고 선행사 three sons를 제한·수식한다. 이 경우 의사가 된 세 명의 아들 외에도 다른 직업을 가진 아들도 있었다는 것을 나타내고 있다.
이에 비해서 (b)는 콤마 앞에서 '그에게는 아들이 셋 있었다.'라는 내용으로 마치고 그 세 명에 관하여 '의사가 되었다'라는 설명을 추가한 것이다. 따라서 아들이 셋뿐이라는 것을 나타낸다.

❶ 계속적 용법의 의미

계속적 용법은 여러 가지 접속사의 의미를 포함하고 있다. 따라서 관계대명사를 문장의 전후관계에 따라 'and(but, for 등)+대명사'로 바꿀 수 있다.

I sent it to Bob, who passed it on to Tom.(who=and he)
나는 그것을 밥에게 보냈다. 그리고 그는 그것을 톰에게 건넸다.

I went to call for Tom, whom I found sick in bed.(whom I found=but I found him)
나는 톰을 부르러 갔지만, 그는 아파서 누워 있었다.

I will lend you this book, which is very interesting.(which=because it)
너에게 이 책을 빌려주겠다. 아주 재미있으니까.

❷ 계속적 용법으로 쓰이는 which

which는 앞 문장 전체 또는 그 일부를 선행사로 할 수 있다.

I tried *to open the door*, which I found impossible. 나는 문을 열려고 했지만, 그게 불가능하다는 걸 알았다.

He said *he was rich*, which was a lie. 그는 부자라고 했지만, 그건 거짓말이었다.

***I lost my way*, which delayed me considerably.** 나는 길을 잃었다. 그래서 상당히 늦었다.

which가 앞에 나온 형용사를 선행사로 할 수 있다.

She looked very *happy*, which she really was not. 그녀는 매우 행복해 보였지만, 사실은 그렇지 않았다.

Review Test 04

《해답 429쪽》

다음을 의미의 차이에 주의해서 우리말로 옮기세요.

1. Mother likes a boy who is diligent.
   Mother likes the boy, who is diligent.

2. I'll lend you a novel which is very interesting.
   I'll lend you this novel, which is very interesting.

3. Aunt had a gold ring, which she showed to us.
   Aunt had some gold rings, which showed that she was rich.

기본 계속적 용법은 관계대명사 앞에 콤마가 있다. '그리고 ~, ~여서, ~이지만' 등으로 적당히 해석할 것

풀이 1. 첫 문장은 제한적 용법, 두 번째 문장은 계속적 용법. 계속적 용법의 who는 and he로 생각한다.
2. 첫 문장은 제한적 용법, 두 번째 문장은 계속적 용법. 계속적 용법의 which는 for it으로 생각한다.
3. 모두 계속적 용법이다. 첫 번째 문장의 which는 and it으로 생각하면 좋다. 두 번째 문장의 which는 앞 문장 전체를 받는 것이므로 '(앞의 문장에서 말하고 있는) 그것이 ~을 나타내고 있었다.'라고 해석한다.

09 관계대명사의 생략

다음과 같은 경우에는 관계대명사를 생략할 수 있다. 모두 제한적 용법의 관계대명사인 경우이고, 계속적 용법의 관계대명사는 생략할 수 없다.

1 목적격 관계대명사

목적격 관계대명사 whom, which, that은 생략할 수 있다.

❶ 동사의 목적어인 경우

Tell us about the girl you saw there. 거기서 만난 소녀에 관해 말해 줘.
　　　　　　　　　└─ 관계대명사 whom이 생략됨

The story he told me was very interesting. 그가 나에게 들려준 이야기는 아주 재미있었다.
　　　　　└─ 관계대명사 which(that)이 생략됨

❷ 전치사의 목적어인 경우

전치사를 관계대명사절 끝에 쓴 경우에만 생략할 수 있다.

That is a boy I am very fond of. 저 아이는 내가 아주 좋아하는 소년이다.
　　　　　└─ 관계대명사 whom이 생략됨

The river we swam in was very deep. 우리들이 수영한 강은 매우 깊었다.
　　　　　└─ 관계대명사 which가 생략됨

That is the tower I wrote about. 저 탑이 내가 글로 썼던 그 탑이다.
　　　　　　　└─ 관계대명사 that이 생략됨

2 주격 관계대명사

관계대명사가 주격인 경우에도 다음의 경우에는 생략할 수 있다.

❶ 관계대명사가 보어로 쓰인 경우

He is not the rude man he used to be. 그는 과거와 같은 무례한 사람이 아니다.
　　　　　　└─ 관계대명사 that이 생략됨

❷ 〈There is ~, here is ~〉 구문에 관계대명사가 쓰인 경우

〈There is ~, Here is ~〉구문에서의 관계대명사 생략은 구어 표현에만 있다.

There is a man wants to see you. 너를 만나고 싶어 하는 사람이 있다.
　　　　　└─ 관계대명사 who(that)가 생략됨

Here are some examples help you do the work. 여기 네가 그 일을 하는데 도움이 되는 몇 가지 예가 있다.
　　　　　　　└─ 관계대명사 which가 생략됨

15

관계사

❸ 강조구문인 경우

It was Jane let drop the secret. 비밀을 누설한 건 제인이었다.
└─ 관계대명사 that이 생략됨.

10 유사관계대명사

본래 접속사로 쓰이는 as, than, but 등이 관계대명사와 유사하게 쓰이는 경우가 있다. 이 as, than, but 등을 유사관계대명사라고 한다.

1 as

주로 선행사 앞에 as, such, the same 등이 오는 경우 as는 관계대명사처럼 쓰인다. as는 주격과 목적격으로 쓰인다. such A as B(B와 같은 그러한 A), the same A as B(B와 같은 A), as A as B(B와 같은 A) 형태로 쓰일 때가 많다.

He is *as* strong a man as ever lived. 그는 어느 누구 못지않은 장사이다. …〈as는 주격 관계대명사 역할〉

He has *the same* umbrella as I (have). 그는 내게 있는 것과 같은 우산이 있다. …〈as는 목적격 관계대명사 역할〉

He wasted *as* much money as he had. 그는 가지고 있던 돈을 모두 썼다. …〈as는 목적격 관계대명사 역할〉

☞ as는 계속적 용법으로 문장 전체를 선행사로 하는 관계대명사로 쓰일 수 있다. which의 계속적 용법과 비슷하지만, as를 쓰면 '~처럼'이라는 의미를 나타낼 수 있다.
  He was late for school, as(=which) is often the case. 그는 학교에 지각했다. 그건 그에게는 흔한 일이다.

2 than

than은 선행사 앞에 비교급 표현이 있을 때 관계대명사처럼 쓰인다. than은 주격과 목적격으로 쓰인다.

You must not give your children *more* money than is necessary. …〈than은 주격 관계대명사 역할〉
아이들에게 필요 이상의 돈을 주어선 안 된다.

She did *more* work than I expected. 그녀는 내 기대 이상의 일을 했다. …〈than은 목적격 관계대명사 역할〉

참고

관계대명사 역할을 하는 but

but은 부정의 의미를 가진 말을 선행사로 하여 'that ~ not'의 의미를 나타내는 관계대명사처럼 쓰일 수 있다. 이 용법은 과거 문장체이고, 현대영어에서는 그다지 쓰이지 않는다. 〈→ 409쪽 참조〉

There is *no* rule but has exceptions.(=that does not have) 예외 없는 규칙은 없다.

There has *not* been a successful man but was industrious.(= who was not) 부지런하지 않고 성공한 사람은 없었다.

15

관계사

11 복합관계대명사, 관계형용사

1 복합관계대명사

관계대명사에 -ever를 붙인 것을 복합관계대명사라고 한다. 복합관계대명사는 명사절이나 양보의 부사절을 이끈다.

종류	명사절	부사절(양보)
whoever	~하는 사람은 누구든지 = anyone who	누가 ~하더라도= no matter who
whatever	~하는 것은 무엇이든지 = anything that	무엇이 ~하더라도= no matter what
whichever	~하는 것은 어느 것이든지 = anything which	어느 것을 ~하더라도= no matter which

❶ 명사절을 이끄는 경우

Whoever comes first may take it.(=Anyone who) 먼저 온 사람은 누구든지 그것을 가져도 좋다.

Whatever I have is yours.(=Anything that) 내가 가진 것은 무엇이든 네 것이다.

Choose whichever you like.(=any which) 마음에 드는 것은 어느 것이든 골라라.

☞ whichever와 whatever는 바로 뒤의 명사를 수식하는 형용사처럼 쓰일 수 있다. 〈… 관계형용사 참조〉
Buy whichever *camera* you like. 어느 카메라든 네 마음에 드는 것을 사라.
= Buy either of the two cameras that you like.
You may read whatever *book* you like. 마음에 드는 어떤 책이든 읽어도 된다.
= You may read any book that you like.

❷ 부사절을 이끄는 경우

복합관계대명사가 부사절을 이끄는 경우 양보의 의미를 나타낸다.

Whoever may come, don't open the door. 누가 오더라도 문을 열어주지 마라.

Whatever the motive is, I cannot forgive him. 동기가 무엇이든 나는 그를 용서할 수 없다.

Whichever you (may) take, it will serve your purpose. 어느 것을 선택하더라도 네 목적에 맞을 것이다.

2 관계형용사

관계대명사 what과 which는 바로 뒤의 명사를 수식하는 형용사처럼 쓰일 수 있다. 이 용법을 관계형용사라고 한다.

❶ 관계형용사 what

'what+명사'는 'all the+명사+that ∼'으로 나타낼 수 있고, '∼하는 모든 …'이라는 의미를 나타낸다.

I have spent what *money* I had. 나는 갖고 있던 돈을 모두 썼다.

→ I have spent all the money that I had.

❷ 관계형용사 which

계속적 용법의 which는 관계형용사로 쓸 수 있다. '전치사+which+명사' 또는 'which+명사' 형태로 '그리고 그 ∼'라는 의미를 나타낸다.

I may have to work, *in* which *case* I will call you. 일을 해야 할 지도 모른다. 그런 경우에는 전화하겠다.

She talked to me in Chinese, which *language* I couldn't understand it at all.
그녀가 중국어로 말을 걸어 왔지만, 나는 그 언어를 전혀 알아듣지 못했다.

《해답 429쪽》

다음을 우리말로 옮기세요.

1. I did not hear such a sound as she did.

2. You did more work than I had expected.

3. Give this money to whoever really needs it.

4. I'll take whichever one you give me.

5. Whatever you may do, do it well.

가본 as나 than도 관계대명사처럼 쓰여 형용사절을 이끌 수 있으며 절에서 주어나 목적어 역할을 할 수 있다.
whoever, whichever, whatever가 이끄는 절은 ① 명사절로 주어, 보어, 목적어로 되거나 ② 부사절로 no matter who(which, what) ∼과 같은 의미를 나타낸다.

풀이 1. as she did는 sound를 수식한다. did = heard.
2. than은 비교 부분을 선행사로 한다.
3. whoever = any one who
4. whichever는 형용사처럼 one을 수식한다.
5. whatever = no matter what

Section 2

관계부사

관계부사는 두 문장을 연결하는 접속사의 역할과 부사의 역할을 동시에 하는 말이다. 관계부사는 선행사를 수식하는 형용사절을 이끈다.

 ## 관계부사의 역할

관계부사는 '접속사+부사' 역할을 하며 관계부사절은 선행사를 수식하는 형용사절이 된다. (··· 320쪽 참조)

This is the place. + I saw her **at the place** yesterday.

at which 전치사+관계대명사

where 관계부사

→ This is *the place* where I saw her yesterday. 여기가 내가 어제 그녀를 만난 곳이다.
　　　　　　　　　 수식　　　　　　 형용사절

관계부사는 '전치사+관계대명사'로 고쳐 쓸 수 있다. (··· 327쪽 참조)

That is *the house* where he lives.

= That is the house in which he lives. (←That is the house. + He lives *in the house*.)

관계부사의 종류와 용법

1 관계부사의 종류

관계부사에는 where, when, why, how 등이 있고, 이 중 where와 when은 제한적 용법과 계속적 용법으로 쓰인다. 관계부사는 의문부사와 형태가 같으므로 혼동하지 않도록 주의해야 한다.

선행사	관계부사
장소(place)를 나타내는 말	where = in/at/on which
시간(time)을 나타내는 말	when = in/at/on which
이유(the reason)를 나타내는 말	why = for which
없음	how = in which

❶ where

where는 장소를 나타내는 말을 선행사로 한다.

Tell me about *the town* where you were born.(=in which) 네가 태어난 마을에 관해 말해 줘.

The place where the treasure is buried is not very far.(=at which)
보물이 묻혀 있는 장소는 그다지 멀지 않다.

❷ when

when은 시간을 나타내는 말을 선행사로 한다.

That was *the day* when he arrived here.(=on which) 그날은 그가 여기 도착한 날이었다.

The time when he came home was very late.(=at which) 그가 귀가한 시간은 매우 늦었다.

❸ why

why는 이유를 나타내는 말을 선행사로 한다.

Do you know *the reason* why the sky is blue?(=for which) 하늘이 파란 이유를 아니?

Tell me *the reason* why you cannot take in the job. 그 일을 맡을 수 없는 이유를 말하라.

☞ the reason why의 why 대신에 that을 쓸 수도 있다. 또한 the reason과 why 중에 하나를 생략할 수도 있다.
　Tell me *the reason* why you were late for school. 학교에 지각한 이유를 말해라.
　Tell me *the reason* you were late for school.
　Tell me why you were late for school.

④ how

how는 항상 선행사 없이 쓰이며 This(That) is how ~(이것이(그것이) ~하는 방법) 형태로 쓰일 때가 많다.

This is how I cook fish. 이것이 내가 생선을 요리하는 방법이다.

☞ how 대신에 the way 또는 the way in which를 쓸 수도 있다.
   This is the way he solved the problem. 이게 그가 그 문제를 푼 방법이다.

Q 관계부사의 선행사는 관계부사 바로 앞에 있나요?

A 관계대명사의 선행사 경우처럼 반드시 그렇다고 할 수 없습니다. 다음의 예를 보시죠.
   There is *a big pond* near my house where we can swim and fish. 〈where의 선행사는 a big pond〉
   우리 집 근처에 수영하거나 낚시할 수 있는 큰 연못이 있다.
   The day may come when I'm left alone. 〈when의 선행사는 The day. 술부 may come이 짧아서 when 이하를 뒤에 쓴 것〉
   나 혼자 남겨질 날이 올지도 모른다.

② 관계부사의 계속적 용법

관계부사 where, when은 관계대명사와 마찬가지로 제한적 용법과 계속적 용법이 있다. why와 how 에는 계속적 용법이 없다. 계속적 용법인 경우 보통 앞에 콤마가 있고 선행사나 문장 전체에 관해 부가적으로 설명한다.〈→ 329쪽 참조〉

where = and(but, for 등) there
when = and(but, for 등) then

He went into the store where they sold sugar. 그는 설탕을 파는 그 가게 안으로 들어갔다. …〈제한적 용법〉

He went into the store, where they sold sugar.(=for there) …〈계속적 용법〉
그는 그 가게 안으로 들어갔다. 그곳은 설탕을 파는 곳이었다.

I went to London, where I stayed for two nights.(=and there) 나는 런던에 가서 거기서 이틀간 머물렀다.

I was about to reply, when Bill cut in.(=and then) 내가 대답하려고 하자 빌이 끼어들었다.

You had better call at six, when she will be at home.(= for then)
너는 6시에 방문하는 게 좋다. 그 시간에는 그녀가 집에 있을 것이다.

☞ 관계부사는 where 외에는 대부분 생략할 수 있다. 선행사가 the time, the place, the reason 등일 때는 관계부사 대신에 선행사를 생략할 수 있다. 이 경우 관계부사가 이끄는 절은 명사절이 된다.
   This is (the place) where he was killed. 이곳이 그가 살해된 장소다.
   I remember (the time) when there was no electric light. 나는 전기가 없었던 시절을 기억한다.
   That is (the reason) why he came to see me. 그것이 그가 나를 보러 온 이유다.

Review Test **06**

A 다음을 관계부사를 이용해서 한 문장으로 쓰세요.

1. This is the hotel.
   We stayed there last year.

2. Tell me the exact time.
   He will be back on the time.

3. I know the reason.
   She wept for the reason.

4. This is the way.
   Tom earns money in the way.

B 다음을 우리말로 옮기세요.

1. I went to see him at the hotel, where he was not staying any longer.

2. Please wait till Friday, when I will answer you.

가본 A ① 먼저 선행사를 찾는다.
   ② 뒤에 오는 문장의 부사(부사구)를 관계부사로 바꾸어서 선행사 뒤에 쓴다.

B 관계부사 앞에 콤마가 있으면 계속적 용법이다.
   where = and(but, for) there
   when = and(but, for) then
   으로 바꾸어 해석한다.

줄이 A 1. hotel은 장소를 나타내므로 where를 쓴다.
   2. time은 시간을 나타내므로 when을 쓴다.
   3. the reason에는 why를 쓴다.
   4. the way를 그대로 쓰든지, how를 쓴다.

B 1. where는 but there의 의미로 해석한다.
   2. when은 and then의 의미로 해석한다.

15
관계사

03 복합관계부사

관계부사에 -ever를 붙인 것을 복합관계부사라고 한다. 복합관계부사는 부사절을 이끌며, 시간이나 장소의 의미도 나타내지만, 보통 양보의 의미로 쓰일 때가 많다.

종류	부사절(시간·장소)	부사절(양보)
whenever	~하는 언제든지 = any time (when)	언제 ~하더라도= no matter when
wherever	~하는 어디든지 = any place (where)	어디서 ~하더라도= no matter where
however		아무리 ~할지라도 = no matter how

❶ 시간이나 장소를 나타내는 부사절을 이끄는 경우 ⟨··· 334쪽 참조⟩

Come whenever you like. 편할 때 언제든지 오세요.

→ Come at any time (when) you like.

My dog follows me wherever I go. 내 개는 내가 가는 데는 어디든 따라다닌다.

→ My dog follows me to any place where I go.

❷ 양보를 나타내는 부사절을 이끄는 경우 ⟨··· 334쪽 참조⟩

Whenever you (may) go, you will find him at desk. 네가 언제 가든지 그는 일을 하고 있을 것이다.

→ No matter when you (may) go, you will find him at desk.

Wherever he may be, he must be found. 그가 어디 있더라도 찾아내야 한다.

→ No matter where he may be, he must be found.

However rich a man may be, he ought to work. 아무리 부자라도 사람은 일을 해야 한다.

→ No matter how rich a man may be, he ought to work.

☞ however 바로 뒤에 형용사나 부사가 아니라 '주어+동사'가 오는 경우에는 '어떤 방법으로라도'라는 의미가 된다.
You can do it however you like. 네 좋을 대로 그것을 해도 된다.

Review Test 07

A 다음을 우리말로 옮기세요.

1. Wherever you are, you will be loved.

2. Come to see me whenever you are free.

B 우리말과 같은 의미가 되도록 ( ) 안에 적당한 복합관계사를 넣으세요.

1. 어떤 일이 있더라도 나를 믿어도 된다.
   (   ) happens, you may count on me.

2. 여행을 하고 싶은 곳은 어디든지 가거라.
   Go (   ) you want to travel.

3. 나는 지우개가 두 개 있다. 어느 것이든 마음에 드는 것을 써도 좋다.
   I have two erasers. You can use (   ) you like.

4. 내 개는 아무리 멀리까지 가도 반드시 집에 돌아온다.
   (   ) far our dogs goes, he always comes home.

기본 관계대명사나 관계부사에 -ever를 붙인 것을 복합관계대명사, 복합관계부사라고 한다. 복합관계사는 양보의 부사절을 이끈다.

풀이 A 1. 양보를 나타내는 경우이다.
2. '~할 때는 언제든'의 의미.

B 1. 복합관계대명사를 쓴다.
2. 복합관계부사를 쓴다.
3. 복합관계대명사를 쓴다.
4. 복합관계부사를 쓴다.

Chapter **15**
Exercise

A 지시에 따라 문장을 다시 쓰세요.

1. This is the girl.
   I spoke of her the other day.
   《관계대명사를 써서 한 문장으로 쓰세요.》

2. You can see from here the roof of a white building.
   What is that building?
   《관계대명사 whose를 이용해서 한 문장으로 쓰세요.》

3. I was advised to read one English book every day,
   which was a sheer impossibility.
   《관계대명사를 쓰지 않고 중문으로 쓰세요.》

B ( ) 안에 알맞은 관계사를 쓰세요.

1. This is the restaurant ( ) he used to have lunch.

2. The man ( ) son you are teaching English is coming to see me this evening.

3. This is the same street ( ) he lived in for five years.

4. You should always speak ( ) you believe is right.

5. That was the reason ( ) prevent me coming in time.

6. Will you give him all the money ( ) you have?

7. This is ( ) I knew your name and address.

8. ( ) you may go, you can get some food easily.

C 두 문장이 같은 의미가 되도록 ( ) 안에 알맞은 말을 넣으세요.

1. It will not be long before we can live on the moon.
   The day will soon ( ) ( ) we can live on the moon.

2. For all your words, I am not inclined to hate him.
   ( ) ( ) may say, I am not inclined to hate him.

3. A book the author of which is unknown is less likely to succeed.
   A book ( ) author is unknown is less likely to succeed.

4. Mr. Smith is a rich lawyer; and I borrowed his boat for this trip.
   Mr. Smith, ( ) boat I borrowed for this trip, is a rich lawyer.

Tips

1. 관계부사를 쓴다. 선행사는 the day 이다.
2. '네가 뭐라고 하든지'라는 의미가 되게 한다.

D 다음을 우리말로 옮기세요.

1. People who rebel against everything in later life are often those who, as children, observed a wide difference between the preaching and the practice of their parents.

2. The instinctive foundation of the intellectual life is curiosity, which is found among animals in its elementary forms.

3. What a man is enabled to do in advanced life, is for the most part the result of what he has been preparing himself for in his youth.

1. the preaching and the practice (훈계와 실천)
2. which = and it.
3. in advanced life(나이가 들어)

Chapter

16

전치사

전치사(Preposition)는 이름 그대로 명사나 명사 역할을 하는 말(대명사·동명사·명사구·명사절) 앞에 놓이는 말이며 이것들과 앞에 쓰인 말을 연결해주는 역할을 한다.

1 전치사가 만드는 구의 형태와 역할

전치사는 뒤에 쓰인 명사와 함께 형용사구나 부사구를 만든다.

❶ 형용사구

(대)명사 뒤에 쓰여 형용사처럼 그 명사나 대명사를 수식한다.⟨→ 126쪽 참조⟩

A group of scientists came to America. 한 그룹의 과학자들이 미국에 왔다.
　　　　　수식

The book on the desk is mine. 책상 위에 있는 책은 내 것이다.
　　　　　수식

형용사구는 주격보어나 목적격보어로 쓸 수 있다.

This is of no use.(=useless) 이것은 쓸모가 없다. …⟨주격보어⟩

We found the rink in good condition. 스케이트 링크는 상태가 좋았다. …⟨목적격보어⟩

❷ 부사구

부사처럼 앞에 쓰인 동사, 형용사나 부사를 수식한다.⟨→ 126쪽 참조⟩

Time *flies* like an arrow. 시간은 화살처럼 빠르다. …⟨동사 수식⟩
　　　　수식

The place is *famous* for its beauty. 그곳은 풍경이 아름다운 것으로 유명하다. …⟨형용사 수식⟩
　　　　　　수식

He speaks French *well* for a beginner. 그는 초보자치고는 프랑스어를 잘한다. …⟨부사 수식⟩
　　　　　　　수식

2 전치사의 목적어

전치사 뒤에 쓰인 말을 전치사의 목적어라고 한다. 전치사의 목적어가 되는 것에는 다음과 같은 것이 있다.

❶ 명사·대명사

인칭대명사를 전치사의 목적어로 쓸 경우에는 목적격을 써야 한다.

I met Frank at *the station* on *Monday.* 나는 월요일에 역에서 프랭크를 만났다. …〈명사〉

She did not sit before *me*, but behind *him.* 그녀는 내 앞에 앉지 않고 그의 뒤에 앉았다. …〈대명사〉

❷ 동명사

동명사는 명사 역할을 하므로 전치사의 목적어로 쓸 수 있다. 부정사는 명사적 용법이 있긴 하지만, 전치사의 목적어로 쓸 수 없다.

He left the room without *speaking* a word. 그는 한 마디도 하지 않고 방을 나갔다. …〈동명사〉

❸ 명사절

He talked about *what he had seen there.* 그는 거기서 본 것에 관해 얘기했다. …〈명사절〉

참고

형용사나 부사, 전치사구가 전치사의 목적어인 경우도 있다.

1. **형용사**

형용사가 명사 역할을 하여 전치사의 목적어로 쓰이는 것은 다음과 같은 관용 표현인 경우뿐이다.

예 in particular(특히), in short(요컨대), for sure(확실히), for free(무료로), for long(오랫동안)

Are you looking for anything in particular? 특별히 찾는 것이 있으세요?

2. **부사**

전치사의 목적어가 되는 부사는 명사와 같은 역할을 하는 시간이나 장소를 나타내는 부사에 한정된다. 따라서 이 경우 전치사로는 from, till(until), since, for 등이 많이 쓰인다.

예 from abroad(외국에서), from now(지금부터), from here(여기서), since then(그때 이후), until recently(최근까지)

He is reading an e-mail from abroad. 그는 외국에서 온 이메일을 읽고 있다.

3. **전치사구**

예 from under the table(식탁 밑에서), since after the riot(폭동이 일어난 후로), except for special occasions(특별한 날을 제외하고는)

The baby came out from under the table. 아기는 식탁 밑에서 나왔다.

02 전치사의 위치, 전치사와 부사·접속사 비교

1 전치사의 위치

전치사는 목적어 앞에 쓰는 것이 원칙이다. 그러나 목적어와 분리해서 문장이나 절의 끝에 쓰는 경우도 있다.

❶ 의문사가 전치사의 목적어인 경우 〈⋯ 40쪽 참조〉

Whom(Who) **are you waiting** for? 누굴 기다리고 있니?
What **are you talking** about? 무슨 말을 하는 거니?

❷ 관계대명사가 전치사의 목적어인 경우 〈⋯ 327쪽 참조〉

관계대명사가 생략된 경우에는 반드시 뒤에 쓴다.
This is the cat *(which)* **your dog was running** after. 이것이 네 개가 뒤쫓던 고양이다.

❸ 부정사가 앞의 명사를 수식하는 경우 〈⋯ 140쪽 참조〉

부정사의 형용사적 용법에서 전치사의 목적어에 해당하는 명사는 전치사 앞에 쓴다.
She didn't have a case *to put* **the ring** in. 그녀는 그 반지를 넣을 케이스를 갖고 있지 않았다.

❹ 타동사구의 수동태인 경우 〈⋯ 116쪽 참조〉

타동사구가 수동태가 되면 전치사의 목적어가 주어가 되어 문장 앞에 오므로 전치사가 뒤에 남는 것이다
Everybody laughed at him. 모두들 그를 비웃었다.
→ *He was laughed* at by everybody. 그는 모든 사람들에게 비웃음을 샀다.

❺ 강조를 위해 목적어를 문장 앞에 쓰는 경우 〈⋯ 388쪽 참조〉

Apple pie **I am very fond** of. 애플파이를 나는 정말 좋아한다.

2 전치사와 부사 비교

같은 단어가 전치사로도 부사로도 쓰일 때가 많다. 전치사 뒤에는 반드시 명사나 명사 역할을 하는 말이 오지만, 부사는 단독으로 쓰이며 그 뒤에 목적어가 올 수 없다. 발음하는 경우에도 부사에는 강

세가 있지만, 전치사에는 강세가 없다.(··· 293쪽 참조)

We went along **the river.** 우리는 강을 따라서 갔다. ···〈전치사〉
We went *along*. 우리는 앞으로 갔다. ···〈부사〉

주의 '타동사+부사' 형태의 동사구가 명사를 목적어로 갖는 경우에는 그 명사는 부사 앞이나 뒤 어디에 써도 관계없지만, 목적어가 대명사인 경우에는 반드시 타동사와 부사 사이에 써야 한다.

Put on *your hat*. 모자를 써라.
Put *your hat* on.
Put *it* on.

3 접속사와 부사 비교

같은 단어가 전치사로도 접속사로도 쓰일 때도 많다. 이 경우 전치사는 다음에 명사나 명사구가 오고, 접속사는 '주어+동사' 형태를 갖춘 절이 온다.

After *school* **we played tennis.** 방과 후에 우리는 테니스를 했다. ···〈전치사〉
After *school was over*, **we played tennis.** 방과 후에 우리는 테니스를 했다. ···〈접속사〉

《해답 430쪽》

Review Test 01

( ) 안의 전치사를 알맞은 위치에 쓰고 우리말로 옮기세요.

1. The child must be taken good care. (of)

2. He is a servant whom I cannot do. (without)

3. There is nothing to be talked. (about)

4. I had been writing what I knew nothing. (of)(about)

기본 전치사가 목적어에서 분리될 수가 있다. 특정 전치사와 결합하는 동사나 형용사가 있으므로 '동사+전치사' '형용사+전치사' 등의 표현을 관용표현으로 외워두어야 한다.

풀이 1. take good care of → ~을 잘 돌보다
2. cannot do without → ~없이 지낼 수 없다
3. 부정사가 형용사적 용법으로 앞의 명사를 수식하는 경우이다.
4. what절 앞에 전치사가 필요하다.

03 이중전치사와 군전치사

1 이중전치사

두 개의 전치사가 하나의 전치사처럼 쓰이는 것을 이중전치사라고 한다. from과 다른 위치를 나타내는 전치사와 결합한 것이 많다.

A stranger appeared from behind the curtain. 낯선 사람이 커튼 뒤에서 나타났다.

They were talking in the garden till after sunset. 그들은 해가 진 뒤까지 정원에서 이야기를 하고 있었다.

She's been sick since after Chrismas. 그녀는 크리스마스 이후부터 아프다.

2 군전치사

군전치사는 둘 이상의 단어가 모여 하나의 전치사 역할을 하는 것으로 '전치사+명사+전치사' 형태를 한 것이 많다.

There is a big tree in front of the house. 그 집 앞에 큰 나무가 있다.

They started in spite of the storm. 그들은 폭풍우에도 불구하고 출발했다.

He gave me advice instead of money. 그는 나에게 돈 대신 조언을 해 주었다.

The room is cooled by means of electricity. 그 방은 전기로 냉방이 된다.

I couldn't attend the meeting on account of the rain. 나는 비 때문에 회의에 참석할 수 없었다.

He was absent from school because of illness. 그는 병 때문에 학교를 결석했다.

☞ 주요 군전치사의 예

according to ~(~에 의하면), because of/due to/owing to ~(~때문에), thanks to ~(~덕분에), as for ~(~에 대해서 말하자면), as to ~(~에 관해서는), apart from ~(~을 제외하고), but for ~(~가 없으면), for fear of ~(~하면 안 되니까), for the sake of ~(~를 위해서)

Review Test - 02

《해답 430쪽》

다음을 영어로 쓰세요.

1. 우리는 그 세 명의 소년 중에서 그를 선택했다.

2. 그들은 어두워질 때까지 묘지 안에 있었다.

3. 나 같은 경우에는 야구하는 것을 좋아한다.

4. 내가 직접 가는 대신에 여동생을 보냈다.

5. 오늘은 부산까지 가볼 작정이다.

Tips

기본 '~부터', '~까지' 등 부사구 부분을 전치사로 시작한다. 목적어가 대명사일 때는 목적격을 써야 한다.

풀이 1. '~ 중에서' → from among

2. '어두워질 때까지' → till after dark

3. '~같은 경우에는' → as for

4. '~대신에' → instead of, in place of를 쓰고 목적어로 동명사를 쓴다.

5. '~까지' → as far as

350 | Chapter 16 전치사

04 전치사의 의미

전치사는 나타내는 의미에 따라 시간, 장소, 원인, 결과, 목적, 재료 등으로 구분할 수 있다. 같은 전치사라도 여러 가지 의미로 쓰일 수 있다. 가장 많이 쓰이는 전치사로는 at, by, for, from, in, of, on, to, with의 9가지가 있다.

1 시간을 나타내는 전치사

❶ at, in, on

at	시각, 나이 등의 짧은 시간을 나타낸다.
	at seven(7시에), at noon(정오에), at night(밤에), at age of twenty(20살 때), at the beginning of this month(이달 초에), at the end of this year(올 연말에)
in	월, 계절, 연도 등의 비교적 긴 시간을 나타낸다.
	in September(9월에), in autumn(가을에), in 2018(2018년에), in the morning(afternoon/evening)오전(오후/저녁)에
on	특정한 날이나 시간을 나타낸다.
	on Monday(월요일에), on September 15(8월 15일에), on a fine morning(어느 화창한 아침에)

The meeting will begin at ten. 회의는 10시에 시작할 것이다.

You go swimming in summer. 여름에는 수영 하러 간다.

We'll have a party on Christmas Eve. 우리는 크리스마스이브에 파티를 열 것이다.

☞ 1. 시간이나 기간을 나타내는 명사에 this, that, last, next 등이 붙으면 전치사를 쓰지 않는다. (→ 128쪽 참조)
     this morning(오늘 아침에), that year(그 해에), last summer(지난여름에), next April(다음 4월에)

  2. morning, afternoon, evening, night 등에 수식어가 붙어 있을 때는 on을 쓴다.
     in the morning(오전에), on *Saturday* morning(토요일 아침에)

❷ from, since

from	'~부터'라는 의미로 시작 시점을 나타내며, 현재까지 계속의 의미는 없다. 기간을 나타내기 위해 from A to(till) B(A부터 B까지) 형식이 쓰인다.
since	'~ 이래, ~이후 계속'이라는 의미로 과거 어느 시점부터 현재까지의 계속을 나타내며 보통 완료시제에 쓰인다.

I worked from seven to(till) ten. 나는 7시부터 10시까지 일했다.

He has been sick since **last week.** 그는 지난주부터 아프다. …〈현재까지 계속〉

> **주의** from은 begin이나 start 등의 '시작하다'라는 의미를 나타내는 동사와는 함께 쓸 수 없다.
>
> **The game begins** on **July 15.** 그 경기는 7월 15일부터 시작한다.
>
> **The first show starts** at **11:00 a.m.** 첫 공연은 오전 11부터 시작한다.

❸ till(until), by

till(until)	'~까지'라는 의미로 계속을 나타내고 stay, wait remain 등의 계속의 의미를 나타내는 동사와 함께 쓰인다.
by	'~까지는'이라는 의미로 기한을 나타내며, come, go, finish 등의 동사의 완료를 나타내는 동사와 함께 쓰인다.

I will be here till **six.** 나는 6시까지 여기 있겠다.

Finish it by **noon.** 그걸 정오까지는 끝내라.

❹ for, during, through

for, during, through는 모두 '~동안'이라는 의미의 기간을 나타낸다.

for	보통 'for+수사+명사' 형태로 계속을 나타내는 동사와 함께 쓰인다.
during	주로 'during+특정한 기간' 형태로 쓰이며, 수사와 함께 쓰이는 경우는 별로 없다.
through	어느 기간의 처음부터 끝까지 동작이나 상태의 계속을 나타낸다. 따라서 through는 for나 during보다 의미가 강하다.

He served in the company for **ten years.** 그는 10년 동안 그 회사에서 일했다.

I fell asleep during **the lesson.** 나는 수업 중에 잠이 들었다.

The dog barked through **the night.** 그 개는 밤새도록 짖어댔다.

❺ in, within

in	'~후에'라는 의미로 현재를 기점으로 하는 시간을 경과를 나타내고 미래시제에 많이 쓰인다.
within	'~이내에'라는 의미로 기간 이내를 나타낸다.

She will get well in **a few days.** 그녀는 며칠 후에는 좋아질 것이다.

He'll be back within **a week.** 그는 1주일 내에 돌아올 것이다.

❻ before, after

before	'(어느 시간보다) ~전에'라는 의미로 쓰인다.
after	'(어느 시간보다) ~후에'라는 의미로 쓰인다.

I must leave home before sunrise. 나는 해뜨기 전에 집을 나서야 한다.

She went to a cafe after the meeting. 회의 후에 그녀는 카페에 갔다.

② 장소를 나타내는 전치사

❶ at, in, on

at	비교적 좁은 장소나 지점에 쓰인다.
in	비교적 넓은 장소나 지역에 쓰인다.
on	'~위에'라는 표면에의 접촉의 의미로 쓰인다.

We arrived at the airport. 우리는 공항에 도착했다.

He is now staying in New York. 그는 지금 뉴욕에 머물고 있다.

They are sitting on a park bench. 그들은 공원 벤치에 앉아 있다.

☞ 1. 보통 at은 비교적 좁은 장소나 지점에, in은 비교적 넓은 장소나 지역에 쓰이지만 절대적이지 않다.

2. on은 원래 접촉을 나타내므로 반드시 '위'는 아니다.
   a cap on the wall(벽에 걸려 있는 모자)　　apples on the tree(나무에 달려 있는 사과)
   a fly on the ceiling(천정에 붙은 파리)

3. 비행기, 열차나 버스와 같은 비교적 큰 교통기관에 타는 것은 on을 쓰고, 택시나 승용차와 같은 비교적 공간이 작다고 여겨지는 교통기관에 타는 것은 in을 쓴다. 내리는 것은 get off the bus, get out of the car라고 한다.
   You pay the fare when you get on the bus. 버스 승차 시에 요금을 지불해야 한다.
   Let's get in the car and go. 차를 타고 가자.

❷ near, beside, by

near	'~근처에'라는 의미로 어느 정도 거리는 있지만 가까운 것을 나타낸다.
beside / by	'~ 옆에'라는 의미로 아주 가깝다는 것을 나타낸다.

There are some hotels near the station. 역 근처에 호텔이 몇 곳 있다.

Come and sit beside me. 와서 내 옆에 앉아라.

He stood by the door. 그는 문 옆에 서 있었다.

☞ beside와 besides

이 두 전치사는 형태는 닮았지만 의미는 완전히 다르므로 주의해야 한다. except가 제외의 의미로만 쓰이는데 비해 besides는 '~에 더하여'라는 추가의 의미를 나타낸다.
He has three daughters besides this girl. 그에게는 이 소녀 외에도 딸이 셋 있다.

❸ between, among

between, among은 둘 다 '~ 사이에'라는 의미로 쓰이는 전치사이다.

between	원칙적으로 둘 사이를 나타낸다.
among	원칙적으로 셋 이상의 사이를 나타낸다.

The Atlantic Ocean is between **America and Europe.** 대서양은 미국과 유럽 사이에 있다.

A narrow road passes among **the trees.** 나무들 사이로 좁은 길이 나 있다.

❹ over, above; under, below

over / above	둘 다 '~위에'라는 의미로 쓰이지만 over는 '바로 위에'라는 의미가 있고, above는 막연한 위쪽을 나타낸다.
under / below	둘 다 '~아래에'라는 의미로 쓰이지만 under는 '바로 아래에'라는 의미가 있고, below는 막연한 아래쪽을 나타낸다.

She put a blanket over **the cat.** 그녀는 고양이 위에 담요를 덮었다.

An airplane is flying above **the building.** 비행기가 건물 위를 날고 있다.

The box is under **the table.** 그 상자는 탁자 밑에 있다.

The sun sank below **the horizon.** 해가 지평선 아래로 졌다.

☞ 1. over는 '(수량이) ~을 초과하여'라는 의미로도 쓰이며, '~하면서'라는 부대상황을 나타내기도 한다.
   She stayed in Paris over **two months.** 그녀는 파리에서 2개월 이상 체재했다.
   I found him waiting for me over **a cup of coffee.** 그는 커피를 마시면서 나를 기다렸다.

2. above는 '(수량·정도가) ~을 넘는'이라는 의미로도 쓰인다.
   She must be above **thirty.** 그녀는 30살은 넘은 게 틀림없다.

❺ after, before, behind

after	기본적인 의미는 '~ 뒤에'이다.
before	기본적인 의미는 '~앞에'이다.(=in front of)
behind	기본적인 의미는 '~뒤쪽에'이다.(=at the back of)

Shut the door after **you.** 들어오면 문을 닫아라.

I sat before **Tom.** 나는 톰 앞에 앉았다.

There is a tree behind **the house.** 집 뒤쪽에 나무가 있다.

☞ after는 '~의 뒤를 쫓아서', behind는 '~에 늦어'라는 의미로도 쓰인다.
   A dog running after **a cat.** 개가 고양이를 뒤쫓고 있다.
   The train was ten minutes behind **time.** 열차는 10분 연착했다.

◁▷

③ 운동방향을 나타내는 전치사

❶ into, out of

into	'~의 (밖에서) 안으로'라는 운동방향을 나타낸다. onto는 '~의 위로'라는 의미를 나타낸다.
out of	into의 반대로 '~의 (안에서) 밖으로'라는 의미이다.

A train went into the tunnel. 열차가 터널 안으로 들어갔다.

He took a handkerchief out of his pocket. 그는 호주머니에서 손수건을 꺼냈다.

☞ into는 'V+O+into ~' 또는 'V+into ~' 형식으로 쓰여 변화·결과를 나타낸다.
　　Wheat *is ground* into flour. 밀은 갈려져 밀가루가 된다.
　　Translate these sentences into Korean. 이 문장을 한국어로 번역하라.

❷ along, across, through

along	'~을 따라서'라는 의미를 나타낸다.
across	'~을 가로질러'라는 의미를 나타낸다.
through	'~을 통과하여'라는 의미를 나타낸다.

He walked along the street. 그는 길을 따라서 걸었다.

He went across the street. 그는 길을 횡단했다.

The train passed through a tunnel. 열차는 터널을 통과했다.

☞ across는 '~의 맞은편에'라는 의미로도 쓰인다.
　　You see a beauty salon across the street. 길 건너에 미용실이 보일 것이다.

❸ around, round, about

around / round	'~주위에, ~주위를'이라는 의미로 around가 정지 위치를, round는 운동을 나타낸다고 하지만, 실제에서는 구별 없이 쓰인다. 다만 영국영어에서는 round를, 미국영어에서는 around를 쓰는 경향이 있다.
about	'~부근에, ~의 여기저기'라는 의미의 막연한 주위를 나타낸다.

As it is cold day, you had better go out with a muffler around your neck.
날씨가 추우니까 머플러를 하고 외출하는 게 좋다.

The ship had to go round the Cape of Good Hope. 배는 희망봉을 돌아야 했다.

He walked about the room impatiently. 그는 초조하게 방안을 이리저리 걸어 다녔다.

☞ around, round에는 '약 ~, ~쯤(=about)'이라는 의미도 있다. 이 경우 about과 around는 부사이다.
　　He came back around(round) five o'clock. 그는 5시쯤 돌아왔다.

❹ from, to, for, toward

from	'～로부터'라는 의미의 출발점을 나타낸다.
to	'～에, ～으로'라는 의미의 방향·도착점을 나타낸다.
for	'～을 향해서'라는 의미의 목적지를 나타낸다.
toward	'～쪽으로'라는 의미의 막연한 운동방향을 나타내며 to와는 달리 목적지에 도달한다는 의미는 없다.

The bus goes from the station to the city hall. 그 버스는 역에서 시청까지 운행한다.

He will leave for London next week. 그는 다음 주 런던으로 떠날 것이다.

He walked toward(s) me. 그는 내 쪽으로 걸어왔다.

❺ up, down

up	'～의 위로'라는 의미의 운동방향을 나타낸다.
down	'～의 아래로'라는 의미의 운동방향을 나타낸다.

The cat ran up a tree. 고양이는 나무 위로 뛰어올랐다.

The boat sailed down the river. 그 배는 강을 흘러내려갔다.

4 기타 전치사

시간이나 장소를 나타내는 전치사 외에도 원인·이유, 목적·결과, 재료, 행위자·수단, 단위·표준 등을 나타내는 전치사가 있다.

❶ 원인·이유를 나타내는 전치사

원인이나 이유를 나타내는 전치사로는 at, for, of, from, with 등이 많이 쓰인다.

at	보통 at은 놀람이나 기쁨 등 감정의 원인을 나타낸다.
for	일반적인 이유나 희로애락 등의 원인이나 이유를 나타낸다.
of	질병이나 신체의 내적 원인을 나타낸다.
from	사고나 부상 등의 외적인 원인을 나타낸다.
with	감정의 원인, 질병이나 신체상의 이유를 나타낸다.

I was surprised at the news. 나는 그 소식을 듣고 놀랐다.

I am very sorry for being late. 늦어서 정말 미안해요.

He died of cancer. 그는 암으로 죽었다.

The gangster died from a gun-shot wound. 그 폭력배는 총상으로 죽었다.

She brushed with embarrassment. 그녀는 창피해서 얼굴이 붉어졌다.

☞ 원인이나 이유가 질병이나 사고인 경우 for를 쓰지 않고 because of, on account of, owing to 등을 쓴다.
I was late for school on account of the railway accident. 나는 철도사고 때문에 학교에 지각했다.

❷ 목적 · 결과를 나타내는 전치사

for	'~하기 위해'라는 의미의 목적을 나타낸다.
on	'~하러'라는 용무 · 여행의 목적을 나타낸다.
to	'결과적으로 ~이 되다'라는 의미의 변화의 결과를 나타낸다.
into	'변화하여 ~이 되다'라는 의미의 변화의 결과를 나타낸다.

He went abroad for study. 그는 공부하러 외국에 갔다.

She went to New York on business. 그녀는 사업차 뉴욕에 갔다.

He tore the paper to pieces. 그는 그 종이를 갈가리 찢었다.

Wheat is ground into flour, and flour is made into bread.
밀은 빻아져 가루가 되고, 밀가루는 빵으로 만들어진다.

❸ 재료 · 원료를 나타내는 전치사

재료나 원료를 나타내는 전치사로는 of나 from이 많이 쓰이며 '~으로부터'라는 의미를 나타낸다.
아래의 용법은 어디까지나 원칙일 뿐이고 실제에서는 혼용되어 쓰인다.

of	재료의 성질이 변하지 않는 물리적 변화를 나타낸다.
from	재료의 원형이나 성질이 변한 화학적 변화를 나타낸다.

This jacket is made of leather. 이 재킷은 가죽으로 되어 있다.

Butter is made from milk. 버터는 우유로 만들어진다.

❹ 수단 · 방법을 나타내는 전치사

수단 · 방법을 나타내는 전치사로는 with, by이 많이 쓰인다.

with	'~을 가지고, ~으로'라는 의미로 직접적인 도구를 나타낸다.
by	'~로'라는 의미로 교통이나 통신 수단을 나타낸다.

She peeled an apple with knife. 그녀는 칼로 사과를 깎았다.

Let's go there by **taxi.** 택시로 거기에 가자.

☞ 수단을 나타내는 'by+교통수단'인 경우 관사를 쓰지 않는다. 그러나 in the car 등으로 장소를 나타내는 경우에는 관사가 있어야 한다.

by taxi → in the taxi, by bus → on the bus, by train → on(in) the taxi, by plane → in(on) the plane, by ship → on(in) the ship

참고

수단·방법을 나타내는 in과 on

He marked the papers in **red ink.** 그는 답안을 빨간 잉크로 채점했다.

I usually go to work on **foot.** 나는 항상 걸어서 출근한다.

I heard music on **the radio.** 나는 라디오로 음악을 들었다.

speak in English(영어로 말하다), speak on the phone(전화로 말하다), hear music on the radio(라디오로 음악을 듣다), watch a drama on television(텔레비전으로 드라마를 보다)

❺ 단위·표준을 나타내는 전치사

단위·표준을 나타내는 전치사로는 by, at, for 등이 쓰인다.

by	'~단위로'라는 의미로도 쓰인다.
at	'~수치로'라는 의미로 가격·속도·거리 등을 나타낸다.
for	'~와 교환으로, ~의 금액으로 라는 의미로 금액·보상·교환을 나타낸다.

Baseball players are paid by **the year.** 야구선수는 1년 단위로 보수를 받는다.

He drove a car at **eighty kilometers an hour.** 그는 시속 80킬로미터로 차를 몰았다.

She bought the camera at **a million won.** 그녀는 그 카메라를 백만 원에 샀다.

I bought this book for **100 dollars.** 나는 이 책을 100달러 주고 샀다.

❻ 관련·주제, 착용·휴대를 나타내는 전치사

about	관련·주제를 나타내는 전치사 about은 '~에 관하여'라는 의미의 비교적 자세한 사정을 나타낸다.
on	관련·주제를 나타내는 전치사 on은 '~에 관하여'라는 의미의 논설이나 사고의 주제를 나타낸다.
in / with	착용·휴대를 나타내는 전치사로 '~을 지니고, 걸치고'라는 의미를 나타낸다.

I have heard of him, but I don't know about **him.** 그에 관해서는 들어본 적이 있지만, 자세히는 모른다.

This is a book on **music.** 이것은 음악에 관한 책이다.

You have a nice watch on **your wrist.** 멋진 손목시계를 차고 있군요.

He lives in a house with **a large window.** 그는 창문이 큰 집에 산다.

☞ insist on ~(~을 주장하다), speak on ~(~에 관해 말하다)도 같은 용법이다.

❼ 상태를 나타내는 전치사

상태를 나타내는 전치사에는 at과 in이 있다.

I felt at a loss when my father died. 아버지가 돌아가셨을 때 어찌할 바를 몰랐다.

They were waiting in line. 그들은 줄을 서 기다리고 있었다.

The roses are in full bloom. 장미꽃들이 활짝 피었다.

☞ at ease(편히), at anchor(정박하여), at a standstill(정지하여)도 같은 용법이다.

❽ 찬성·반대를 나타내는 전치사

찬성을 나타내는 전치사로는 for, 반대를 나타내는 전치사로는 against가 쓰인다.

Ten of them were for the bill, but the others were against it.
그들 중에 열 명은 그 법안에 찬성했지만, 그 외에는 반대했다.

Review Test · **03**

《해답 430쪽》

( ) 안에 알맞은 전치사를 쓰세요.

1. What's the matter (   ) you?

2. They left Paris (   ) Berlin.

3. He made a trip (   ) the vacation.

4. The letter B comes (   ) A and C.

5. I was delighted (   ) his report.

6. The old man was frozen (   ) death.

기본 전치사는 앞뒤에 있는 말과 관련되어 쓰일 때가 많다. 숙어처럼 쓰이는 것에는 특히 주의한다.

풀이 2. left에 주의. 목적지를 나타내는 전치사를 쓴다.
3. '휴가 중'에라는 의미.
4. 뒤의 and와 연결되는 전치사를 쓴다.
5. 원인을 나타내는 전치사를 쓴다.
6. 결과를 나타내는 전치사를 쓴다.

동사나 형용사 중에는 전치사와 결합하여 특별한 의미를 나타내는 것들이 많다. 이런 경우 '동사+전치사', '형용사+전치사' 형태로 하나하나 암기해야 한다. 그런데 같은 어원을 가진 말이나 비슷한 의미를 가진 동사는 같은 전치사를 쓴다는 공통점이 있다. 이것을 알면 동사나 형용사와 결합하는 특정한 전치사를 유추할 수 있다.

여기서는 특정 전치사와 결합하는 동사나 형용사를 몇 가지 형태로 나누어 비슷한 의미를 가진 말이 같은 전치사와 결합하는 예를 알아보자.

형태	설명과 예
rob A of B A에서 B를 빼앗다	of는 제거(~에서)를 나타낸다. **The thief** robbed **me** of **my money.** 도둑이 나한테서 돈을 빼앗았다. **The doctor** cured **me** of **the disease.** 그 의사가 내 병을 치료해 주었다. deprive A of B(A에서 B를 빼앗다), clear A of B(A에서 B를 치우다), ease A of B(A에서 B를 없애 편하게 하다), heal A of B(A에서 B를 치료하다), relieve A of B(A에서 B를 없애 편하게 하다)
inform A of B A에게 B를 알리다	of는 관계(~에 관하여)를 나타낸다. Can you inform **me** of **your new address?** 새 주소를 알려 줄래? remind A of B(A에게 B가 생각나게 하다), convince A of B(A에게 B를 확신시키다), beware of ~(~을 조심하다), assure A of B(A에게 B를 보증하다)
be proud of ~ ~을 자랑으로 여기다	of는 원인(~ 때문에) 또는 관계(~에 관하여)를 나타낸다. **The artist is** proud of **his work.** 예술가는 그의 작품을 자랑스러워한다. be weary of(~에 싫증이 나다), be afraid of(~을 두려워하다), be ashamed of(~을 부끄러워하다), be sure of(~을 확신하다), be doubtful of(~을 의심하다), be fond of(~을 좋아하다), be aware of(~을 알다), be ignorant of(~을 모르다)
differ from ~ ~와 다르다	이 from은 구별(~에서)을 나타낸다. **French** differs from **English in many respects.** 프랑스어는 많은 점에서 영어와 다르다. Can you tell **Jane** from **her twin sister?** 제인과 그녀의 쌍둥이 동생을 구별할 수 있니? distinguish A from B(A와 B를 구별하다), know A from B(A와 B를 구별하다), separate A from B(A와 B를 구별하다), be distinct from(~와는 다르다)

keep A from B A가 B하지 못하게 하다	이 from은 방지·보호(~에서)를 나타낸다. **The ticking of the clock** kept me from **my study.** 시계 소리 때문에 공부할 수 없었다. **His pride** prevented him from **accepting my offer.** 그는 자존심이 세서 내 제안을 수락하지 않았다.
	keep A from B(A가 B하지 못하게 하다), hinder A from B(A가 B하는 것을 방해하다), deter A from B(A가 B하지 못하게 하다), disable A from B(A가 B할 수 없게 하다), be free from(~을 면하다), dissuade A from B(설득하여 A를 B하지 못하게 하다), refrain A from B(A가 B하지 못하게 하다), abstain from(~을 삼가다), deliver A from B(A를 B에서 구해내다), save A from B(A를 B에서 구조하다)
look for ~을 찾다	이 for는 '~을 찾아'라는 의미이다. **I'm** looking for **a parking space.** 주차장을 찾는 중이다. **I'm** calling to ask for **your help.** 도움 좀 청하려고 전화했어.
	send for(~를 부르다), search for(~을 찾다), seek for(~을 찾다), feel for(~을 손으로 더듬어 찾다), fumble for(~을 손으로 더듬어 찾다), ask for(~을 찾다), long for(~을 열망하다), hunger for(~을 열망하다), be anxious for(~을 열망하다), be eager for(~을 열망하다), wait for(~을 기다리다)
praise A for B B의 일로 A를 칭찬하다	이 for는 이유(~ 때문에)를 나타낸다. **The coach** praised his team for **their performance.** 감독은 그의 팀이 훌륭한 경기를 펼쳤다고 칭찬했다. **I'm** sorry for **waking you up.** 잠을 깨워 미안해.
	blame A for B(B의 일로 A를 비난하다), punish A for B(B의 일로 A를 벌하다), excuse A for B(B의 일로 A를 용서하다), forgive A for B(B의 일로 A를 용서하다), thank A for B(B의 일로 A에게 감사하다), be noted for(~로 유명하다), be notorious for(~로 악명이 높다), be famous for(~로 유명하다)
take A for B A를 B로 잘못 알다	이 for는 '~로서(=as)'를 의미한다. **I** took him for **an American.** 나는 그가 미국인인 줄 알았다. **Can you** exchange this shirt for **one in a smaller size?** 이 셔츠를 좀 더 작은 사이즈로 교환해 줄 수 있어요?
	mistake A for B(A를 B로 잘못 알다), give up ~ for lost(~을 잃은 것으로 체념하다), pass for(~으로 통하다), substitute A for B(B 대신 A를 쓰다), replace A for B(A를 B로 바꾸다)
be popular with ~에게 인기가 있다	이 with는 관계(~에 관하여)를 나타낸다. **That situation comedy is very** popular with **the younger generation.** 그 시트콤은 젊은 세대에게 매우 인기가 있다. **We are not** concerned with **the matter.** 우리는 그 일과는 관련이 없다.
	be angry with(~에게 화를 내다), to be frank with you(솔직히 말해서), as is usual with(~에게는 언제나 있는 일이지만), be familiar with(~을 잘 알다), have something to do with(~와 관계가 있다), be acquainted with(~와 친분이 있다), strict with(~에 엄격하다)

supply A with B A에게 B를 공급하다	이 with는 재료(~로)를 나타낸다. 이 형태에 속하는 동사는 모두 '동사+사람+with+사물' 또는 '동사+사물+to+사람' 형태로 쓸 수 있다. **The bank** supplies **customers** with **a wide range of services.** 그 은행은 고객에게 폭넓은 서비스를 제공한다. → **The bank** supplies **a wide range of services to customers.** **We** provided **the children** with **lunch.** 우리는 아이들에게 점심을 제공했다. → **We** provided **lunch to the children.**
	furnish A with B(A에게 B를 공급하다), entrust A with B(A에게 B를 맡기다), present A with B(A에게 B를 증정하다)
depend on ~에 의존하다	이 on은 지지(~에 지탱되어)를 나타낸다. **She** depends on **part-time jobs for most of her income.** 그녀는 수입의 대부분을 아르바이트에 의존하고 있다. **Don't** count on **my taking it.** 내가 그것을 받아들인다고 기대하지 마라.
	be dependent on(~에 의존하다), rely on(~에 의지하다), rest on(~에 기초하다), live on(~로 생활하다), act on(~에 따라 행동하다), be based on(~에 기초하다)
be surprised at ~을 보고(듣고) 놀라다	이 at은 '~을 보고, 듣고'라는 의미로 감정의 원인을 나타낸다. **Everybody was** surprised at **his rudeness.** 그의 무례에 다들 놀랬다. **She was absolutely** delighted at **the compliment he paid.** 그녀는 그의 칭찬을 듣고 크게 기뻐했다.
	wonder at(~에 놀라다), be astonished(astounded/frightened/amazed/startled/scared) at(~에 놀라다), be grieved at(~을 슬퍼하다)
succeed in ~에 성공하다	이 in은 범위(~에서)를 나타낸다. **The policy** succeeded in **reducing public expenditure.** 그 정책은 공공지출을 줄이는데 성공했다. **I** failed in **my oral exam.** 나는 구술면접에서 떨어졌다.
	end in(~으로 끝나다), result in(~으로 끝나다), be rich in(~가 풍부하다), be experienced in(~에 경험이 있다), abound in(~가 풍부하다), confide in(~을 신뢰하다)

06 여러 전치사를 동반하는 동사·형용사

같은 동사·형용사라도 쓰는 전치사에 따라 의미나 용법이 달라질 수 있다.

call on+사람: ((사람) ~을 방문하다)	call at+집: ((집) ~을 방문하다)

I'll call on you at your office. 회사로 너를 방문할 것이다.

get on (~에 타다) get to (~에 도착하다) get through (~을 마치다)	get off (~에서 내리다) get over (~을 극복하다, 회복하다)

He got on the bus, but got off it at once. 그는 버스를 탔지만, 바로 내렸다.
It took me a long time to get over my cold. 감기가 낫기까지 상당한 시간이 걸렸다.
She has got through her washing. 그녀는 세탁을 끝냈다.
What's the quickest way to get to the station? 역까지 가장 빨리 가는 방법이 뭐니?

hear of (~의 소식을 듣다) hear about (~관하여 듣다)	hear from (~에게서 연락이 있다)

I have never heard of him. 그에 대한 소문을 전혀 듣지 못했다.
I have heard about his accident. 그의 사고에 관해서는 들었다.
I have never heard from him since then. 이때 이후로 그에게서 연락이 전혀 없다.

look at (~을 보다) look for (~을 찾다)	look after (~을 돌보다) look into (~을 조사하다)

Look at the girl in the picture. 그림 속의 소녀를 봐라.
Please look after the baby while I'm away. 내가 없는 동안 아기 좀 봐줘.
I'm looking for a gas station. 주유소를 찾고 있어요.
The police will look into the murder case. 경찰이 그 살인사건을 조사할 것이다.

wait for (~을 기다리다)	wait on (~을 시중들다)

I will be waiting for your answer. 네 답변을 기다리겠다.
She waited on me at table. 그녀는 내 식사 시중을 들어주었다.

be angry with+사람 (~에게 성내다)	be angry at(about)+사물 (~에게 성내다)

Why are you angry with me? 왜 나한테 성을 내는 거니?
They were angry at(about) new tax. 그들은 새로운 세금에 성을 냈다.

☞ agree with+사람(~에게 찬성하다), agree to+사물(~에 찬성하다); stay with+사람(~의 거처에 묵다), stay at(in)+장소(장소에 묵다)

be anxious about (~을 걱정하다)	be anxious for (~을 갈망하다)

She was anxious about Tom's health. 그녀는 톰의 건강을 걱정했다.
He was anxious for the interview to terminate soon. 그는 면접이 빨리 끝나길 갈망했다.

be concerned with (~와 관계가 있다)	be concerned about (~을 걱정하다)

The story is concerned with a woman who became a astronaut. 그 이야기는 우주비행사가 된 여성의 이야기이다.
I'm concerned about her illness. 나는 그녀의 병이 걱정이다.

be tired with (~으로 지치다)	be tired of (~에 싫증이 나다)

He was tired with hard work. 그는 과로로 피곤했다.
I am tired of this work. 나는 이 일이 지겹다.

사람+is familiar with+사물 = 사물+is familiar to+사람 (〈사람〉은 〈사물〉을 잘 알고 있다)

All of us are familiar with the story. 그 얘기는 다들 잘 알고 있다.
= The story is familiar to all of us.

deal with (~을 다루다)	deal in (~을 취급(거래)하다)

The book deals with air pollution in Korea. 그 책은 한국의 대기오염을 다루고 있다.
The company deals in leather goods. 그 회사는 가죽제품을 취급한다.

compare A with B (A와 B를 비교하다)	compare A to B (A를 B에 비유하다)

You should compare your test results with those of other students.
너는 성적을 다른 학생의 성적과 비교해야 한다.
We sometimes compare sleep to death. 우리는 때때로 잠을 죽음에 비유한다.

succeed in (~에 성공하다)	succeed to (~의 뒤를 잇다)

He succeeded in all parts of the car industry. 그는 자동차산업의 모든 부분에서 성공을 거뒀다.
The youngest son will succeed to the family business. 막내아들이 가업을 계승할 것이다.

consist in (~에 있다)	consist of (~로 구성되다)

Education does not consist only in learning facts. 교육은 단순히 사실을 배우는데 있는 건 아니다.
The United Kingdom consists of England, Wales, Scotland and Northern Ireland.
영국은 잉글랜드, 웨일즈, 스코틀랜드와 북아일랜드로 구성된다.

be famous for+사물의 일부 (~로 유명하다)	be famous as+사물 전체 (~로서 유명하다)

California is famous for its winegrowing. 캘리포니아는 와인 생산지로 유명하다.
He is famous as a prolific painter. 그는 다작하는 화가로 유명하다.

| take after (~을 닮다) | take to (~을 좋아하게 되다) |

He takes after his father. 그는 아버지를 닮았다.
I took naturally to music. 나는 자연스럽게 음악을 좋아하게 되었다.

| run after (~를 뒤쫓다) | run over (~을 치다) |
| run against (~에 부딪치다) | |

The detective ran after the suspect. 형사가 용의자를 뒤쫓아 갔다.
Two children were run over and killed at the crossing. 교차로에서 두 아이가 차에 치어 죽었다.
She was run against a post and hurt. 그녀는 기둥에 부딪쳐서 다쳤다.

《해답 430쪽》

Review Test 04

( ) 안에 알맞은 전치사를 넣으세요.

1. She reminds me (   ) the geometry teacher.

2. I hope you will easily adapt yourself (   ) any circumstances.

3. The committee consists (   ) five members.

4. At last we lost sight (   ) him.

 Tips **가분** 앞에 있는 동사와 결합하는 전치사를 써야 한다.

Chapter **16**

Exercise

A ( ) 안에서 가장 알맞은 전치사를 고르세요.

1. He has been waiting there (since, at, by) five o'clock.

2. You'll find our house (in, at, of) the end of the next street.

3. He aimed the rifle straight (for, at, on) his enemy.

4. She's so attractive that he can't keep away (to, from, by) her.

5. It's one of those diseases the doctor can't cure you (with, by, of).

Tips

2. ( ) the end of는 '~의 끝에'라는 의미이다.

4. keep away ( )은 '~를 멀리하다'라는 의미이다.

B 각 문장의 차이를 설명하세요.

1. (a) They are tired with such a long discussion.
   (b) They are tired of such a long discussion.

2. (a) His house stands under the bridge.
   (b) His house stands below the bridge.

3. (a) The art gallery is to the east of the park.
   (b) The art gallery is in the east of the park.
   (c) The art gallery is on the east of the park.

4. (a) We had our picture taken at the corner of the street.
   (b) We had our picture taken in the corner of the park.

5. (a) Human beings are often compared with monkeys.
   (b) Life is often compared to a voyage.

3. art gallery(미술관)
5. human being(인간)

C 틀린 곳을 고치세요.

1. The relation among art and religion is a close one.

2. Your shirt is different than mine in size.

3. A full moon is shining on the woods.

4. The girl sat on the chair besides the window.

5. Paper is made of wood.

6. He called at the teacher for the summer vacation.

7. The thermometer stands at five degrees under zero.

8. The express to Busan will start from track No. 2 for ten minutes.

D 다음 문장의 전치사를 바꿔서 반대의 의미가 되도록 쓰세요.

1. He voted for the bill.

2. Grapes are in season.

3. He came into the library.

4. I am on duty today.

5. They ran up the slope.

6. Success in life is within your reach.

7. This is a desk with drawers.

Tips

1. one은 relation을 가리키는 대명사이다.
   relation(관계), religion(종교),
   close(밀접한)
6. 틀린 곳이 두 군데 있다.
7. stand at(~을 나타내다), degree(도)
8. 틀린 곳이 두 군데 있다.
   track No. 2(2번 승강장)

1. vote for(~에 찬성 투표를 하다)
   bill(법안)
7. drawer(서랍)

Chapter

17

접속사

01 접속사의 종류와 역할

접속사(Conjunction)는 이름 그대로 연결하는 말이다. 접속사는 단어와 단어, 구와 구, 절과 절 등을 연결하는 역할을 한다. 접속사에는 등위접속사와 종속접속사가 있다.

1 접속사의 종류

접속사는 형태와 역할에 따라 다음과 같이 구분할 수 있다.

❶ 형태상의 종류

단순접속사	한 단어로 된 접속사로 and, but, or, when, before, if 등이 있다.
접속사구	둘 이상의 단어가 하나의 접속사 역할을 하는 것으로 as well as, as soon as, so that 등이 있다.
상관접속사	분리되어 있는 접속사로 both ~ and, so ~ that 등이 있다.

❷ 의미상의 종류

등위접속사	단어와 단어, 구와 구, 절과 절 등 문법상 대등한 것을 연결하는 접속사를 말한다.
	Tom worked hard, but Bill read comics. 톰은 열심히 일했지만, 빌은 만화책을 봤다. …〈절+절〉 대등한 관계
종속접속사	주절과 종속절을 연결하는 접속사를 말한다. 명사절을 이끄는 것과 부사절을 이끄는 것이 있다.
명사절을 이끄는 것	that, whether, if 등이 있다. I expected that he would come. 나는 그가 올 거라고 기대했다. …〈주절+종속절〉 주절　　　　종속절
부사절을 이끄는 것	when, while, as, if, until(till), because, before, after 등이 있다. When I came back, they were watching television. …〈종속절+주절〉 종속절　　　　　　주절 내가 돌아왔을 때, 그들은 텔레비전을 보고 있었다.

② 접속사의 역할

접속사는 단어와 단어, 구와 구, 절과 절 등을 연결한다.

❶ 등위접속사

등위접속사는 단어와 단어, 구와 구, 절과 절 등 문법상 대등한 것을 연결한다. 문법상 대등하다는 것은 문장에서 같은 역할을 한다는 것으로 같은 품사라고 생각해도 된다.

They are *poor* **but** *happy.* 그들은 가난하지만, 행복하다. …〈형용사+형용사〉

Grace bought *hamburgers* **and** *fried potatoes.* 그레이스는 햄버거와 감자튀김을 샀다. …〈명사+명사〉

주의 She is *young* and *a beauty.* (×) …〈형용사+명사〉

It was a book both *of interest* **and** *of value.* 그건 재미있고 유용한 책이었다. …〈구+구〉

등위접속사로 절과 절이 연결되는 경우 절은 모두 독립한 절이며 주종관계는 없다. 이런 절을 등위절이라고 하며, 둘 이상의 등위절이 등위접속사로 연결된 문장을 중문이라고 한다.

The game was over, **and** *the players left the field.* 경기는 끝났고 선수들은 경기장을 떠났다. …〈등위절+등위절〉

☞ 종속접속사는 절과 절을 연결하고, 단어와 단어, 구와 구는 연결하지 않는다. 단, though는 예외이다.

He is a small but strong man. 그는 작지만 강한 사람이다.

cf. He is a strong, though small, man.

❷ 종속접속사

종속접속사는 절과 절을 연결할 뿐이고, 단어와 단어, 구와 구는 연결할 수 없다.

I like Tony, **because** *he is kind.* 친절하기 때문에 나는 토니를 좋아한다. …〈주절+종속절〉

종속접속사가 이끄는 절을 종속절, 문장의 중심이 되는 독립할 수 있는 절을 주절이라고 한다. 이러한 '주절+종속절' 구조를 가진 문장을 복문이라고 한다.

02 등위접속사의 용법

등위접속사에는 and, but, or, for, while, so 등이 있다.

1 and

❶ **기본 용법**: ~와, 그리고, 그러면

She did the job *quickly* and *precisely*. 그녀는 그 일을 신속하게 그리고 정확하게 해냈다.

The sun set, and *the moon rose*. 해가 지고 달이 떴다.

> ☞ 1. 셋 이상의 말을 나열하는 경우 A, B(,) and C처럼 마지막 말 앞에만 and를 쓴다. and 앞에는 콤마를 쓰지 않을 수 도 있다. 이 원칙은 or의 경우에도 같다.
>   Jim, Tony(,) and I went to the movies last evening. 어젯밤 짐, 토니와 나는 영화를 보러 갔다.
>
> 2. 다른 인칭을 나열하는 경우에는 2인칭, 3인칭, 1인칭 순서로 쓰는 것이 원칙이다.
>   *You* and *he* must do the work. 너와 그가 그 일을 해야 한다.
>   *My wife* and *I* got married five years ago. 나와 아내는 5년 전에 결혼했다.

❷ **명령문+and**: ~해라, 그러면 …

명령문 뒤에 and를 쓰면 '~해라, 그러면 …'이라는 의미의 조건을 나타낸다.

Come here, and you will see better. 이쪽으로 와. 그러면 더 잘 보여.

= If you come here, you will see better.

❸ **형용사+and+형용사**: very+형용사

앞에 쓰인 형용사가 뒤에 있는 형용사의 의미를 강조한다. 구어에서 많이 쓰이는 표현으로 앞에 쓰는 형용사로는 nice, fine, good, rare 등이 있다.

The place is *nice* and *healthy*.(=very healthy) 이 장소는 매우 건강에 좋다.

❹ **동사+and+동사**: 동사+to부정사

구어에서 and는 come, go, try 뒤에서 to부정사의 to 대신 쓰인다.

Come and *see* me when it suit you.(=Come to see) 형편이 되면 우리 집에 놀러 와.

I'll *go* and *get* it for you.(=go to get) 내가 갖다 줄게.

2 but

❶ 기본 용법: 그러나, 그렇지만

'그러나, 그렇지만'이라는 의미로 앞과 뒤의 내용이 반대라는 것을 나타낸다.

It was a *chilly* but *pleasant* day. 추웠지만 기분 좋은 날이었다.

❷ not A but B: A가 아니라

but으로 연결되는 A와 B는 단어뿐만 아니라 구나 절을 쓸 수도 있다.

It is not *a desk* but *a table*. 그건 책상이 아니고 테이블이다.

She could not come, not *because she was ill*, but *because she was busy*.
그녀가 올 수 없었던 것은 아파서가 아니라 바빴기 때문이었다.

3 or, nor

❶ or

1. **기본 용법: ~나 ..., 또는**

   or는 '~나 ...'이라는 의미로 선택의 대상을 나열하는 경우에 쓴다.

   Would you like *coffee* or *tea*? 커피 드시겠어요, 홍차 드시겠어요?

   He will come home in *two* or *three* days. 그는 2일이나 3일 뒤에 집에 온다.

   ☞ 1. 부정문에 or가 쓰인 경우 '어느 쪽도 ~아니다'라는 전체부정을 나타낸다.
      She cannot read or write. 그녀는 읽지도 쓰지도 못한다.

      2. or는 '즉, 바꾸어 말하면'이라는 의미로도 쓰인다. 이 경우 or 바로 앞에 콤마를 쓰는 게 보통이다.
      The distance is two miles, or about three kilometers. 거리는 2마일 즉 약 3킬로미터이다.

2. **명령문+or : ~하세요, 그렇지 않으면**

   명령문 뒤에 or를 쓰면 '~해라, 그렇지 않으면 …'이라는 의미의 조건을 나타낸다. '명령문 +and(or)' 표현은 if, unless를 이용해서 바꿔 쓸 수 있다.

   Hurry up, or you will miss the train. 서둘러라. 그렇지 않으면 열차를 놓친다.

   = Unless you hurry up, or you will miss the train.

❷ nor

nor는 부정문 뒤에 쓰여 '…도 또한 ~아니다(않다)=and not either'라는 의미를 나타내며, 절 앞에 nor가 오면 도치가 일어난다.

You must not move nor speak. 너는 움직이지도 말고 말도 해선 안 된다.

I am not a millionaire, nor do I wish to be one.(=neither) 나는 백만장자가 아니고 그렇게 되고 싶지도 않다.

4 for, so

for와 so는 절과 절을 연결하는 역할밖에 없고 보통 앞에 콤마를 쓴다.

❶ for

for는 '왜냐하면 ~이니까'라는 의미로 앞에 한 말에 부가적인 이유를 설명할 때 쓴다. 다소 딱딱한 표현으로 구어에서는 별로 쓰지 않는다.

I forgot your address, for I did not write it down. 네 주소를 잊어버렸다. 왜냐하면 적어두지 않았으니까.

☞ for와 because

'~ 때문에'라고 이유를 나타내는 접속사로 because가 있지만, because가 직접 이유를 설명하는데 비하여, for는 부가적으로 이유를 설명한다는 점에 차이가 있다.

❷ so

so는 '그러므로, 그래서'라는 의미의 결과를 나타낸다.

I have no money, so I cannot buy the book. 나는 돈이 없다. 그래서 그 책을 살 수 없다.

《해답 431쪽》

Review Test - 01

( ) 안에 가장 알맞은 등위접속사를 쓰세요.

1. Open the window, (   ) you will feel better.

2. Open the window, (   ) you will feel bad.

3. I stayed at home, (   ) it was very cold.

4. He did not come on Sunday, (   ) on Monday.

> **Tips**
>
> 가분 '명령문 + and(or) …' 구문에 주의.
>   ① 명령문. + and …: 하세요, 그러면 …   ② 명령문. + or …: 하세요, 그러지 않으면 …
>   and(그러면)와 or(그러지 않으면)는 반대의 관계에 있다.
>
> 풀이 1. ~하면 기분이 좋아질 것이다.   2. ~하지 않으면 기분이 나빠질 것이다.
>   3. 왜냐하면 ~이니까.   4. ~가 아니라 ….

03 상관접속사

both A and B나 not only A but (also) B와 같이 서로 짝을 이루어 앞뒤의 문장의 요소를 대등한 관계로 연결하는 것을 상관접속사라고 한다.

1 both A and B

'A와 B 둘 다'라는 의미로 쓰이며 주어로 쓰이는 경우 복수 취급한다.

Both *you* and *he* are in the wrong. 너와 그 둘 다 잘못했다.

I want both *coffee* and *tea*. 나는 커피와 홍차 둘 다 원한다.

2 either A or B

'A든가 B든가 둘 중 하나'라는 의미를 나타내며, 주어로 쓰일 때 동사는 B와 일치시킨다.

Either *you* or *he* is in the wrong. 너든 그든 둘 중 하나가 잘못했다.

Either *come in* or *go out*. 들어오든지 나가든지 해라.

3 neither A nor B

'A도 B도 둘 다 ~ 아니다(않다)'라는 의미를 나타내며, 주어로 쓰일 때 동사는 B와 일치시킨다.

Neither *you* nor *he* is in the wrong. 너도 그도 둘 다 잘못이 없다.

He neither *studies* nor *takes* exercise. 그는 공부도 하지 않고 운동도 하지 않는다.

4 not only A but (also) B

'A뿐만 아니라 B도'라는 의미를 나타내며, 주어로 쓰일 때 동사는 B와 일치시킨다. also는 생략할 때가 많다.

Not only *you* but (also) *he* is in the wrong. 너뿐만 아니라 그도 잘못했다.

He is known well not only *in Korea* but (also) *in America*. 그는 한국뿐만 아니라 미국에도 잘 알려져 있다.

☞ 1. not only A but also B에서 only 대신에 just, merely, simply 등을 쓸 수도 있다.
   He is not just(merely, simply) handsome but also gentle. 그는 잘 생겼을 뿐만 아니라 상냥하기도 하다.

2. not only A but also B는 B as well as A로 바꿔 쓸 수 있다. 주어로 쓰인 경우 동사는 B와 일치시킨다.
   He is not only handsome but also gentle. = He is gentle as well as handsome.
   He as well as you *is* in the wrong. 너와 마찬가지로 그도 잘못했다.

주절과 종속절을 연결하는 접속사를 종속접속사라고 한다. 명사절이란 문장에서 명사 역할을 하는 절로 주어, 보어, 목적어로 쓰인다. 명사절을 이끄는 종속접속사로는 that, if, whether가 있다.

1 that

❶ '~하다는 것'이라는 의미로 명사절을 이끌어 문장의 주어, 보어, 목적어로 쓰인다.

That *he will come* is certain. 그가 오는 것은 확실하다. ⋯〈주어〉

My wish is that *my son will become a doctor.* 내 바람은 아들이 의사가 되는 것이다. ⋯〈보어〉

I think (that) *Bill will go fishing with Ted.* 나는 빌이 테드하고 낚시하러 갈 거라고 생각한다. ⋯〈목적어〉

☞ 구어에서는 동사 say, think, believe, suppose, know, hope, see(=find), remember, realize(=understand) 등의 목적어로 쓰인 경우 that은 생략될 때가 많다.

❷ that은 sure(확실한), glad(기쁜), sorry(가엾은) 등의 감정이나 심리를 나타내는 형용사의 목적어로 쓰일 수 있다. 이 경우 that은 생략될 때가 많다.

I'm *sure* (that) she will succeed. 그녀가 틀림없이 성공할 거라고 생각한다.

❸ that은 동격관계를 나타내는 용법이 있다. '명사+that' 형태로 바로 앞에 있는 명사의 구체적인 내용을 that절로 나타낸다. ⟨⋯ 404쪽 참조⟩

There was *a rumor* that *the flying disc had been seen.* 비행원반을 목격했다는 소문이 있었다.

She tried to cover *the fact* that *her husband was dead.* 그녀는 남편이 죽었다는 사실을 숨기려 했다.

❹ it가 뒤에 오는 that절을 받아 가주어나 가목적어로 쓰일 때도 많다. ⟨⋯ 246, 138쪽 참조⟩

It is certain that *he will come.* 그가 오는 것은 확실하다.

I find *it* doubtful that *he passed the exam.* 그가 시험에 합격했다는 것은 의심스럽다.

2 if, whether

if와 whether는 모두 '~인지 아닌지'라는 의미로 명사절을 이끄는 접속사이다.
if가 이끄는 명사절은 원칙적으로 목적어로만 쓰이며, whether가 이끄는 명사절은 or not을 동반할 때가 많다. whether는 문어 표현, if는 구어 표현에 많이 쓰인다.

Whether he is still alive is doubtful. 그가 아직 살아있을지 잘 모르겠다. …⟨주어⟩

☞ 이 경우 가주어 it을 이용해서 보통 다음과 같이 쓴다.
It is doubtful whether he is still alive.

The question is whether he will come (or not). 문제는 그가 오는가이다. …⟨보어⟩

I wonder if(=whether) it will be fine tomorrow. 내일은 날이 좋을지 궁금하다. …⟨목적어⟩

☞ 1. if는 부사절을 이끌 수도 있다. ⟨→ 382쪽 참조⟩
   2. whether는 '…이든 ~아니든'이라는 양보의 의미의 부사절을 이끌 수도 있다. ⟨→ 383쪽 참조⟩
   Whether it be fine or not, we have to go there. 날씨가 좋든 나쁘든, 우리는 거기 가야 한다.

질문 있어요!!

Q I am glad that you have succeeded.의 that you have succeeded는 무슨 절인가요?

A I am glad of the fact that you have succeeded.의 of the fact가 생략되어 the fact와 동격인 that절이 be glad의 목적어로 쓰인 명사절이라고 생각할 수 있습니다. 'be동사+형용사'가 동사와 같은 역할을 해서 '나는 네가 성공한 것을 기쁘게 생각한다.'라고 해석합니다. 이것은 I am sorry(certain, afraid) that ~. 등도 같습니다. 또한 that=because라는 설도 있습니다. 이것에 따르면 부사절로 '나는 네가 성공해서 기쁘다.'라는 의미가 됩니다.

《해답 431쪽》

Review Test - 02

다음을 영어로 쓰세요.

1. 그가 오지 않은 건 이상하다.

2. 길을 가르쳐 줄 수 없어서 죄송합니다.

3. 사람들은 그가 무자비하다고 생각했다.

4. 그가 사실을 말했는지 아닌지 아무도 모른다.

Tips

기본 명사절을 이끄는 접속사에는 that, if, whether가 있다.

풀이 1. <It is ~ that ... should> 구문으로 쓴다.
   2. '~해서 죄송하다'는 I am sorry that ~.
   3. '~라는 생각'은 the idea that ~.
   4. '~인지 아닌지'는 if(whether)를 쓴다.

05 부사절을 이끄는 종속접속사

부사절이란 문장에서 부사 역할을 하는 절을 말하는 것으로 부사절이 나타내는 의미는 다양하다. 부사절을 이끄는 접속사는 의미에 따라 시간, 원인·이유, 결과, 목적, 조건·양보, 비교, 양태 등으로 구분할 수 있다.

1 시간을 나타내는 접속사

종속접속사 중에 가장 많이 쓰이는 것이다. 시간을 나타내는 접속사에는 when(~할 때), as(~할 때, ~하면서, ~함에 따라), while(~하는 동안에), till(until)(~할 때까지), before(~하기 전에), after(~한 후에), since(~ 이래로) 등이 있다.

❶ when, while, as

when이 특정한 시간을 나타내는데 비해, while은 어느 기간을 나타내는 경우가 많다. as는 보통 when이나 while보다 동시성이 강하다.

When I came back, they were watching television. 내가 돌아왔을 때 그들은 텔레비전을 보고 있었다.

She studied French **while** (she was) in Paris. 그녀는 파리에 있는 동안에 프랑스어를 공부했다.

I saw Tom **as** I was getting off the bus. 버스에서 내릴 때 나는 톰을 보았다.

시간이나 조건을 나타내는 부사절에서는 미래의 일도 현재시제를 써서 나타낸다.

We will begin the meeting **when** the principal *come*. 교장선생님이 오시면 회의를 시작할 것이다.

I will buy you a car **if** you *succeed* in the exam. 시험에 합격하면 차를 사줄게.

☞ while은 '~이긴 하지만'이라는 의미로 양보를 나타내는 경우도 있다.
While I appreciate the honor, I cannot accept the appointment. 명예라고 생각하지만, 그 직책을 수락할 수 없다.

❷ before, after, since, until(till)

Think well **before** you decide. 결정하기 전에 잘 생각해라.

I found it **after** he went off. 그가 간 뒤에 그걸 발견했다.

He didn't arrive **until** the dinner was half over. 그는 식사가 반쯤 끝나고 나서야 도착했다.

It is five years **since** Father died. 아버지가 돌아가신 지 5년 된다.

☞ not ~ until ...은 '…해서야 비로소 ~하다'라는 의미를 나타낸다.
People do not know the value of health till they lose it. 건강을 잃고 나서야 비로소 그 가치를 안다.

참고

till(until)과 by the time의 차이

by the time은 어느 시점까지 동작의 완료를 나타내며, till(until)은 어느 시점까지 동작이나 상태의 계속을 나타낸다.

I'll finish the job by the time she comes back. 그녀가 돌아올 때까지는 그 일을 마칠 작정이다.

I'll wait until she comes back. 그녀가 올 때까지 기다릴 작정이다.

❸ as soon as, the moment(instant), No sooner ... than ~

모두 '~하자마자'라는 의미를 나타낸다. as soon as는 the moment(instant), No sooner ... than ~, hardly(scarcely) ... when(before) ~으로 써도 같은 의미를 나타낼 수 있다.

As soon as the boy saw me, he ran away. 그 소년은 나를 보자마자 달아났다.

= No sooner had the boy seen me than he ran away.

= Scarcely(Hardly) had the boy seen me when(before) he ran away.

= On seeing me, the boy ran away.

I'll tell him the moment he gets in. 그가 들어오자마자 말하겠다.

The instant he comes, let me know.(=Directly) 그가 오는 즉시 내게 알려줘.

❹ every(each) time, the last time

every(each) time(~할 때마다), the last time(마지막으로 ~할 때)도 접속사처럼 쓸 수 있다.

Every time she comes, she brings some flowers.(= Whenever) 그녀는 올 때마다 항상 꽃을 갖고 온다.

The last time I saw him, he was sick in bed.(=When I saw him last)
요전에 그를 만났을 때 그는 아파서 누워 있었다.

《해답 431쪽》

Review Test - 03

다음을 영어로 쓰세요.

1. 가을이 오면 나뭇잎은 노랗게 된다.

2. 내가 집에 도착하기 전에 비가 오기 시작했다.

3. 만나보고 나서야 사람을 이해할 수 있다.

4. 우리 형이 외국에 간지 5년 된다.

5. 선생님이 들어오자마자 학생들은 자리에 앉았다.

가문 접속사를 포함하는 구문에는 중요한 것이 많다.

   ① not ~ until: …하고 나서야 (비로소) ~   ② It is ~ since: …하고 나서 ~된다

풀이 1. '가을이 된다'와 '나뭇잎이 노랗게 된다'는 동시에 일어나므로 when을 쓴다.

2. '집에 도착하다' → get home

3. '만나보고 나서야 비로소'를 until을 이용하여, <not ~ until> 구문으로 쓴다. 주어는 일반인을 나타내는 you가 좋다.

5. as soon as를 이용한다.

② 이유를 나타내는 접속사

'~때문에'라고 이유를 나타내는 접속사에는 because, as, since 등이 있다. 특히 다음과 같은 용법에 주의한다.

❶ because, since

because, since는 '~때문에'라는 이유를 나타내는 접속사이다. since는 because보다 의미가 약하며, 보통 문장 앞에 쓴다.

I didn't go to college because I didn't like studying. 나는 공부를 좋아하지 않았기 때문에 대학에 가지 않았다.

Since you look exhausted, you should take a rest. 피곤해 보이니까 넌 좀 쉬어야 한다.

☞ because는 because of 구로 바꿔 쓸 수 있다.
   He failed because he was lazy. 그는 게을러서 실패했다.
   → **He failed because of his laziness.**

as도 이유를 나타내지만 as가 나타내는 이유의 의미는 매우 약하다. as도 문장 앞에 쓰는 것이 일반적이다.

As it was cold in the morning, I nearly caught cold. 오늘 아침은 추워서 감기 걸릴 뻔 했다.

❷ now (that)

now that은 '이제 ~이므로'라는 접속사로 쓰일 수 있으며, 구어에서는 that이 생략될 때가 많다.

Now (that) my mother has got well, I can go on a trip. 이제 어머니가 건강해지셔서 여행을 갈 수 있다.

질문 있어요!!

Q for, because, as, since의 용법을 설명해 주세요.

A 모두 이유를 나타내는 접속사이지만 for는 등위접속사, 다른 것들은 종속접속사입니다. for는 의문문에는 쓸 수 없습니다. because가 가장 의미가 강하고, 다음에 since, as, for의 순서가 됩니다.

I stayed at home, because it was cold. 날이 추웠기 때문에 집에 있었다. …〈직접적 이유〉
Since it was cold, I stayed at home. 날이 추워서 집에 있었다.
As it was cold, I stayed at home. 날이 추워서 집에 있었다.
I stayed at home, for it was cold. 나는 집에 있었다. 날씨가 추웠으니까. …〈부가적 이유〉

3 결과를 나타내는 접속사

1 so+형용사(부사)+that..., such+(a)+형용사+명사+that...

'so+형용사(부사)+that ~'과 'such+(a)+형용사+명사+that ~'은 '매우 …해서 ~하다'라는 의미를 나타낸다.

The girl was so *attractive* that everybody looked back at her.
그녀는 매우 매력적이어서 모두 그녀를 돌아다 본다.

Jane had such *a horrible dream* that she screamed in her sleep.
제인은 너무 무서운 꿈을 꿔서 자면서 소리를 질렀다.

☞ 구어에서는 so ~ that..., such ~ that...의 that은 생략할 수 있다.
The story was so complicated (that) I cannot remember it in detail.
그 이야기는 너무 복잡해서 나는 상세히 기억할 수 없다.

2 ~, so that ...

~, so that ...은 '그래서 …하다'라는 의미를 나타내며 보통 앞에 콤마를 쓴다. 이 경우 that은 생략할 수 있다.

I ran fast, so that I could catch the bus. 나는 빨리 뛰었다. 그래서 버스를 탈 수 있었다.

《해답 431쪽》

Review Test - 04

다음을 우리말로 옮기세요.

1. In fact, a book is not valuable because it is thick
2. Now that you are no longer young, you must think of your future.
3. The ship was moving so slowly that it did not appear to move at all.
4. He spoke of it with such pleasure that I thought it must be a very fine thing.
5. There are locals and expresses, so that you can reach the top stories quickly.

Tips

가볍 관련해서 쓰이는 어구에 주의할 것.
① so+형용사(부사)+that ~: 매우 …여서 ~
② such+명사+that ~: 매우 …여서 ~

풀이 1. <not ~ because> 구문이다. valuable(가치 있는)
2. now that = since(~여서). no longer(더 이상 ~아니다(않다))
3. <so ~ that> 구문. not ~ at all(전혀 ~않다)
4. <such ~ that> 구문.

4 목적을 나타내는 접속사

❶ so that, in order that

so that은 '~하기 위하여'라는 목적을 나타낸다. that절에는 문맥에 따라 can, will, may 등의 조동사를 쓴다. 구어에서는 that이 생략될 때가 많다.

in order that도 '~하기 위하여'라는 목적을 나타낸다. 문어적인 표현으로 조동사도 may를 쓸 때가 많다.

She worked hard so that **she** *could* **sustain her family.** 그녀는 가족을 부양하기 위해 열심히 일했다.

He locked up the letter in the drawer in order that **no one** *might* **read it.**
그는 아무도 읽지 못하도록 편지를 서랍에 넣고 잠갔다.

❷ in case, for fear that, lest ... should ~

in case는 '~하면 안 되니까, ~할 경우를 대비하여'라는 의미의 목적을 나타낼 수 있다. in case가 이끄는 절은 보통 주절 뒤에 쓴다. in case가 이끄는 절에 should를 쓰면 '만일'이라는 의미가 강해진다.

for fear (that)은 '~하면 안 되니까, ~할까 우려하여'라는 의미를 나타낸다. 미래의 불안을 나타내므로 보통 will이나 would가 쓰이며, 구어에서 that은 생략될 때가 많다.

lest ... should ~는 '~하지 않기 위해'라는 의미를 나타내고, 문어체에 주로 쓰인다. 또한 lest가 이끄는 절에는 should를 쓰지만, 미국영어에서는 should 대신에 동사원형을 쓸 때가 많다.

Take your umbrella in case **it rains(should rain).** 비가 올 경우를 대비해서 우산을 갖고 가라.

I wrote it down for fear (that) **I would forget it.** 나는 그걸 잊어버릴까 걱정되어 적어두었다.

The enemy retreated lest **they should be surrounded.** 적군은 포위되지 않도록 후퇴했다.

> ☞ in case는 if의 의미로도 쓰인다.
> In case it rains, there will be no party. 비가 오면 파티는 없다.

5 조건을 나타내는 접속사

조건을 나타내는 접속사로는 if(~한다면), unless(~하지 않는다면)가 대표적이다.

❶ if, unless

if는 '~한다면', unless는 '~하지 않는다면'이라는 의미를 나타낸다. unless는 if ~ not과 거의 같은 의미를 나타낼 경우가 많지만, 정확히 말하면 '~할 경우를 제외하고'라는 예외의 조건을 나타낸다.

If **you have any questions, ask me.** 궁금한 게 있으면 나한테 물어라.

I'll come, unless **it rains.** 비가 안 오면 오겠다.

❷ in case, as long as

in case가 '~인 경우에'라는 의미의 조건을 나타내는 것은 미국식 영어에서이고, 영국식 영어에서는 '~하면 안 되니까'라는 의미로 쓰인다.

as long as는 '~하기만 하면'이라는 의미로 so long as라고 할 수도 있다.

In case he comes, tell him that I am not at home. 그가 오면 내가 집에 없다고 말해 주세요.

I can do it as long as you give me time. 시간을 주기만 하면 그것을 할 수 있다.

☞ 이외에 providing(provided), suppose(supposing)를 써서 조건을 나타낼 수 있다.
I'll buy it provided(providing) (that) it is low in price. 싸면 사겠다.
Supposing(Suppose) (that) you had one million dollars, how would you spend it?
백만 달러가 있다고 하면 그것을 어떻게 쓸 거니?

6 양보를 나타내는 접속사

'(비록) ~이지만, (설사) ~일지라도'라는 양보의 의미로 though, although, even if, even though, whether A or B 등이 쓰인다.

❶ though, although, even if, even though, as

Though it was cold, the boy wore no overcoat.(=Although) 날이 추웠는데도 소년은 외투를 입지 않았다.

Even if you don't like it, you must do it.(=Even though) 마음에 안 들어도 너는 그것을 해야 한다.

☞ 양보를 나타내는 as: '형용사(명사)+as+주어+is' 형태로 양보절을 만들 수 있다.
Young as the woman is, she is equal to the job. 그 여성은 어려도 그 일을 할 능력이 있다.

❷ whether A or B

whether A or B는 'A든지 B든지 간에'라는 의미를 나타낸다. 보통 whether A or not이 되면 'A든지 아니든 간에'라는 의미가 된다.

We will leave tomorrow whether it is shiny or rainy. 날이 맑든 비가 오든 우리는 내일 떠날 것이다.

Whether he is ready or not, let's start at once. 그가 준비가 되었든 안 되었든 즉시 출발하자.

7 양태를 나타내는 접속사

양태를 나타내는 접속사로는 as, as if, as though 등이 있다.

as는 '~와 같이, ~대로'라는 의미로 쓰이며, as if, as though는 '마치 ~인 것처럼'이라는 의미로 쓰인다. as if, as though가 이끄는 절에는 가정법이 쓰인다.

Do in Rome as the Romans do. 로마에선 로마인들처럼 하라.

He treats me as if I were a servant.(=as though) 그는 나를 마치 하인처럼 다룬다.

참고

접속사 like

구어에서는 as, as if(though)의 의미로 접속사 like가 쓰인다.

She speaks like her mother used to. 그녀의 말투는 과거 그녀 어머니의 말투와 같다.

8 기타 접속사

이외에 비교, 범위, 대조, 비례 등을 나타내는 접속사가 있다.

He came earlier than I had expected. 그는 내가 기대했던 것보다 일찍 왔다. …〈비교〉(→ 308쪽 참조)

The desert stretches as far as the eye can reach. 시선이 미치는 데까지 사막이 펼쳐져 있다. …〈범위〉

So far as I know, he is not a man of ability. 내가 아는 한 그는 유능한 사람은 아니다. …〈범위〉

Some are wise, while others are foolish. 현명한 사람도 있지만, 한편 바보도 있다. …〈대조〉

According as the demand increases, prices go up. 수요가 증가함에 따라 가격이 오른다. …〈비례〉

Review Test 05

《해답 431쪽》

우리말을 참고해서 ( ) 안에 알맞은 말을 쓰세요.

1. He ran fast (   ) that he (   ) not be late. 그는 지각하지 않기 위해 빨리 달렸다.

2. I didn't call on you for (   ) I (   ) disturb you. 방해하면 안 되니까 너를 방문하지 않았다.

3. I will not go swimming (   ) the water is warm. 물이 따뜻하지 않으면 수영하러 가지 않을 것이다.

4. Rich (   ) he is, I don't envy him. 그가 부자일지라도 나는 그를 부러워하지 않는다.

5. I will go (   ) (   ) I die for it. 가서 죽는 일이 있어도 나는 가겠다.

Tips

기본 어느 부분이 접속사에 해당하는지 생각해서 적당한 접속사를 쓴다. so that ~, for fear ~ should 등의 접속사에 주의한다.

풀이 1. '~하지 않기 위해'라는 목적을 나타낸다.
2. '~하면 안 되기 때문에'라는 목적을 나타낸다.
3. '하지 않으면'을 한 단어로 쓴다.
4. '~일지라도'라는 양보를 나타낸다. Rich가 문장 앞에 와서 도치가 일어났다.
5. '~가 있어도'라는 양보를 나타낸다.

Chapter 17
Exercise

A ( ) 안의 말을 사용해서 문장을 다시 쓰세요.

1. He can sing and he can dance, too. 《both ~ and》

2. It gives you not only knowledge but pleasure. 《as well as》

3. He is not in the room and he is not in the garden, either. 《neither ~ nor》

> **Tips**
>
> 'both A and B', 'B as well as A', 'neither A nor B'의 A와 B는 문장 속에서 같은 역할을 하는 것이어야 한다.
>
> 1. 동사 sing과 dance를 both로 연결한다.
> 2. '그것은 지식뿐만 아니라 즐거움도 준다.'라는 의미. knowledge와 pleasure의 어순에 주의한다.
> 3. 부사구인 in the room과 in the garden을 neither ~ nor로 연결한다.

B 우리말의 의미가 되도록 각각 (a) 전치사, (b) 접속사 다음을 완성하세요.

1. 그는 청년시절에 유학을 떠났다.

   (a) He went abroad to study in _____.

   (b) He went abroad to study when _____.

2. 짙은 안개 때문에 교통이 지연되었다.

   (a) The traffic was delayed on account of _____.

   (b) The traffic was delayed because _____.

3. 그는 아들의 성공을 확신했다.

   (a) He was sure of _____.

   (b) He was sure that _____.

> 1. (a)는 '청년시절'을 명사 youth로, (b)는 '젊었을 때'라는 절로 쓴다.
> 2. (b)는 '짙은 안개'를 '안개가 짙다'로 바꿔서 절로 쓴다.
> 3. (a)는 '성공하는 것'을 명사 success로, (b)는 절로 쓴다.

C 보기에서 알맞은 말을 골라 ( ) 안에 쓰세요.

1. The rich are not always contented, ( ) the poor always miserable.

2. You can live with us ( ) you pay part of the rent.

3. How long was it ( ) he came after she had gone out?

4. I wish we had done ( ) Mother told us.

5. Shut the window, ( ) black fog will sweep into the room.

> **보기**
>
> and   as   because   before   but   nor   or   since   so
> so long as   that   while

Tips

1. the rich(poor) = rich(poor) people
2. '집세의 일부를 내는 한'이란 의미로 한다.
5. 〈명령문, +and(or)〉 구문.

D 다음을 ( ) 안의 말을 이용해서 같은 의미를 나타내는 문장으로 쓰세요.

1. She knew the blessing of health for the first time when she became seriously ill. (until)

2. Carry an umbrella with you, or you may be caught in a shower on the way. (lest)

3. Only child as he was, he was very helpful. (though)

1. <not ~ until> 구문으로 쓴다.
2. or 이하를 <lest ~ should> 구문으로 쓴다.

E 다음을 우리말로 옮기세요.

Just as the invention of machinery of one kind or another has made it more difficult for people to take a pride in physical work, since they know that a bulldozer or something would do it much better, so it's becoming true that the development of computers is making it more difficult to take a pride in mental work.

문장 앞의 Just as는 넷째 줄의 so와 상관적으로 쓰였다.

Chapter

18

특수구문

도치

영어의 문장은 보통 '주어+동사+목적어+보어' 어순이지만 이 어순의 원칙이 바뀌어 동사나 목적어, 보어가 주어 앞으로 오는 경우가 있다. 이것을 도치(Inversion)라고 한다. 도치의 대표적인 것이 의문문이나 감탄문이지만, 평서문에서도 다음과 같은 도치에 주의한다.

01 강조를 위한 도치

평서문에서 강조할 목적으로 보어, 목적어, 부사를 문장 앞에 쓰면 도치가 일어난다.

1 보어를 강조하는 경우

보어를 강조하기 위해 문장 앞에 쓰면 주어와 동사가 도치되어 'C+V+S' 어순이 된다. 이러한 도치가 일어나는 것은 주어(명사)에 관계사절 등의 긴 수식어가 붙은 경우가 많다.

Happy is the man **who is contented.** 만족하는 사람은 행복하다.

Great was our surprise **when we saw the lion.** 그 사자를 봤을 때 우리의 놀람은 컸다.

☞ 주어가 대명사이거나 짧은 경우 도치는 일어나지 않는다.
   He determined to be a lawyer; and after much hard work, *a lawyer* he became.
   그는 변호사가 되려고 결심했다. 그리고 열심히 공부한 후 변호사가 되었다.

2 목적어를 강조하는 경우

no, not, little 등의 부정어를 동반하는 목적어를 문장 앞에 쓰면 의문문 어순으로 도치가 일어난다.

Not a person did I see **on the street.** 거리에는 사람 하나 보이지 않았다.

No answer have I received **so far.** 지금까지 아무 대답도 못 들었다.

☞ 부정어를 동반하지 않는 목적어를 문장 앞에 쓰는 경우에는 도치가 일어나지 않는다.
   Her two brothers I know **very well.** 그녀의 두 오빠를 나는 잘 안다.

③ 부사(구)를 강조하는 경우

부사(구)를 강조를 위해 문장 앞에 쓰면 도치가 일어날 때가 많다. _(→ 293쪽 참조)

❶ 부정을 나타내는 부사(구)

부정의 의미를 가진 부사(구)를 문장 앞에 쓰는 경우 의문문과 같은 어순이 될 때가 많다.

Little did I dream **of ever seeing you this day.** 오늘 너를 만날 것이라고는 꿈에도 생각하지 못했다.

Not until then was I **able to swim.** 그때까지는 수영을 못 했다.

☞ 강조를 위해 부정어를 포함하는 부사절을 문장 앞에 쓰는 경우에도 의문문과 같은 어순으로 도치가 일어난다.

Not until he was out of jail could he try **his idea.** 그는 출옥을 하고 나서야 자기 생각을 시도해 볼 수 있었다.

❷ 방향·장소를 나타내는 부사(구)

방향·장소를 나타내는 부사(구)를 문장 앞에 쓰면 주어와 동사가 도치된다.

Down came a big storm. 큰 폭풍이 다가왔다.

Close to his chair was a swing. 그의 의자 가까이에 그네가 있었다.

☞ 주어가 대명사인 경우에는 도치가 일어나지 않는다.

Then *off* we go **at seven.** 그럼 우리는 7시에 출발한다.

At last *out* he hopped. 마침내 그는 깡충깡충 뛰어 나갔다.

《해답 432쪽》

Review Test 01

다음을 우리말로 옮기세요.

1. Philosopher in the strict sense Russell is not.

2. Afternoon tea you can hardly call a meal.

3. In the middle of the busy city of Seoul lies the South Gate.

4. Not only at night does the nightingale sing.

기본 도치 때문에 문장의 구조를 파악하기 어렵다. 먼저 '주어+동사' 관계를 확실히 파악하자. 문장 앞에 부사(구)가 있을 때는 그것을 제외하고 보면 좋다.

풀이 1. 강조를 위해 보어 philosopher(철학자)가 문장 앞에 나와 있다. in the strict sense(엄밀한 의미에서)는 philosopher를 수식한다.
2. 강조를 위해 목적어 afternoon tea가 문장 앞에 나왔다.
3. 부사구가 문장 앞에 나와 있다.
4. 부사구가 문장 앞에 나와 있다.

02 구문상의 도치

1 <There(Here)+V+S> 구문

there나 here가 이끄는 문장은 'There(Here)+V+S' 형태의 어순이 된다. ^(→ 34쪽 참조)

There is a bird **in the cage.** 새장 안에 새가 있다.

There came **to the village** a foreigner. 그 마을에 한 외국인이 왔다.

Here are two tickets. 여기 표가 2장 있다.

Here comes the bus! 버스가 온다!

2 so, nor 등의 뒤에 쓰인 경우

so가 '~도 역시'라는 의미로 쓰일 때는 'So+V+S' 어순이 된다. 부정은 'Nor(Neither)+V+S'가 된다. 이런 도치 형식으로 쓰이는 동사는 be동사, have동사, do동사, 조동사에 한정된다. 일반동사가 쓰이는 것은 없다.

A: I am happy. 나는 행복해.

B: *So* am I. 나도 그래.

A: I went there yesterday. 어제 거기 갔었어.

B: *So* did I. 나도 갔었어.

He will not go tomorrow, *nor* will I. 내일 그는 안 갈 것이다. 나도 안 갈 것이다.

There was no bridge, *neither* had we any boats. 다리는 없었고 우리에게는 배도 없었다.

3 양보의 의미로 as가 쓰인 경우

양보의 의미로 as를 쓰는 경우 '형용사(명사·부사)+as+S+V' 어순이 된다. ^(→ 383쪽 참조)

Young *as* he is, he is reliable. 그는 어리지만, 믿을 수 있다.

= Though he is young, he is reliable.

He was a kind of idiot, good fellow *as* he was. 그는 좋은 녀석이었지만, 바보라고 할 수 있었다.

= He was a kind of idiot, though he was a good fellow.

Much *as* I once loved you, I don't love you now. 한때는 너를 아주 사랑했지만, 지금은 사랑하지 않는다.

= Though I once loved you much, I don't love you now.

☞ as가 양보의 의미가 아니라 이유를 나타낼 때도 있다.

Tired *as* he was, he went to bed earlier than usual. 그는 피곤해서 평소보다 일찍 잠자리에 들었다.

4 가정법의 if절에서 if가 생략되는 경우

가정법 문장에서 문장 앞의 if가 생략되면 도치가 일어난다.^(→ 196쪽 참조)

Were I you, I would not accept such an offer. 내가 너라면 그런 제안을 받아들이지 않을 것이다.

Should the typhoon come, **the river would be flooded.** 태풍이라도 온다면 그 강은 범람할 것이다.

《해답 432쪽》

 **02**

다음을 우리말로 옮기세요.

1. There seems no doubt about it.

2. "I have been thinking about this marriage," said the man. "So have I," answered the woman.

3. She was very proud, poor singer as she was.

4. Had they called on her, she would not have been pleased to see them.

기본 다음 구문의 해석에 주의한다.
  ① So+V+S: (주어)도 그렇다
  ② 형용사·명사+as+S+V: (주어)는 (형용사·명사)라도
  ③ Were(Had, Should)+S ~(가정법): (주어)가 만일 ~면

풀이 2. 인용부호 뒤의 said the man, answered the woman도 'V+S' 도치이다.
  3. poor singer as she was = though she was a poor singer
  4. had they called on her = even if they had called on her

강조

강조(Emphasis)에는 It is ~ that ... 구문에 의한 강조 표현 외에 특별한 말을 첨가해서 강조하는 표현, 같은 말을 반복 사용해서 하는 강조 표현이 있다. 도치에 의한 강조는 Section 1을 참조할 것.

01 **\<It is ~ that ...\> 강조 구문**

\<It is ... that ~\> 구문을 이용해서 주어, 목적어, 부사(구)를 강조할 수 있다. '...' 부분에 강조할 말을 넣어 '~하는 것은 (바로) ...다'라는 의미를 나타낸다.

I met him yesterday. 나는 어제 그를 만났다.

It was *I* that met him yesterday. 어제 그를 만난 것은 나였다. ···〈주어 강조〉

It was *him* that I met yesterday. 내가 어제 만난 사람은 그였다. ···〈목적어 강조〉

It was *yesterday* that I met him. 내가 그를 만난 건 어제였다. ···〈부사 강조〉

\<It is ... that ~\> 강조 구문에서 주어나 목적어를 강조할 때는 that 대신에 관계대명사 who나 which를 쓸 수도 있다.

❶ **주어를 강조하는 경우**

명사절도 강조할 수 있다.

It is *he* that(who) goes shopping today. 오늘 쇼핑하러 가는 것은 그다.

It is *not what we earn but what we save* that makes us rich.
우리가 부자가 된 것은 벌어서가 아니고 절약했기 때문이다.

> ☞ 주어를 강조하는 경우 that(who) 다음에 오는 동사의 인칭·수는 강조하는 말에 일치시킨다.
>   It is *I* that *am* wrong.(that=who) 잘못은 나에게 있다.

❷ **목적어를 강조하는 경우**

It is *Mary* that(whom) I like. 내가 좋아하는 사람은 메리다.

It was *this ring* that(which) he gave me. 그가 나에게 준 것은 이 반지였다.

❸ 부사를 강조하는 경우

부사구나 부사절도 강조할 수 있다.

It was *here* that I found the ball. 내가 그 공을 발견한 곳은 여기였다.

It was *only last week* that he left Korea. 그가 한국을 떠난 것은 바로 지난 주였다.

☞ that 대신에 when을 쓸 수도 있다.
It was *nearly morning* when I awoke from a terrible dream. 내가 무서운 꿈에서 깨어난 것은 아침이 가까워서였다.

❹ 의문사를 강조하는 경우

의문사를 강조하는 경우에는 '의문사+is(was) it that+평서문 어순'의 형태가 된다.

What *was it* that you expected me to do? 내가 해주길 기대했던 일이 뭐였니?

Where *was it* that you left your umbrella? 우산을 잃어버린 곳이 어디였니?

참고

〈It is ... that ~〉 강조 구문과 가주어를 쓰는 〈It is ... that ~〉 구문의 차이

it is와 that을 제거하고 평서문 형태가 나타나면 대부분의 경우 강조구문으로 보면 된다.

It is *here* that he will come. 그가 올 곳은 여기다. …〈강조 구문〉

It is certain that he will come. 그가 오는 것은 확실하다. …〈It(가주어) ~ that 구문〉

①의 경우 평서문인지는 분명하지 않지만, 평서문의 요소가 모두 나타나 있으므로 강조구문이고, ②의 경우 it is와 that을 제거하면 문장이 성립하지 않는다. 따라서 〈It(가주어) ~ that〉 구문으로 판단하면 된다.

Review Test 03

《해답 432쪽》

다음 문장을 지시에 따라 다시 쓰세요.

I visited the castle with him last spring.

1. I를 강조해서
2. the castle을 강조해서
3. with him을 강조해서
4. last spring을 강조해서

 Tips
개념 It is ... that ~.의 '…' 부분에 강조하는 말을 쓴다. 동사가 과거형 visited이므로 여기에서는 It was ... that ~.로 쓰면 된다.

02 강조 어구를 이용한 강조

특정한 강조 어구를 첨가하거나 어구를 반복 사용해서 강조할 수도 있다.

1 동사의 의미 강조

do(does, did)를 동사 앞에 써서 동사의 의미를 강조할 수 있다. 이 do는 강하게 발음한다. (→ 89쪽 참조)

He does *come* to see me every day. 그는 매일 나를 보러 온다.

She did *come* to see me yesterday. 그녀는 어제 나를 보러 왔었다.

Do *come* and see us again. 꼭 다시 와 주세요.

Do *be* quiet! 조용히 좀 해!

2 명사·대명사 강조

❶ 재귀대명사를 이용한 강조

(대)명사를 강조하는 경우 (대)명사 뒤에 재귀대명사를 써서 '몸소, 스스로'라는 의미를 나타낼 수 있다. 이 재귀대명사는 강하게 발음한다. (→ 250쪽 참조)

She bakes *bread* herself. 그녀는 자신이 직접 빵을 굽는다.

Tom himself guarded the place. 톰 그 자신이 그 장소를 지켰다.

☞ '추상명사+itself' 또는 'all+추상명사' 형태로 강조할 수도 있다.
　He is *kindness* itself. = He is all *kindness*. = He is very *kind*. 그는 친절 그 자체다. → 그는 매우 친절하다.

❷ very를 이용한 강조

명사의 의미를 강조하기 위해 the(this, that, one's) very를 명사 앞에 써서 '바로 ~의, ~만 해도, ~조차'라는 의미를 나타낼 수 있다. 이 very는 형용사로 쓰인 것이다.

It is the very *thing* that I expected. 그것이 내가 기대했던 바로 그것이다.

The very *thought* of blood makes her sick. 그녀는 피만 생각해도 기분이 나빠진다.

3 의문사 강조

의문사 뒤에 on earth, in the world 등을 써서 의문사를 강조하여 '도대체'라는 의미를 나타낼 수 있다.

What on earth have you been doing? 도대체 지금 뭐 하고 있는 거야?

How in the world did you do it? 도대체 어떻게 한 거니?

4 비교급·최상급의 의미 강조

비교급의 의미를 강조할 때는 much, (by) far, even, still 등을 써서 '훨씬'이라는 의미를 나타낼 수 있다. 최상급의 의미를 강조할 때는 much, (by) far, the very 등을 앞에 쓰거나, possible, imaginable 등을 뒤에 써서 강조할 수 있다.

You are young, but he is still *younger.* 너도 젊지만, 그는 훨씬 더 젊다.

The car ran at *the highest* speed possible. 차는 전속력으로 달렸다.

Tom is (by) far *the hardest* worker in his class. 톰은 그의 반에서 단연 가장 열심히 공부하는 학생이다.

5 부정 표현 강조

부정의 의미를 강조하는 말은 never이지만, 그 외에 부정어 뒤에 at all, by any means, in the least, whatever 등의 말을 써서 강조할 수도 있다.

I don't know him at all. 나는 그를 전혀 모른다.

These goods are not satisfactory by any means. 이 물건들은 전혀 만족스럽지 않다.

= These goods are by no means satisfactory.

It does not matter in the least. 그것은 전혀 중요하지 않다.

There is no doubt whatever. 의심은 전혀 없다.

☞ not at all에는 '천만에요'라는 의미도 있다.
   A: Thank you very much. 정말 고마워.
   B: Not at all. 천만에.

03 같은 말의 반복에 의한 강조

같은 말을 반복 사용해서 성질·상태 등의 정도가 높다는 것을 강조하거나 계속을 나타낼 수 있다.
and로 연결하는 경우와 그렇지 않은 경우가 있다.

1 and로 연결하는 경우

❶ A and A 형

He tried it again and again. 그는 계속 시도해 보았다.

She cried and cried, **but no one came.** 그녀는 계속 울었지만 아무도 오지 않았다.

❷ 비교급+and+비교급 <→ 311쪽 참조>

It is getting darker and darker. 날이 점점 어두워진다.

She became more and more **beautiful.** 그녀는 점점 예뻐졌다.

2 and를 사용하지 않는 경우

And everybody talked, talked, talked. 그리고 모두 마구 지껄여댔다.

It rained every day, every night, every week. 매일 낮. 매일 밤. 매주 비가 왔다.

《해답 432쪽》

Review Test 04

( ) 안이 있는 말을 이용하여 영어로 쓰세요.

1. 그가 곧 건강을 되찾기를 나는 정말 바란다. (do)
2. 인생 그 자체가 하나의 신비다. (itself)
3. 그에게 도대체 무슨 문제가 있니? (on earth)
4. 바로 그 순간 그가 나타났다. (very)
5. 어떻게 해도 우리는 그를 위로할 수 없었다. (not ~ by any means)

기본 강조 어구에 주의한다.
　　① 강조하는 말을 앞에 쓴다.: 'do+동사' 'very+명사'
　　② 강조하는 말을 뒤에 쓴다.: '명사(대명사) + -self' '의문사+on earth'

풀이 1. '건강을 되찾다' → recover, get well　　　　3. '~에게 무슨 문제가 있니?' → What is the matter with ~?
　　　4. '순간' → moment　　　　　　　　　　　　　5. '위로하다' → comfort

생략

이미 나온 어구의 반복을 피하기 위해서와 관용적으로 생략(Ellipsis)이 일어난다. 어떤 경우든 문장의 전후관계나 문맥에서 쉽게 알 수 있을 때만 생략한다.

01 반복을 피하기 위한 생략

문장을 간결하게 만들기 위해 한 번 나온 말은 반복을 피하는 것이 좋다. 앞에 나온 말이 없어도 의미 전달에 지장이 없는 경우에는 생략할 수 있다.

1 명사 생략

형용사, 특히 수사, 수량형용사 뒤의 명사는 생략할 수 있다.

My husband is thirty-two (years old). 내 남편은 32살이다.

It's already nine (o'clock). 벌써 9시다.

2 동사 생략

❶ 조동사 뒤의 동사나 to 뒤의 동사원형은 생략할 수 있다.

If you can't come, someone else should (come). 네가 올 수 없으면 다른 사람이 와야 한다.

Jack can sleep whenever he want to (sleep). 잭은 자고 싶을 때 언제라도 잘 수 있다.

❷ '동사+목적어'가 생략되거나 술어동사의 일부만 생략될 수도 있다.

A: Can you speak English? 영어 할 수 있니?

B: Yes, I can (speak English). 응. 할 수 있어.

A rubber factory will be built and tires (will be) made there.
고무 공장이 건설되고 거기서 타이어가 만들어질 것이다.

☞ to부정사가 생략될 때도 있다.

Come if you want (to come). 오고 싶으면 와라.

18 특수구문

3 보어의 생략

주격보어가 생략되는 경우가 있다.

Drinking is not evil. It is being drunken that is (evil).
음주는 나쁘지 않다. 나쁜 것은 술에 취하는 것이다.

The boys were clever, but girls were not (clever). 남자아이들은 영리했지만, 여자아이들은 그렇지 못했다.

4 비교를 나타내는 문장에서의 생략

than 또는 as 뒤에서 생략이 일어난다. (→ 308쪽 참조)

I am older than you (are). 나는 너보다 나이가 많다.

Self-reliance is as important in the thought as (it is) in action.
독립심은 행동에서와 같이 사고에서도 중요하다.

5 문답의 대답에서의 생략

문답의 대답에서의 생략은 질문이 요구하는 것만을 간단히 전달하는 것이다.

A: How many months are there in a year? 1년은 몇 달이니?

B: (There are) Twelve (months in a year). 12달이야.

A: It won't rain tomorrow, will it? 내일 비가 안 오겠지?

B: I think (it will) not (rain tomorrow). 안 올 것 같아.

질문에서도 생략이 있을 수 있다.

A: I met him once. 그를 한 번 만났어.

B: Where (did you meet him)? 어디서 (그를 만났니)?

02 관용적인 생략

1 접속사 뒤의 '주어+be동사' 생략

though, while, when, if, as if, because, unless, till, before 등이 이끄는 부사절에서 주절의 주어와 부사절의 주어가 같거나 일반인을 나타내는 we, you인 경우 부사절의 '주어+be동사'가 생략될 수 있다.

When (I was) a boy, I used to swim in the river. 내가 어렸을 때 그 강에서 수영을 했었다.

While (he was) working there, he began writing for the newspaper.
거기서 일하는 동안 그는 신문에 기사를 쓰기 시작했다.

He fell down as if (he had been) shot. 그는 마치 총을 맞은 것처럼 쓰러졌다.

☞ if절에서는 관용적으로 '주어+동사'가 자주 생략된다. 이 경우에는 if절의 주어와 주절의 주어가 다른 경우가 많다.
   If (it is) necessary, you may use this dictionary. 필요하다면 이 사전을 사용해도 좋다.
   Please point out the mistakes if (there are) any. 만일 있다면 틀린 곳을 지적해 주세요.

2 감탄문에서 '주어+be동사' 생략

감탄문에서 '주어+be동사'는 문맥에서 분명히 알 수 있는 경우 보통 생략한다.(→ 47쪽 참조)

What a pretty girl (she is)! 정말 예쁜 아이다!

3 일상의 인사 표현에서의 생략

(I) Thank you very much. 정말 고마워.

(I wish you a) Good night. 잘 자.

4 기타

관용적인 생략에는 소유격 뒤에 쓰는 house, shop 등의 생략(→ 230쪽 참조), 관계대명사의 생략(→ 331쪽 참조), 접속사 that의 생략(→ 376쪽 참조), 분사구문에서 Being의 생략(→ 180쪽 참조), 명령문에서 주어의 생략(→ 45쪽 참조) 외에 다음과 같은 것도 있다.

❶ 일기문에서 주어 'I'의 생략

   (I) Got up at six. 6시 기상.

(I) Went swimming in the pool in the afternoon. 오후에 풀장에 수영하러 갔음.

❷ 속담, 광고, 신문의 표제어에서의 생략

(If there are) No pains, (there are) no gains. 노력 없이는 얻는 것도 없다.

(The) First to come (is) the first (to be) served. 선착순

(Keep your) Hands off. 손대지 마시오.

His Body (was) identified. 사체 신원 판명

❸ 의문문에서의 생략

(Are you) Doing well in Seoul? 서울에서 잘 지내고 있니?

What (comes) next? 다음은 뭐지?

《해답 432쪽》

Review Test 05

다음을 우리말로 옮기고 생략된 말을 쓰세요.

1. That's all right for you, but not for me.

2. His body is going to be cut open and part of it taken out.

3. The soil, though sandy, is good for the most part.

4. Where necessary, there is an available scholarship.

5. Correct errors, if any.

기본 생략이 있는 문장을 해석할 때는 다음과 같이 한다.
① 앞에 나와 있는 말을 보충해서 해석한다.
② 종속접속사 뒤에 '주어+be동사'를 보충해서 해석한다.

풀이 생략된 말을 보충하지 않으면 바르게 해석할 수 없다.
1. 앞의 for you와 for me가 대조적으로 쓰여 있다.
2. taken은 앞의 cut에 대응하는 과거분사이고 이 앞에 생략이 있다.
3, 4, 5는 접속사 뒤에 생략된 말이 있다.

Section 4

삽입, 동격

 **01 삽입**

설명을 추가하기 위해 단어, 구, 절을 문장 안에 넣는 것을 삽입(Parenthesis)이라고 한다. 읽을 때는 삽입된 말 앞이나 뒤에서 끊고, 쓸 때는 보통 콤마나 대시를 붙인다.

1 단어의 삽입

문장 전체를 수식하는 부사(⋯ 293쪽 참조)나 however, therefore 등의 접속사가 삽입된다.

She naturally got angry with her son. 그녀가 아들에게 화가 난 것은 당연했다.

I cannot, however, forgive your sins. 그렇지만 나는 네 잘못을 용서할 수 없다.

The government, therefore, should do something to help them. 그래서 정부는 그들을 돕는 일을 해야 한다.

☞ 1. but의 의미인 however는 문장 안이나 문장 앞, 문장 끝에도 쓸 수 있다. 문장 안에 쓸 때는 반드시 콤마를 붙인다.
　 However, I cannot forgive your sins.
　 I cannot forgive your sins, however.

　 2. 이외에 indeed(사실은), moreover(게다가), nevertheless(그렇기는 하지만) 등도 자주 삽입해서 쓴다.

2 구의 삽입

문장 전체를 수식하는 부사구가 삽입될 수 있다.

He is, after all, a foreigner. 결국 그는 외국인이다.

독립부정사가 삽입될 때도 많다.(⋯ 144쪽 참조)

He is, to be sure, a man of ability. 그는 분명히 유능한 사람이다.

☞ 이외에 as a matter of fact(사실은), as a rule(일반적으로), for example(예를 들면), for sure(틀림없이), in a sense(어떤 의미에서는), in fact(사실은), on the other hand(다른 한편으로는), to make matter worse(설상가상으로), to one's surprise(놀랍게도) 등이 자주 삽입되는 말이다.

3 절의 삽입

절이 삽입되는 경우도 있다. 대부분 주절인 경우가 많지만, 형용사절, 부사절, 독립절도 삽입된다.

❶ 주절의 삽입

I think(admit, hope, believe 등), I am sure(afraid 등), it seems(appears 등) 등의 판단을 나타내는 표현이나 he said, you know 등의 표현이다.

She was lucky, she thought, **to have such a good friend.** 그녀는 그런 좋은 친구가 있어 다행이라 생각했다.

The book, I am sure, **will sell like hot cakes.** 그 책은 매우 잘 팔릴 것이라 나는 확신한다.

This, it seems, **is your object of going to school.** 이것이 네가 학교에 다니는 목적인 것 같다.

위의 문장은 각각 She thought (that) she ~, I am sure (that) the ~, It seems that this ~ 문장의 주절을 문장 안에 삽입한 것이다.

☞ 주절을 문장 끝에 쓸 수도 있다. 이러한 절을 부가절이라고 한다.
She will be discouraged, I am afraid. 그녀가 낙심하지는 않을까 걱정이다.

의문사로 시작하는 의문문에 주절이 콤마 없이 삽입되는 경우도 있다.

Why do you think **he is absent today?** 오늘 그가 왜 결석한 것 같니?

What did you say **was the matter?** 무엇이 문제라고 했니? …〈대답은 I said ~한다.〉

    cf. Did you say **what was the matter?** 무엇이 문제인지 말했니? …〈대답은 Yes, No로 한다.〉

관계사절에 주절이 삽입되는 경우도 있다.

I had to tell them the sad news *which* I knew *would be so terrible a shock to them.*
나는 그들이 큰 충격을 받을 내가 알고 있는 슬픈 소식을 그들에게 알려야 했다.

☞ 직접화법에서 인용문 사이에 쓰이는 주어와 전달동사도 일종의 삽입이라 볼 수 있다.
"Oh, Lucy," said Tom, **"I hope our team wins."** '아, 루시, 난 우리 팀에 이기길 바라.'라고 톰이 말했다.

❷ 형용사절의 삽입 (→ 329, 338쪽 참조)

My brother, who is an engineer, **is now in America.** 우리 형은 엔지니어인데 지금 미국에 있다.

❸ 부사절의 삽입

when, if, though, as 등이 이끄는 부사절이 삽입되는 경우가 많다.

The earth, as you know, **is round like a ball.** 지구는 알다시피 공처럼 둥글다.

❹ 독립절의 삽입

what it more, what is called 등이 삽입된다.

He is what is called **a man of business.** 그는 소위 사업가다.

《해답 432쪽》

Review Test 06

다음을 우리말로 옮기세요.

1. What time would you say it happened?

2. He picked out this thirty-cent stamp, which he thought he could replace with a better specimen.

3. The sight of a man, as seen just ahead, was a relief to the doctor.

Tips

기본 콤마가 없는 삽입절에 주의한다. 특히 ① 의문사 뒤의 do you think(say 등) ② 관계사 뒤의 I think(I know 등)에 주의한다.

풀이 1. what time 뒤에 would you say가 삽입되어 있다.
2. which 뒤에 he thought가 삽입되어 있다.
3. as (it was) seen을 보충해서 생각한다.

02 동격

문장 안의 어구를 보충하거나 달리 표현하기 위해 문법적으로 같은 역할을 하는 어구를 나란히 쓰는 경우 둘의 관계를 동격(Apposition)이라고 한다. 동격은 단어일 때도 있고 구나 절일 때도 있다.

1 동격관계가 단어인 경우

명사나 대명사를 동격으로 나란히 쓰는 경우에는 콤마를 붙일 수도 있고 붙이지 않을 수도 있다. 인칭대명사와 동격일 때는 그대로 앞에서부터 해석한다.

Mr. Brown, the master, was standing there. 주인인 브라운 씨가 거기 서 있었다.

You Germans admire him, *we* English do not. 당신들 독일인은 그를 존경한다. (그러나) 우리 영국인은 그렇지 않다.

2 동격관계가 구인 경우

동격의 of를 써서 '명사+of+명사(동명사)' 형태로 나타낼 수 있다. (→ 237쪽 참조)

Do you know *Mr. Smith*, principal of this school? 이 학교의 교장인 스미스 씨를 아니?

I have always fancied *the idea* of doing everything for myself.
나는 무슨 일이든 혼자 힘으로 한다는 생각을 좋아했다.

'명사+to부정사'가 동격관계를 나타내는 경우도 있다.

He had *three ambitions*; to live in peace, to have a few good friends, and to finish his life-work.
그에게는 세 가지 큰 뜻이 있었다. 즉 평화롭게 사는 것, 두세 명의 좋은 친구를 갖는 것, 그리고 생업을 이루는 것이었다.

3 동격관계가 절인 경우

접속사 that이 이끈다. (→ 376쪽 참조)

He received *the news* that gold had been discovered. 그는 금이 발견되었다는 소식을 들었다.

There is no *proof* that he did it himself. 그가 직접 그것을 했다는 증거는 없다.

☞ 다음과 같은 동격에는 특히 주의해야 한다. 앞에 있는 내용 전체와 동격이라고 할 수 있다.
I am apt to judge my friends in comparison with myself, a wrong thing to do.
나는 친구들을 나와 비교해서 판단하는 경향이 있다. 그렇게 하는 것이 잘못된 일이지만.

Review Test 07

다음을 우리말로 옮기세요.

1. It was this schoolmate who first introduced me to good music – a boy named George.

2. Napoleon, the ruler of France, marched his armies into Russia.

3. The rumor spread that the victim was John.

 Tips

가본 'A, B' 형식으로 동격이 되면 'B인 A' 'B라는 A'로 해석한다. 또한 B가 명사절(that이 이끄는 절)일 때 주의한다.

풀이 1. this schoolmate에 관해 대시 뒤에 설명이 추가되어 있다.
　　　3. rumor(소문)와 that 이하가 동격.

Section 5

수의 일치

술어동사는 주어가 단수이면 단수동사가 되고, 주어가 복수이면 복수동사가 되어 주어와 술어동사는 인칭·수에서 일치한다. 이것을 일치(Agreement) 또는 호응(Concord)이라고 한다. 그러나 이 원칙은 주어의 형태(단수·복수)로만 결정되는 것은 아니고, 주어가 나타내는 의미에서 결정될 때도 있다. 명사와 대명사의 성·수의 일치는 223, 227쪽 참조.

1 주어가 하나인 경우

술어동사는 주어의 형태상의 수와 일치시킨다. 주어가 단수면 동사도 단수형, 주어가 복수면 동사도 복수형이 되는 것이 보통이다. 그러나 의미상 이 원칙을 지킬 수 없는 경우가 있다.

❶ 단수 주어+복수 동사

주어가 의미상 복수를 나타내기 때문에 동사를 복수로 쓴다. 집합명사나 부분을 나타내는 말(most, half, part, rest 등)일 때가 많다. (→ 219쪽 참조)

His family *are* all kind-hearted. 그의 가족은 모두 친절하다. …⟨family는 가족 구성원을 나타낸다.⟩
His family *is* a big one. 그의 가족은 대가족이다.

Half of the passengers *were* injured. 승객 절반이 다쳤다. …⟨Half는 의미상 복수의 승객을 가리킨다.⟩
Half of my income *was* saved. 내 수입의 절반은 저축된다. …⟨Half가 양을 나타낼 때는 단수 취급⟩

The English *like* tea very much. 영국인은 차를 매우 좋아한다. …⟨The English는 국민 전체를 나타낸다.⟩

❷ 복수 주어+단수 동사

복수형 학과명, 국가명 등은 단수 취급하며, 시간·거리·금액 등이 하나의 단일 개념을 나타낼 때도 단수 취급한다.

Mathematics *is* my favorite subject. 수학은 내가 좋아하는 과목이다.
The United States *is* a big country. 미국은 큰 나라다.

Fifty years *is* a long time. 50년은 긴 기간이다.
Fifty years *have* passed. 50년이 지났다.

Ten miles *is* a long distance. 10마일은 먼 거리다.
Ten miles *were* covered in a day. 하루 10마일 갔다.

☞ all, each 등의 부정대명사의 수 일치는 256쪽 참조.

2 주어가 둘 이상인 경우

주어가 'A and B (and C...)' 형식인 경우는 복수 취급해서 동사도 복수형을 쓰는 것이 일반적이지만, 다음의 경우는 단수 취급한다. 상관접속사의 수 일치는 375쪽 참조.

❶ 같은 사람 또는 같은 사물을 나타내는 경우 ⟨→ 338쪽 참조⟩

The poet and novelist *is* dead. 시인이자 소설가인 사람이 죽었다. …⟨한 사람⟩
The poet and the novelist *are* dead. 시인과 소설가가 죽었다. …⟨두 사람⟩

주의 이 경우 관사의 유무가 기준이 되지만 같은 사람인 경우에도 관사를 반복할 때가 있고 예외도 많다.

❷ 전체가 단수 개념을 나타내는 경우

Bread and butter *is* nutritious. 버터 바른 빵은 영양이 풍부하다.
The ebb and flow of the tide *is* caused by the pull of the moon. 밀물과 썰물은 달의 인력으로 일어난다.

❸ 수식 계산

단수 취급하는 것이 보통이지만 형태상 복수 취급할 때도 있다.
Two and three *is(are)* five. 2+3=5

Q ① Three-fifths of the apples (　　) rotten.　② Three-fifths of the land (　　) his.
의 (　) 안에 be동사 현재형을 쓰려면 무엇이 좋습니까?

A 분사가 주어일 때 수를 나타낼 때는 복수 취급하고, 양을 나타낼 때는 단수 취급합니다. 따라서 ①은 '사과 5분의 3(수)이 썩었다'라는 의미이므로 are, ②는 '토지의 5분의 3(양)은 그의 것이다'라는 의미이므로 is를 씁니다.

⟨해답 433쪽⟩

Review Test 08

( ) 안에서 알맞은 말을 고르세요.

1. A black and white dog (was, were) seen there.

2. The later Middle Ages (was, were) a time of great change.

3. A number of people (have, has) arrived.

4. The rest of the crew (was, were) drowned.

5. Eight hours (is, are) long enough to work at one stretch.

기준 명사의 형태뿐만 아니라 의미상 단수를 나타내는지 판단할 필요가 있다. 'A and B'나 복수명사도 단수 취급할 때가 있다.

풀이 1. a black and white dog(바둑이)　　　　2. the later Middle Ages(중세시대 말)
　　　3. a number of = many　　　　4. rest는 의미상 복수의 승무원을 가리킨다.

부정 표현

부정을 나타낼 때는 not 또는 no라는 부정어를 이용하는 것이 가장 일반적이지만, not이나 no가 다른 어구와 함께 쓰일 경우 부분부정이 되거나 이중부정이 되거나 한다. 또한 약한 부정을 나타내는 말도 있고 관용적으로 부정으로 쓰이는 어구도 있다.

1 부분부정

전체를 나타내는 all, both, every, entirely, altogether, quite나 '항상, 반드시'라는 의미를 나타내는 always, necessarily 등이 부정어(not 또는 no)와 함께 쓰이면 완전한 긍정도 완전한 부정도 아닌 '전부 ~인 것은 아니다, 반드시 ~이지는 않다'라는 부분부정이 된다.^(→ 264쪽 참조)
부정어는 앞에 쓸 수도 있고 뒤에 쓸 수도 있다.

All men are *not* wise. 모든 사람이 현명한 것은 아니다.

   cf. Nobody is wise. 아무도 현명하지 않다. …〈전체부정〉

Not all knowledge is good. 모든 지식이 유익한 건 아니다.
Every man can*not* be a poet. 모두가 시인일 수는 없다.
He is *not* altogether foolish. 그가 완전히 바보인 건 아니다.
I do*n't* like both of the girls. 그 여성들 둘 다 좋아하는 건 아니다.
His theory is *not* completely wrong. 그의 이론이 완전히 틀린 건 아니다.

Review Test 09

《해답 433쪽》

다음 문장을 (a) 부분부정과 (b) 전체부정으로 고쳐 쓰세요.

1. I understand both German and French.
2. I know everything about him.
3. It is always good to be alone.
4. All of his family are completely happy.

> **Tips**
>
> **가본** both, every, all이 쓰인 문장은 not을 쓰는 것만으로는 전체부정을 나타낼 수 없다. 전체부정으로 할 때는 다음과 같은 어구를 써야 한다. both ~ and ... → neither ~ nor ... / everything → nothing / all → none
>
> **풀이** 1. both A and B(A와 B 둘 다)
> 3. always는 not의 위치에 따라 부분부정으로도 전체부정으로도 쓸 수 있다.

2 준부정

hardly, scarcely, rarely, seldom, little 등의 부사를 긍정문에 쓰면 '거의 ~아니다(않다)'라는 부정에 가까운 의미를 나타낸다. 이런 말들을 준부정어라고 한다.

I can hardly believe it. 나는 그것을 좀처럼 믿을 수 없다.
I gained scarcely anything. 나는 거의 아무 것도 얻지 못했다.
He seldom makes a mistake. 그는 거의 실수하지 않는다.

little, few를 형용사나 (대)명사로 부정관사 없이 써도 부정의 의미를 나타낼 수 있다.^(··· 280쪽 참조)
I have little to eat. 나는 먹을 것이 거의 없다.
Few people believed that the earth is round. 지구가 둥글다고 믿는 사람은 거의 없었다.

3 이중부정

한 문장에 부정어가 두 개 쓰인 것을 이중부정이라고 한다. 두 개의 부정어는 서로 상쇄해서 결과적으로는 강한 긍정의 의미를 나타낸다. 부정어로 not, no 외에 without, but 등도 쓰인다.

❶ There is no A that ~ not B: B하지 않는 A는 없다

There was **no** enemy on earth that he could **not** conquer. 그가 정복할 수 없는 적은 세상에 없었다.

❷ no(not) A but B: B 없는 A는 없다

There is **no** rule **but** has exceptions. 예외 없는 규칙은 없다. ···⟨but은 관계대명사⟩ ^(··· 333쪽 참조)
He is **not** so sick **but** he can come to school. 그는 학교에 올 수 없을 만큼 아픈 건 아니다. ···⟨but은 접속사⟩

❸ never A but B: A하면 반드시 B한다.
   not(never) A without B: A하면 반드시 B한다.^(··· 92쪽 참조)

It **never** rains **but** it pours. 비가 오면 반드시 퍼붓는다.(설상가상)
= It **never** rains **without** pouring.
You can't make an omelette **without** breaking some eggs.
달걀을 깨지 않고 오믈렛을 만들 순 없다. → 원인 없이 결과가 생길 리가 없다.

☞ not without로 이어질 때도 있다.
   His anxiety was **not without** reason. 그의 걱정에는 반드시 이유가 있었다.

❹ not un-A : A아닌 것은 아니다

He is not unhandsome. 그는 못생긴 건 아니다.

It is not unusual **for couples to qurrel.** 부부가 싸우는 것은 드문 일은 아니다.

참고
───

강한 부정은 도치에 의한 경우와 수사의문문에 의한 경우가 있다.

1. 도치: 부정어를 문장 앞에 쓴다. ⟨→ 389쪽 참조⟩

   Never **did I see such a wonderful painting.** 그렇게 멋진 그림을 나는 본 적이 없다.

2. 수사의문문: 의문문의 형태로 부정의 의미를 나타낼 수도 있다. ⟨→ 44쪽 참조⟩

   How can a bird fly without the wings? 새가 날개 없이 어떻게 날 수 있겠니?(날 수 없다)

───

《해답 433쪽》

 **10**

다음 우리말을 ( ) 안의 말을 이용해서 영어로 쓰세요.

1. 나는 거의 한 마디도 할 수 없었다. (scarcely)

2. 그는 집에서 거의 점심을 먹지 않는다. (seldom)

3. 그가 성공할 가망은 거의 없다. (little)

4. 그가 모르는 것은 없다.(There is no ~ that _ not ...)

5. 그를 보면 그의 형이 생각난다. (not ~ without)

> **개념** '거의 ~아니다(않다)'는 scarcely, seldom, little 등을 이용한다.
> 'A 아닌 것은 없다.' 'A하면 반드시 B한다.'는 이중부정으로 나타낸다.
>
> **풀이** 1. '말을 하다' → utter a word
>   2. '먹다' → take
>   3. '성공할 가망' → hope of success
>   5. '~을 떠올리다' → think of

④ 관용적인 부정 표현

❶ cannot A too 〜: 아무리 A해도 지나치지 않다 〈⋯→ 91쪽 참조〉

We cannot praise him too much. 그를 아무리 칭찬해도 지나치지 않다.
You cannot be too careful about your health. 건강에는 아무리 조심해도 지나치지 않다.

☞ cannot A enough, cannot over-A 등의 변형도 있다.

❷ the last A: 가장 A할 것 같지 않은

He is the last man to do such a thing. 그는 절대로 그런 일을 할 사람이 아니다.

❸ far from A: 조금도 A않다, A하기는커녕

She is far from (being) happy. 그녀는 조금도 행복하지 않다.
The work is far from perfect. 그 일은 하나도 완전하지 않다. → 결점투성이다.

❹ anything but A: 결코 A아니다, 전혀 A아니다

He is anything but a poet. 그는 결코 시인이 아니다. → 그가 시인이라는 건 말도 안 된다.

Chapter **18**
Exercise

A 보통의 어순으로 다시 쓰세요.

1. This he did without difficulty.

2. Down came the ceiling.

3. Never did I know such a fellow.

4. To me his new novel does not appear so interesting as his earlier ones.

5. Whether he is equal to the position or not I'm not sure.

B 밑줄 친 부분을 강조해서 다시 쓰세요.

1. He was born in France and bred in Canada.

2. I tried it over again, only to fail.

3. What was the reason for your absence?

4. He gave up the idea of going to college, because he did not have enough money.

5. I have never seen such a terrible sight.

C 생략할 수 있는 말을 가능한 한 생략해서 문장을 간결하게 만드세요.

1. When she was young, she never appeared in society.

2. The statesman loves peace and will love peace.

3. She did not tell her name, or strictly speaking, could not tell it.

4. He was rather kind to his friends than he was kind to his relatives.

D 같은 의미가 되도록 ( ) 안에 알맞은 말을 쓰세요.

1. Everything on the earth is affected by the sun.
   = There is (   ) on the earth (   ) is affected by the sun.

2. Sometimes a man of ability is not a man of virtue.
   = An able man is (   ) (   ) a virtuous man.

3. He never tells a lie.
   = He is (   ) (   ) person to tell a lie.

4. Whenever they found her resting, they gave her another task to do.
   = They (   ) found her resting (   ) giving her another task to do.

5. It was only yesterday that he reached here.
   = It was (   ) (   ) yesterday that he reached here.

E 우리말로 옮기세요.

1. The committee, although it had investigated the matter, was unable to come to any decision.

2. This plant is far from good for the health.

3. How can I do this work without tools?

4. I couldn't possibly imitate the cool way in which he asked for a loan of $1,000,000.

5. The fact that the Golden Gate Bridge is painted red surprised the boy very much.

Tips

1. 부정어로 but을 쓴다.
2. '반드시 ～인 것은 아니다'라는 부분 부정으로 한다.
4. '…할 때는 항상 ～한다' → '…하면 반드시 ～한다'로 바꾼다.
5. '～에 이르러서야 비로소 ～'라는 표현으로 한다.

1. was unable to = could not
3. 수사의문문이다.
5. the fact와 that ~ red는 동격이다.

해답편
Review Test & Exercise

Chapter 01 문장

Review Test 01

1. Our(대), school(명), stands(동), on(전), the(형=관), beautiful(형), hill(명)
2. The(형=관), teacher(명), spoke(동), very(부), slowly(부)
3. You(대), and(접), I(대), must(동=조), wait(동), till(접), he(대), comes(동), back(부)
4. Ah(감), my(대), mother(명), is(동), dead(형)
5. They(대), arrived(동), there(부), in(전), the(형=관), early(형), morning(명)

Review Test 02

1. 주어 = Penguins, 동사 = have
2. 주어 = post office, 동사 = is
3. 주어 = One, 동사 = came
4. 주어 = we, 동사 = do, use

Review Test 03

1. books(목)
2. popular(보)
3. Mary(목), package(목)
4. teeth(목), clean(보)

Review Test 04

* ( ) 안에 있는 말을 수식한다.
1. their (wings), to swim under water (use)
2. That (building), with a red roof (building), our (school)
3. on the bench (sat), to the music (listened), from somebody's portable (listened)
4. made in Switzerland (Watches), all over the world (are)

Review Test 05

1. My father died five years ago.
2. A black dog came out of the garden.
3. A large ship is sailing on the sea.
4. How beautifully she sang!
5. My sister came back with a boy called Jack.

Review Test 06

1. 그들은 그 소식을 듣고 슬퍼 보였다.
2. 대부분의 나뭇잎은 가을에 노랗게 변한다.
3. 이 장미꽃은 냄새가 참 좋다!
4. 우리는 버스 안에서 줄곧 서 있었다.

Review Test 07

1. Korean students like(are fond of) baseball.
2. My house have five rooms.
   There are five rooms in my house.
3. What does Jack want most?
4. We tried to buy a tent at the store.

Review Test 08

1. My brother brought me a cup of coffee.
2. What did you send (to) Mary?
3. Will you show me the way to the station?
4. His uncle made him a model plane.

Review Test 09

1. Don't leave your clothes wet.
2. They will elect Tom captain of the team.
3. I think it your duty.
4. What do you call the first season of the year?

Review Test 10

1. 거기에 배가 몇 척 있다.
2. 그의 아버지는 일요일에 돌아오실 예정이다.
3. 혹시 제인을 만나면 파티에 오라고 해라.
4. 우리는 그에게 같이 저녁식사를 먹자고 청했다.
5. 브라운 씨는 그가 마당에서 놀고 있는 것을 지켜봤다.
6. 나는 네가 그렇게 행복해 하는 것을 본 적이 없다.

Review Test 11

1. Tom and Jane were not(weren't) in the garden.
2. That gentleman may not be Mr. White.
3. We will not(won't) get there within an hour.
4. Father does not(doesn't) like apples.
5. The teacher did not(didn't) take us to the park.

Review Test 12

1. Columbus did.
2. It is Seoul.
3. The sun is (larger than the earth).
4. Yes, we(I) do.
5. It comes in December.

Review Test 13

1. ① Are the boys Americans?
   ② Are the boys not Americans?
   　Aren't the boys Americans?
   ③ The boys are Americans, aren't they?
2. ① Was Tom glad to see his mother?
   ② Was Tom not glad to see his mother?
   　Wasn't Tom glad to see his mother?
   ③ Tom was glad to see his mother, wasn't he?
3. ① Do you watch television after supper?
   ② Do you not watch television after supper?
   　Don't you watch television after supper?
   ③ You watch television after supper, don't you?
4. ① Did they build their house on the hill?
   ② Did they not build their house on the hill?
   　Didn't they build their house on the hill?
   ③ They built their house on the hill, didn't they?
5. ① Could Mary answer the question?
   ② Could Mary not answer the question?
   　Couldn't Mary answer the question?
   ③ Mary could answer the question, couldn't she?

Review Test 14

1. Look at the picture on the wall.
2. Don't be lazy.
3. Let us hear your song.
4. Let's water the flowers in the garden.

Review Test 15

1. How interesting this book is!
2. How hard the wind blew!
3. What an expensive car it is!
4. What a good time I had in New York!
5. What beautiful birds these are!

Review Test 16

1. (He) worked hard(, so) he succeeded in his work.
2. (As he) worked hard, he succeeded in his work.
3. He worked so hard (that he succeeded in his work).
4. (He succeeded in his work by) working hard.

EXERCISE

A

1. '~가 되다'라는 의미로 불완전자동사: 보어
   ※ make를 완전타동사, scientist를 목적어라고 할 수도 있다.
2. '~을 만들다'라는 의미로 완전타동사: 목적어
3. '~하게 하다'라는 의미로 불완전타동사: 목적격보어
4. '만들어 주다'라는 의미로 수여동사: 직접목적어

B

1. a) 3형식: 빌은 빈 방을 떠났다.
   b) 5형식: 빌은 그 방을 빈 채로 두었다.
2. a) 3형식: 나는 그 책을 쉽게 찾았다.
   b) 5형식: 나는 그 책이 쉽다는 것을 알았다.
3. a) 1형식: 그녀는 나를 슬프게 바라보았다.
   b) 2형식: 그녀는 슬퍼 보였다.

C

* 겨울이 끝나면 봄이 온다.…〈복문〉
* 봄은 야외에서 활동하기 가장 좋은 계절이다.…〈단문〉
* 오랫동안 실내에 있어야만 했던 사람들은 즐겁게 밖으로 나올 것이다.…〈복문〉
* 이제 태양은 빛나고 정원의 꽃들은 모두 피려고 한다.…〈중문〉
* 비조차도 겨울만큼 차갑지 않다.…〈복문〉

D

1. He asserted that he was innocent.
2. It seemed to me that the data were(was) insufficient.
3. With your assistance my success will be certain.
4. If you try to be kind to others, they will become kind to you, too.

E

1. doing　2. Yes　3. can't　4. No　5. do
6. Of　7. not　8. can　9. Yes　10. Shall

Chapter 02 동사와 동사의 시제

Review Test 01

1. returns
2. cries
3. catches
4. judges
5. laughing
6. rising
7. begging
8. tying

Review Test 02

1. crossed, crossed
2. believed, believed
3. denied, denied
4. pinned, pinned
5. began, begun
6. brought, brought
7. became, become
8. cost, cost

Review Test 03

1. ① Green grass grew.
   ② Green grass will grow.
2. ① The girls talked about their pet animals.
   ② The girls will talk about their pet animals.
3. ① Mrs. Brown made some sandwiches.
   ② Mrs. Brown will make some sandwiches.
4. ① Did they play baseball on the ground?
   ② Will they play baseball on the ground?
5. ① There was a piece of cake for everybody.
   ② There will be a piece of cake for everybody.

Review Test 04

1. 해가 서쪽으로 거의 다 졌다. …〈완료·결과〉
2. 아, 너 다 컸구나! …〈완료·결과〉
3. 비행기에 타고 높이 날아본 적 있니? …〈경험〉
4. 우리는 오랫동안 차 안에 앉아 있었다. …〈계속〉
5. 하루 종일 어디 있었니? …〈계속〉

Review Test 05

1. 그녀는 아기가 잠들기 전에 잠들어 버렸다. …〈완료·결과〉
2. 있던 시계가 망가져서 시계를 하나 샀다. …〈완료·결과〉
3. 그 가족은 전에 테이블보를 사용해 본 적이 전혀 없었다. …〈경험〉
4. 날씨는 그가 올 때까지는 좋았다. …〈계속〉
5. 나는 그녀가 어딘가로 이사 갔다는 것을 알았다. …〈대과거〉

Review Test 06

1. He is waiting for you outside the house.
2. He was waiting for you for a long time.
3. He will be waiting for you at the library.
4. He has been waiting for you since morning.
5. He had been waiting for you till it became dark.

Exercise

A

1. is polishing
2. bought
3. will wash
4. has lived
5. had never made
6. will have finished

B

1. waken
2. lie, lain
3. lend, lent
4. sit, sat
5. beat, beaten

C

1. I hear [that] Tom is sick.
2. The moon goes round the earth.
3. Mr. and Mrs. West will go to the party tomorrow.
4. I will give you this book.
5. Spring has come. Birds are singing.

D

1. a) 그녀가 오면 알려줘.
   b) 그녀가 언제 오는지 알려줘.
2. a) 내 여동생은 항상 소설만 읽는다.
   b) 내 여동생은 지금 소설을 읽고 있다.

3. a) 톰과 나는 도서관에 가는 중이다.
   b) 톰과 나는 점심을 먹을 작정이다.
4. a) 그는 친구를 배웅하러 역으로 갔다.
   b) 그는 친구를 배웅하러 역에 갔다 왔다.
5. a) 의사는 방금 그 환자를 수술했다.
   b) 의사는 그 환자를 계속 수술하고 있다.

E

1. 마당에서 장미 냄새가 난다.
2. 개는 뼈 냄새를 맡는다. A dog is smelling the bones.
3. 소녀가 개와 함께 달린다. The girl is running with her dog.
4. 강은 남쪽으로 흐른다.
5. 그녀는 이모를 산책하러 데리고 나간다. She is taking her aunt out for a walk.
6. 그녀는 이모와 매우 닮았다.
7. 그 집에는 넓은 마당이 있다.
8. 그 신사는 상대와 춤을 춘다. The gentleman is having a dance with his partner.
9. 그는 열차여행을 좋아한다.
10. 아버지는 머리를 염색한다. Father is dyeing his hair.

Chapter 03 조동사

Review Test 01

1. Did the fish close its eyes as we do?
2. I do hope (that) you will come home soon.
3. He may be hungry, but you cannot be hungry.
4. You must be tired, for you had to walk for many hours.
5. Tom may stay, but Bill must leave.
6. He may not be an able man, but I think he can do such a thing.
7. You must not buy what you need not buy.

Review Test 02

1. 감히 어떻게 나한테 그렇게 말할 수 있어?
2. 전에 그녀는 자기 전에 피아노를 치곤 했다.
3. 이웃들과 사이좋게 지내야 한다.
4. 그들은 그에게 사과했어야 했다.

Review Test 03

1. would: 그는 자주 일에 녹초가 되어 집에 돌아왔다.
2. should: 방에 들어오면 모자를 벗어야 한다.
3. would: 이 가방을 옮겨 주시겠어요?
4. should: 우리는 들리지 않도록 작은 소리로 말했다.
5. would: 나는 그에게 돈을 좀 주었지만, 받으려고 하지 않았다.
6. should: 그들이 그를 싫어하는 건 당연하다.

Exercise

A

1. That man cannot be a doctor.
2. You must not come into this room with shoes on.
3. He is not able to swim across the river.
   He is unable to swim across the river.
4. She doesn't have to translate these sentences into Korean for her friends.
   She need not translate these sentences into Korean for her friends.

B

1. would
2. need, will(can)
3. must
4. May, would(should)
5. may
6. will

C

Ⓑ would

D

2, 4

E

1. ⑤　　2. ④　　3. ⑦　　4. ②　　5. ③

Chapter 04 수동태

Review Test 01

1. The car will be sold by him tomorrow.

2. They were shown the new dress by her.

   The new dress was shown (to) them by her.

3. Who was this CD produced by?

   By whom was this CD produced? ···〈문장체〉

4. The child has been run over by a dump truck.

5. The lovely andante is being played by him.

Review Test 02

1. What is this flower called in English?

2. The glass was filled with water.

3. He will not be satisfied with your answer.

4. His name became known to many people.

5. I had my watch stolen in the train.

Exercise

A

1. They speak Spanish in most South American countries.

2. The plane was watched to take off by all the people.

3. He was laughed at for his folly by everybody.

4. When will the meeting be held?

5. Many amazing rewards have been brought to mankind by this wonderful method.

B

1. a) 바람에 소녀의 우산이 날아갔다.

   b) 소녀의 우산이 바람에 날아갔다.

2. a) 불행이 그를 학교를 떠나게 했다.

      → 불행하게도 그는 학교를 떠날 수밖에 없었다.

   b) 불행하게도 그는 학교를 떠나야만 했다.

3. a) 재미있는 이야기가 브라운 씨에 의해 우리에게 말해졌다.

   b) 우리는 브라운 양에게 재미있는 이야기를 들었다.

4. a) 그 소녀는 다치지 않았다.

   b) 이 소녀는 상처를 입지 않았다.

C

1. ④

2. ⑦

3. ①

4. ③

5. ⑤

Chapter 05 구와 절

Review Test 01

1. to the station(역으로) / with him(그와 함께)

   in a hurry(급히)

   모두 부사구로 동사 went를 수식한다.

2. for our books and newspapers(책이나 잡지용의): 형용사구로 명사 paper를 수식한다.

   from wood(목재에서): 부사구로 동사 is made를 수식한다.

3. Making a house(집을 짓는 것): 명사구로 문장의 주어.

   to keep off the rain(비를 피하기 위해): 부사구로 형용사 necessary를 수식한다.

4. to understand ~ other countries(다른 나라 사람들을 이해하는 것): 명사구로 is의 보어.

   of other countries(다른 나라의): 형용사구로 명사 people을 수식한다.

Review Test 02

1. 이것이 저것보다 훨씬 더 좋다.

2. 그는 다음 주 오늘 돌아올 것이다.

3. 나는 손에 모자를 들고 거기에 앉았다.

4. 그는 계속 그녀를 주시한 채 가만히 누워 있었다.

Review Test 03

1. whether ~ not: 그가 동의하건 안 하건 중요하지 않다.

2. What I have here: 여기에 내가 뭘 갖고 있는 것 같니?

3. What is important, that ~ ourselves: 중요한 것은 우리가 스스로 그 문제를 풀어야 한다는 것이다.

Exercise

A

1. (It is dangerous) for a child to swim in this river.

2. (He is the only man) to tell me the truth.

3. (I have to see him by all means) during his stay here.

4. (She insisted) on marrying the gentleman.

5. (He did not know) what to do next.

6. (She was proud) of his having obtained his degree.

7. Because of a heavy rain (the roads were badly muddy.)

   On account of a heavy rain (the roads were badly

muddy.)

8. (Do you know the lady) standing before the gate?

B

1. He is an able man.
2. The book is useless to me.
3. You can do the work easily.
4. The Browns treated me kindly.

C

1. He was waiting for the bus with both his hands in his pockets.
2. The mother was knitting with her baby on her lap.

D

1. Though he had powers, (he was kind to his men.)
2. (He could not believe) that I was innocent.
3. As soon as he left school, (he began to work at his uncle's.)
4. (The orphan had no house) where he could live.
   (The orphan had no house) in which he could live.
5. (The boys) who are playing hide–and–seek (are all my grandsons.)
   (The boys) that are playing hide–and–seek (are all my grandsons.)
6. (It is natural) that he should refuse your proposal.
7. (Do you understand the reason) why he is silent?

E

1. (a) 그는 거기서 본 것에 관심이 없었다.
   (b) 그는 거기서 일어나는 일을 알기에는 너무 어렸다.
2. (a) 나는 그녀에게 가족이 모두 건강하게 잘 있는지 물었다.
   (b) 나는 그녀가 바쁘지 않으면 그녀를 방문할 것이다.

F

If you ~ readable …〈부사절〉
that well-informed ~ readable …〈형용사절〉
that probably ~ in you …〈명사절〉
which now ~ difficult …〈형용사절〉
when you ~ intellectually …〈부사절〉
박식한 사람이 중요하고 재미있다고 생각하는 책을 자신은 지루하다고 느낀다면 솔직히 그 책의 어려움은 책이 아니라 자신에게 있다고 고백하라. 지금은 지루하거나 어려운 책이 당신이 더 지적으로 더 성숙해지면 이해하기 쉽고 읽고 감동을 받게 되는 일이 종종 있는 것이다.

Chapter 06 부정사

Review Test 01

1. 그는 숲속에 들어가서 다시는 돌아오지 않았다. …〈부사적 용법; 결과〉
2. 그는 그녀에게 말을 걸 용기가 거의 없었다. …〈형용사적 용법; courage 수식〉
3. 그런 좋은 친구가 있어서 나는 참 좋다! …〈부사적 용법; 판단의 근거〉
4. 나는 수중에서 사는 것이 가능하다고 생각한다. …〈명사적 용법; think의 진목적어, it은 가목적어〉
5. 나는 너에게 할 말이 있다. …〈형용사적 용법; something을 수식〉
6. 그녀는 눈에서 눈물이 흐르게 놔뒀다. …〈명사적 용법; 목적격 보어〉
7. 그것을 설명하기는 정말 어렵다. …〈'의문사+부정사' 형태로 주어〉

Review Test 02

1. It is impossible for you to get there in an hour.
2. He made a park for all people to enjoy.
3. He spoke too fast for me to understand.

Review Test 03

1. 당신의 이전 편지에 즉시 답장을 하지 못한 것을 미안하게 생각합니다.
2. 그녀는 그 창문을 열었다. 내가 열지 말라고 했는데도.
3. 우선, 그는 이 일을 맡기에는 너무 어리다.

Review Test 04

1. She watched him walk to the door.
2. She made her son tell his secret.
3. I had Jane bring a glass of water.
4. You had better have them mend the fence.

Exercise

A

1. obey
2. to please
3. to try
4. to be swept
5. to master, go

B

1. We supposed him to be innocent.
2. Do you think him to be a good worker?
3. I was surprised to find him there.
4. I am sorry to leave you here.
5. He is said to be wealthy.
6. You are too young to work with us.
7. Her mother seemed to be tired.

C

1. (a) 독서를 할 때는 먼저 무엇을 읽을지 결정해야 한다.
   (c) 독서에서의 또 하나의 문제는 언제 읽느냐는 것이다.
2. To read good books broadens our experience.
3. (Most of us) find it very difficult to find time to read.

D

1. (b) that (d) than
2. ③
3. 더 보유하고 있다고 한다.

Chapter 7 동명사

Review Test 01

1. 그녀는 여기서 가르치는 게 정말 재미있겠다고 한다.
2. 나는 아버지 말씀에 순종하지 않은 것을 후회했다.
3. 습관이란 행위에 관한 생각 없이 그 행위를 하는 방식이다.
4. 나는 그런 일을 한 것을 부끄럽게 생각한다.
5. 데이비드는 짐들을 식당으로 옮겼다.

Review Test 02

1. on doing it by myself
2. because of working so hard

3. for his refusing to do it
4. of your wife('s) being there

Review Test 03

1. 오늘밤은 영화 보러 가고 싶다.
2. 누가 그 일을 했는지 알 수 없다.
3. 화를 내봐야 소용없다.
4. 나는 시골에 계신 어머니를 생각하지 않을 수 없다.
5. 그는 탈옥하자마자 다시 잡혔다.
6. 우리는 아버지가 직접 만든 저녁을 먹었다.
7. 소유할 가치가 있는 것은 무엇이든 얻기 어렵다.

Exercise

A

1. a) 그는 계산을 자기가 하겠다고 우겼다.
   b) 그는 내가 계산을 하라고 우겼다.
2. a) 나는 여성 흡연을 좋아하지 않는다.
   b) 나는 담배 피우고 있는 소녀를 좋아하지 않는다.
3. a) 나는 그에게 조언을 구할 것을 생각해냈다.
   b) 나는 그에게 조언을 구한 것을 생각해냈다.

B

4. 10

C

1. I have finished reading this book.
2. This book is worth reading. (of를 없앤다)
3. I was used to sitting up till late at night. (또는 was를 없앤다)
4. When the teacher came in, we all stopped talking.
5. Looking back upon my life, I cannot help feeling what a lucky man I have been.

D

1. putting it
2. your smoking
3. of going
4. to reading

E

외국을 여행하는 것은 정말 재미있을 것이다. 그래서 그다지 많은 돈을 쓰지 않고 여행할 수만 있다면, 유럽 여행을 고려하고 있다.

Chapter 08 분사

Review Test 01

A

1. Tom jumped on a running car.
2. There were some sailors on the wrecked ship.
3. Who is that lady talking with your father?
4. The bus painted yellow ran through the park.

B

1. facing: 그 집은 남향으로 세워져 있다.
2. relieved: 모두들 한결 편안함을 느낀다.
3. clinging: 그녀는 돛대에 매달려 있는 승무원들을 볼 수 있었다.
4. taken: 그녀는 사진 찍히는 것을 싫어했다.
5. eaten: 우리는 작은 고기가 큰 고기에 먹히는 것을 보았다.

Review Test 02

1. When they heard this, they laughed loudly.
2. As the queen was a wise woman, she listened to him.
3. After I had finished homework, I went shopping with Mother.
4. Arriving in Crimea, Florence saw many wounded soldiers lying on the field.
5. Running to the door, she threw it open.

Review Test 03

1. 거의 대부분의 일이 국가의 필요에 의해 통제되기 때문에 개인은 거의 자유가 없었다.
2. 그녀는 눈을 감고 음악을 듣고 있었다.
3. 엄밀히 말하면 샛별은 항성이 아니다.

Exercise

A

1. (a) 나는 집이 흔들리는 것을 느꼈다.
   (b) 나는 집이 흔들리고 있는 것을 느꼈다.
2. (a) 나는 새 옷을 맞췄다.
   (b) 나는 여동생에게 새 옷을 만들게 했다.
3. (a) 나는 화가에 의해 그려진 그림을 바라봤다.
   (b) 나는 그림을 그리는 화가를 바라봤다.

B

1. Hearing this, I changed my plans.
2. Finishing his work, he went out for a walk.
3. Living in the country, I have few visitors.
4. Rising early in the morning, I went to Hyde Park by car.

C

1. (John swore as) he cut himself while shaving.
2. Coming home late last night a little drunk, he fell into the ditch.
3. The Duchess has often been seen choosing vegetables carefully in the market early in the morning.

D

1. (a) 어느 화창한 날 아침 우리는 모두 식탁에 앉아 있었다. 그때 아버지가 돌아오는 소리를 들었다.
   (b) 그는 항상 불안한 존재였다.
2. sitting, made

E

1. The boy hurried down the mountainside and disappeared from view.
2. 배리는 눈에 코를 대고 킁킁거리며 주인의 목소리 방향으로 뛰어 갔다.

Chapter 09 가정법

Review Test 01

1. If I were you, I wouldn't do such a thing.
2. If he had courage, he could say that he loves her.
3. If I had worked hard, I could have succeeded.
4. If I had caught the train, I would have arrived here by nine.

Review Test 02

1. 공을 충분히 세게 던지면, 공은 땅에 떨어지지 않을 것이다.
2. 혹시라도 그런 일이 일어난다면, 공은 지구 주위를 계속 돌며 날아다닐 것이다.

3. 혹시라도 적당한 수단을 발견한다면, 공은 지구 주위를 돌 수 있을 것이다.

Review Test 03

1. 네가 곧 다시 돌아오면 좋겠어.
2. 그는 마치 미국인처럼 말한다.
3. 진정한 친구라면 다르게 행동했을 것이다.
4. 물고기처럼 헤엄칠 수 있다면 좋겠는데.
5. 당신의 도움이 없었더라면 나는 익사했을 것이다.

Exercise

A

1. 우리가 기억에만 의존한다면, 우리들이 해야 할 많은 일들을 잊어버릴 것이다.
2. 네가 6시에 집을 나섰다면, 첫 열차를 탈 수 있었을 것이다.
3. 나는 너무 충격을 받아서, 피가 모두 빠져나간 것처럼 느꼈다.
4. 좀 더 일찍 영어 공부를 시작했더라면 좋았을 걸.

B

1. could, have, helped, would, have, done
2. wish, could
3. had, visited
4. would, have, prevented
5. Without

C

1. could
2. showing
3. had, asked
4. were

D

1. If he were not sick, he could go out.
2. If he had been an honest man, he would have acted differently.
3. My mother's illness prevented me from accompanying you.

E

1. suspects → suspected 그녀는 마치 아무 의심도 없는 것처럼 웃고 있다.
2. and → or 젖은 옷을 벗지 않으면 감기에 걸려요.
3. knew → had known 그가 만일 내 수고를 알았다면 의심하지 않고 나를 도왔을 것이다.
4. will → would 누가 나에게 우산을 빌려주면 좋을 텐데.
5. I were → Were I 또는 If I were 내가 백만장자였다면 세계 여행을 할 텐데.
6. did not play → had not played 어제 무단으로 학교에 결석하지 말았어야 했는데.
7. am → were, will → would 내가 너라면 그런 곳엔 가지 않는다.

F

많은 사람이 사랑하는 사람을 위해서였다면 똑같은 일을 했었을 것이다. 그러나 이 남자는 전혀 모르는 사람을 위해 헌신하고 자신을 희생했다. 이 점에서 그는 그 직업의 가치를 충분히 보여주었다.

Chapter 10 시제일치와 화법

Review Test 01

1. will → would: 그 노인은 폭풍이 곧 올 것이라고 생각했다.
2. has → had: 제인은 그 등대에 간 적이 있다고 말했다.
3. 그대로: 밥은 지구가 태양 주위를 돈다는 것을 몰랐다.
4. is → was: 나는 그 배가 플라스틱으로 만들어졌다는 것을 알았다.
5. 그대로: 그는 나에게 평소에 6시 전에 일어난다고 말했다.

Review Test 02

1. She said (that) she would finish the work by herself.
2. He told me (that) my brother was as old as he.
3. He said (that) it had been raining since the day before.
4. Father said (that) World War I broke out in 1914.
5. He told us (that) we should be kind to our friends.
6. She said (that) she had planted that tree the year before.

Review Test 03

1. He asked me if I could swim faster than he.
2. I asked Rose if she had written the letter.
3. I asked him how long he would stay there.
4. He asked me why my sister had been crying.
5. He asked me who was using his guitar.

Exercise

A

1. I thought that Tom was playing in the park.
2. We all hoped that everything would be all right.
3. It seemed that we had took the wrong train.
4. We knew that air is lighter than water.
5. Mr. Smith spoke as if he were a millionaire.

B

1. I asked Tom if I could help him.
2. He said to me, "Can you swim?"
3. The director told them to stay there and not to leave their post.
4. Father said to me, "Don't be afraid."
5. Tom asked me what I was thinking about.
6. Peter said to me, "What do you want me to do?"
7. He exclaimed what a beautiful mountain it was.

C

1. So she told the shopkeeper (that) she wanted to keep that tortoise in her garden and asked if it could live long.
2. The shopkeeper said (that) he was sure it could.
3. She told the shopkeeper (that) he had told her a lie the day before and that the tortoise had died that day.

D

1. He said to me, "You must go with me."
   He told me (that) I must go with him.
2. I said to him, "Didn't your sister see my mother?"
   I asked him if(whether) his sister hadn't seen my mother.
3. He said to me, "Which is better, this or that?"
   He asked me which was the better of the two.
4. Father said to me, "Go out at once. Don't come back again."
   Father told me to go out at once and not to come back again.

E

샘과 나는 차 뒷좌석에 앉아 있었고 레이는 엽총을 옆에 놓고 앞좌석에 앉아 있었다. 샘이 레이에게 왜 총을 가져 왔는지를 물었다.

레이는 비둘기를 잡고 싶다고 말했다.

Chapter 11 명사와 관사

Review Test 01

1. The ambitious Napoleon advanced into Russia.
2. The English fought against the Americans in 1812.
3. He gave me three slices of bread and some butter.
4. All the class were listening eagerly to the teacher.

Review Test 02

1. churches
2. foxes
3. wives
4. toys
5. tomatoes
6. stories
7. lice
8. step-sons
9. women-writers

Review Test 03

1. wife
2. stewardess
3. heroine
4. lady
5. empress
6. bride
7. Englishwoman

Review Test 04

1. 실수는 사람이 사람을 오해하는데서 일어날 수 있다.
2. 나는 런던에서 셰익스피어 초상화를 얻었다.
3. 당신은 여름 내내 잭슨 씨 집에서 묵을 것이다.
4. 출근 러시아워에 나는 가방을 잃어버렸다.
5. 그들은 자신들이 지불하는 돈의 가치 정도를 얻는다고 느낀다.

Review Test 05

1. An 또는 The / the

2. × / ×

3. The / a

4. the / a

5. × / the / ×

Exercise

A

1. wood(s) 또는 forest

2. library

2. crowd

4. audience

5. team

B

1. two soap → two cakes of soap

2. a few informations → a few pieces of information

3. three sugars → three lumps of sugar

4. three chalks → three pieces of chalk

5. seven shoes → seven pairs of shoes

6. three furnitures → three pieces(articles) of furniture

7. two breads → two loaves of bread

C

1. (a) 그의 가족은 소가족이다.
   (b) 그의 가족은 모두 왜소하다.

2. (a) 아버지가 소유한 그림 한 점이 없어졌다.
   (b) 아버지를 그린 그림 한 점이 없어졌다.

3. (a) 톰의 야구배트와 잭의 야구배트가 두 쪽으로 부러졌다.
   (b) 톰과 잭의 야구배트가 두 쪽으로 부러졌다.

4. (a) 그녀의 아버지는 백발이다.
   (b) 그녀의 아버지에게는 흰머리가 있다.

D

1. The / a

2. the / ×

3. × / × / the / the

4. × / the / an

5. a, ×

E

1. 그 소년은 내 뺨을 만졌다.

2. 그 영웅은 가난한 사람들을 구하려고 최선을 다했다.

3. 그녀가 하는 말을 글자 그대로 받아들이지 마라.

4. 그녀는 잠시 고향을 떠났다.

5. 계속해서 6시간이나 비가 오고 있다.

Chapter 12 대명사

Review Test 01

1. We had much snow this year.

2. It is a long walk from here to the next village.

3. What day of the month is it today?
   It is May 1.

4. She is writing letters to some friends of hers.

5. A railroad station is like life itself.

Review Test 02

1. 그는 그 자신의 슬픔과 수백만의 다른 사람들의 슬픔을 그의 유명한 시 한 편에 표현했다.

2. 나는 그를 설득해 보려고 했지만, 설득하는 것은 쉽지 않았다.

3. 그녀는 행복하지 않다. 단지 행복해 보일 뿐이다.

4. 내가 그에게 50달러를 주었으니까, 너에게도 50달러를 주겠다.

Review Test 03

1. One / one's

2. one

3. none

4. some / any

5. some/ others

Review Test 04

1. ① Not all of us(All of us do not) know the fact.
   ② None of us know the fact.

2. ① I do not like every one of the girls.
   ② I do not like any of the girls.

3. ① Both of his sisters cannot sing well.
   ② Neither of his sisters can sing well.

Review Test 05

1. What

2. Which

3. Whom 또는 Who

Exercise

A

1. **the others** 15명의 경쟁자 중에 3명은 상을 받았지만, 나머지는 아무것도 받지 못했다.

2. **another** 앞으로 2시간 후에 그는 다시 집에 돌아올 것이다.

3. **other** 그녀는 다른 사람이 자신을 어떻게 생각하는지 신경 쓰지 않는다.

4. **any other** 대성당과 옛 건축물이 있는 그 마을 나라의 다른 어느 장소보다 많은 관광객을 유치하고 있다.

5. **the other** 요전 날 회사 바로 앞에서 교통사고가 있었다.

6. **others** 영화를 보러 나가는 것을 좋아하는 사람도 있고, 텔레비전을 보기 위해 집에 있는 걸 좋아하는 사람도 있다.

B

1. one
2. herself
3. that
4. either
5. anything
6. hers
7. own

C

1. perfect English
2. (1) All of us are not rich.
   (2) None of us use the language in the same way.
3. 언어의 바른 용법에 관한 규칙을 만드는 것이 문법학자들의 의무였고, 그 규칙에 따르는 것은 다른 사람들 모두의 의무였다.
4. 이런 믿음은 완전히 사라진 것은 아니지만 더 이상 존중되지 않는다.
5. 문법 규칙은 다른 과학 법칙처럼 나타나는 현상에 대한 일반적 기술이지 당연히 따라야 하는 지시는 아니다.
6. the laws of grammar

Chapter 13 형용사와 부사

Review Test 01

1. This is a new car.
2. I found the box empty.
3. Give me something cold to drink.
4. The girl has a basket full of flowers.

Review Test 02

1. tall / old / English
2. A / few
3. little / knowledge

Review Test 03

1. (1) five-sixths
   (2) three and four-fifths
   (3) thirty-four point six oh nine
   (4) the thirty-eighth
2. (1) fourteen ninety-two
   (2) July the twenty-second, two thousand nineteen
3. (1) eleven-fifty / ten (minutes) to twelve /
   ten (minutes) before twelve
   (2) the ten-twenty-five a.m. train

Review Test 04

1. He is very clever, but he doesn't work diligently.
2. Luckily no one was hurt.
3. When and where shall we have lunch?
4. Do you know where Sam was born?

Review Test 05

1. ~ seems quite strange~
2. ~ old enough to ~
3. ~ would sometimes sit ~
4. ~ died soon after ~
5. I foolishly refused ~ 또는 Foolishly I ~

Review Test 06

1. He was here just an hour ago.
2. A: Has the bell rung yet?
   B: Yes, it has already rung.
3. My bicycle is much better than yours.
4. I little dreamed that he would fail.
5. I can hardly believe that.

Exercise

A

1. Two-third of the earth face is covered with sea.

2. A year has three hundred and sixty-five days, but a leap-year has three hundred and sixty-six days.

3. It is said that one's life is decided in one's twenties.

4. Tens of thousands of people are killed in traffic accidents every year.

B

1. ①
2. ①
3. ②
4. ①
5. ①
6. ①

C

1. ago → before
2. lately → late
3. hot something → something hot
4. hundreds → hundred
5. sadly → sad

D

1. The young
2. at first
3. respectfully
4. diligent
5. what
6. much

E

1. 이 세상에서 사람들이 어떻게 뭔가를 얻는지 알고 있지요. 그걸 얻기 위해 사람들은 일을 합니다. 비록 당신이 소녀라도 해도 그것을 이해할 수 있습니다.

2. 영국인은 예술적 감각은 거의 없지만, 심오한 시적 감각은 있다. 이 둘은 결코 같은 것은 아니다.

3. 사실, 언어가 없으면 어떤 인간 조직도 만들어질 수 없고 오래 지속될 수 없을 것이다. 확실히 의사소통이 없으면 현대 사회의 복잡한 조직은 절대 있을 수 없을 것이다.

Chapter 14 비교

Review Test 01

1. nicer, nicest
2. prettier, prettiest
3. more bravely, most bravely
4. more famous, most famous
5. more important, most important
6. fatter, fattest
7. more easily, most easily
8. worse, worst

Review Test 02

1. I like Paris as much as (I like) New York.
2. Tom's car doesn't run as(so) fast as his father's.
3. Come home as soon as you can(possible).
4. He bought twice as expensive a cellphone as I (did).
5. No other boy in this class is so tall as Tom.

Review Test 03

1. She is much worse today than yesterday.
2. You must come earlier tomorrow morning.
3. It is more hot than warm.
4. This sport is superior to baseball because more people can take part in it.

Review Test 04

1. 그는 칭찬을 받을수록 더욱 열성적이었다.
2. 나이를 먹을수록 해야 할 일이 점점 더 많아지고, 많은 습관이 형성된다.
3. 철은 다른 어떤 금속보다 유용하다.
4. 박쥐가 새가 아닌 것은 쥐가 새가 아닌 것과 같다.

Review Test 05

1. 이 구름들 금성을 행성 중에서 가장 밝게 한다.
2. 수위는 9월 중에 가장 높고 6월에 가장 낮다.
3. 아주 작은 소리에도 아기는 눈을 떴다.
4. 그것은 가장 합리적인 의견이다.

Exercise

A

1. longer, other
2. so, as
3. need, any
4. less
5. senior, me
6. only

B

1. 나이가 들어감에 따라 모험을 추구하는 욕구는 감소한다.
2. 걸으면 걸을수록 발뒤꿈치 근육은 점점 더 튼튼해진다.
3. 그는 인색해서 100달러 이상은 지불하지 않을 것이다.
4. 가장 노련한 선수도 흥분할 것이다.

C

1. more
2. longer
3. not
4. the
5. to

D

④

E

1. 내 얘기를 좀 하자면 어떤 것보다 책에서 즐거움을 얻었다. 그러나 즐거움과 이익은 전혀 다른 것이다. 현명한 사람들은 출판물이 세상살이에 최고의 교사라는 것을 그다지 확신하지 않는다.
2. 문명은 민족을 조금이라도 더 낫게 만들지는 못한다. 문명은 사람들에게 더 많은 것을 알게 한다. 그리고 지식이 사람들을 행복하게 해주면 지식은 유용하고 바람직하다. 모든 정상적인 인간의 하나의 목적은 행복해지는 것이다. 누구도 그것 이외의 동기를 가질 수는 없다.

Chapter 15 관계사

Review Test 01

1. I know a girl whose hair is very long.
2. The season which(that) comes before spring is winter.

3. The letter which(that) Tom received was written in French.
4. Look at the boy and his horse that are standing under the tree.

Review Test 02

1. of, whom
2. which, on
3. from, whom

Review Test 03

1. This is just what I want to know.
2. What I saw there was very strange.
3. We love what is beautiful.

Review Test 04

1. 어머니는 부지런한 소년을 좋아한다.
   어머니는 그 소년을 좋아한다. 그는 부지런하다.
2. 너에게 아주 재미있는 소설을 빌려 주겠다.
   너에게 이 소설을 빌려 주겠다. 그 소설은 아주 재미있다.
3. 숙모는 금반지를 갖고 있었고, 그것을 우리에게 보여 주었다.
   숙모는 금반지를 몇 개 갖고 있었다. 그것이 그녀가 부자라는 것을 보여주었다.

Review Test 05

1. 나는 그녀가 들은 것과 같은 그런 소리를 못 들었다.
2. 너는 내가 기대한 이상으로 일했다.
3. 누구든지 이 돈을 정말로 필요로 하는 사람에게 주세요.
4. 나는 어느 것이든 당신이 주는 것을 갖겠다.
5. 무슨 일을 하든 그 일을 잘 하세요.

Review Test 06

A

1. This is the hotel where we stayed last year.
2. Tell me the exact time when he will be back.
3. I know the reason why she wept.
4. This is how(the way) Tom earns money.

B

1. 나는 호텔에 묵고 있는 그를 만나러 갔지만, 그는 이미 거기 묵고 있지 않았다.

2. 금요일까지 기다려 주세요. 그때 대답할게요.

Review Test 07

A
1. 너는 어디에 있든지 사랑을 받을 것이다.
2. 언제든지 시간이 나면 놀러 와라.

B
1. Whatever
2. wherever
3. whichever
4. However

Exercise

A
1. This is the girl whom(that) I spoke of the other day.
2. What is that white building whose roof you can see from here?
3. I was advised to read one English book every day, but it was a sheer impossibility.

B
1. where
2. whose
3. that
4. what
5. which 또는 that
6. that
7. how
8. Wherever

C
1. come, when
2. Whatever, you
3. whose
4. whose

D
1. 나이가 들어 모든 일에 반항하는 사람은 어린 시절 부모의 훈계와 실천이 크게 다르다는 것을 목격한 사람들인 경우가 많다.
2. 지적인 생활의 무의식적인 근원은 호기심이고, 그것은 초보적인 형태이지만 동물 가운데서도 발견된다.

3. 사람이 나이를 들어 할 수 있는 것은 대부분 젊었을 때 준비해 온 것의 결과이다.

Chapter 16 전치사

Review Test 01

1. ~ care of: 그 아이는 잘 보살펴져야 한다.
2. do without: 그는 나에게 없어서는 안 되는 부하다.
3. talked about: 아무 할 말이 없다.
4. writing of what ~ nothing about: 나는 내가 전혀 모르는 것에 관해 쓰고 있었다.

Review Test 02

1. We chose him from among the three boys.
2. They stayed in the churchyard till after dark.
3. As for me, I like playing baseball.
4. Instead of going myself, I sent my sister.
5. I am going (to go) as far as Busan today.

Review Test 03

1. with
2. for
3. during
4. between
5. at
6. to

Review Test 04

1. of
2. to
3. in
4. of

Exercise

A
1. since
2. at
3. at
4. from

5. of

B

1. (a) 그들은 너무 오랜 토론으로 지쳐 있다.
   (b) 그들은 너무 오랜 토론에 짜증이 나 있다.
2. (a) 그의 집을 다리 밑에 있다.
   (b) 그의 집은 다리보다 하류에 있다.
3. (a) 미술관은 공원보다 동쪽에 있다.
   (b) 미술관은 공원 내의 동쪽에 있다.
   (c) 미술관은 공원 동쪽에 면해 있다.
4. (a) 우리는 길모퉁이에서 (남에게 부탁해서) 우리 사진을 찍었다.
   (b) 우리는 공원 구석에서 (남에게 부탁해서) 우리 사진을 찍었다.
5. (a) 인간을 자주 원숭이와 비교된다.
   (b) 인생은 자주 항해와 비유된다.

C

1. among → between 예술과 종교 사이의 관계는 밀접한 관계이다.
2. than → from 네 셔츠는 내 셔츠와 치수가 다르다.
3. on → above(over) 보름달이 숲 위에서 빛나고 있다.
4. besides → beside 소녀는 창문 열 의자에 앉았다.
5. of → from 종이는 나무로 만들어진다.
6. at → on, for → during 그는 여름방학 동안에 선생님을 방문했다.
7. under → below 온도계가 영하 5도를 가리키고 있다.
8. to → for, for → in 부산행 급행열차는 10분 후에 3번 승강장에서 떠난다.

D

1. He voted against the bill. 그는 그 법안에 반대투표를 했다.
2. Grapes are out of season. 포도는 제철이 아니다.
3. He came out of the library. 그는 도서관에서 나왔다.
4. I am off duty today. 나는 오늘 비번이다.
5. They ran down the slope. 그는 비탈을 달려 내려왔다.
6. Success in life is beyond(out of, above) your reach. 출세의 욕심은 버려라.
7. This is a desk without drawers. 이건 서랍이 없는 책상이다.

Chapter 17 접속사

Review Test 01

1. and
2. or
3. for
4. but

Review Test 02

1. It is strange that he should not come.
2. I am sorry (that) I cannot tell you the way.
3. People had the idea that he was merciless.
4. No one knows if(whether) he spoke the truth.

Review Test 03

1. When fall(autumn) comes, leaves turn yellow.
2. Before we got home, it began to rain.
3. You cannot understand a man until you have seen him.
4. It is five years since my brother went abroad.
5. As soon as the teacher came in, the students sat down.

Review Test 04

1. 사실 책이 두껍다고 가치가 있는 것은 아니다.
2. 이제는 어리지 않으니까 장래를 생각해야 한다.
3. 배는 매우 느리게 움직여서 전혀 움직이지 않는 것처럼 보였다.
4. 그는 그것에 관해 매우 즐겁게 말해서 나는 아주 좋은 일이라고 것으로 생각했다.
5. 각 층에 서는 것과 급행이 있으니까 맨 위층까지 빨리 도착할 수 있다.

Review Test 05

1. so, may
2. fear, should
3. unless
4. as
5. even, if 또는 though

Exercise

A

1. He can both sing and dance.
2. It gives you pleasure as well as knowledge.
3. He is neither in the room nor in the garden.

B

1. (a) his youth
   (b) he was young
2. (a) a dense fog
   (b) it was densely foggy(또는 we had a dense fog)
3. (a) his son's success
   (b) his son would succeed

C

1. nor
2. so long as
3. before
4. as
5. or

D

1. She did not know the blessing of health until she became seriously ill.
2. Carry an umbrella with you lest you should be caught in a shower on the way.
3. Though he was only a child, he was very helpful.

E

여러 종류의 기계의 발명에 따라 불도저와 같은 것들이 훨씬 일을 잘 할 수 있다는 것을 알려져서 인간이 육체적인 노동에 자부심을 느끼는 것은 어려워졌다. 그것과 마찬가지로 컴퓨터가 발전함에 따라 정신적인 일에 자부심을 느끼는 것이 어려워진다는 사실이 나타나고 있다.

Chapter 18 특수구문

Review Test 01

1. 엄밀한 의미에서의 러셀은 철학자가 아니다.
2. 오후의 다과를 식사라고까지는 할 수 없다.

3. 번화한 서울의 한가운데에 남대문이 있다.
4. 밤에만 나이팅게일이 우는 것은 아니다.

Review Test 02

1. 그 일은 의심할 여지가 없는 것 같다.
2. "나는 쭉 이 결혼에 대해 생각하고 있었어."라고 남자가 말했다. "저도요."라고 여자가 대답했다.
3. 그녀는 노래 못하는 가수인 주제에 매우 거만했다.
4. 그들이 그녀를 방문했다고 해도 그녀는 그들을 보는 것을 좋아하지 않았을 것이다.

Review Test 03

1. It was I that(who) visited the castle with him last spring.
2. It was the castle that(which) I visited with him last spring.
3. It was with him that I visited the castle last spring.
4. It was last spring that I visited the castle with him.

Review Test 04

1. I do hope (that) he will recover soon.
2. Life itself is a mystery.
3. What on earth is the matter with him?
4. He appeared at that very moment.
5. We could not comfort him by any means.

Review Test 05

1. 너는 괜찮겠지만 나는 그렇지 않다.: ~ but it is not all right for me.
2. 그의 신체는 절개되어 그 일부가 꺼내질 것이다.: ~ and part of it is going to be taken out.
3. 토양은 모래투성이지만 대부분은 양호하다.: ~, though it is sandy, ~
4. 필요한 곳에 이용할 수 있는 장학금이 있다.: Where it is necessary, ~
5. 틀린 곳이 있으면 고쳐라.: ~, if there are any errors.

Review Test 06

1. 몇 시에 그것이 일어났다고 말씀하셨습니까?
2. 그는 이 30센트짜리 우표를 골랐다. 그것을 더 나은 견본과 바꿀 수 있을 것으로 생각했다.

3. 남자의 모습이 바로 앞에 보였을 때 의사는 안심했다.

Review Test 07

1. 나에게 처음으로 좋은 음악의 소개해 준 사람은 학교 친구인 조지라는 아이였다.
2. 프랑스의 통치자 나폴레옹은 군대를 러시아로 진군시켰다.
3. 희생자가 존이라는 소문이 퍼졌다.

Review Test 08

1. was
2. was
3. have
4. were
5. is

Review Test 09

1. (a) I don't understand both German and French.
   (b) I understand neither German nor French.
      I don't understand German nor French.
2. (a) I don't know everything about him.
   (b) I know nothing about him.
      I don't know anything about him at all.
3. (a) It is not always good to be alone.
   (b) It is always not good to be alone.
4. (a) Not all of his family are completely happy.
   (b) None of his family are completely happy.

Review Test 10

1. I could scarcely utter a word.
2. He seldom takes lunch at home.
3. There is little hope of his success.
4. There is nothing that he does not know.
5. I cannot see him without thinking of his brother.

Exercise

A

1. He did this without difficulty.
2. The ceiling came down.
3. I never knew such a fellow.
4. His new novel does not appear so interesting to me as his earlier ones.

5. I'm not sure whether he is equal to the position or not.

B

1. It was in France that he was born and it was in Canada that he was bred.
2. I tried, tried and tried(I did try) it over again, only to fail.
3. What in the world was the reason for your absence?
4. It was because he did not have enough money that he gave up the idea of going to college.
5. Never have I seen such a terrible sight.

C

1. When young, she never appeared in society.
2. The statesman loves and will love peace.
3. She did not, or strictly speaking, could not tell her name.
4. He was rather kind to his friends than to his relatives.

D

1. nothing, but
2. not, always
3. the, last
4. never, without
5. not, until

E

1. 위원회는 그 문제를 조사했지만 어떤 결론도 내릴 수 없었다.
2. 이 식물은 전혀 건강에 좋지 않다.
3. 도구 없이 이 일을 어떻게 할 수 있어요?
4. 그가 백만 달러 대출을 신청했을 때의 침착한 태도는 나로서는 도무지 흉내낼 수 없었다.
5. 소년은 금문교가 빨간색 페인트로 칠해졌다는 사실을 알고 매우 놀랐다.